Sporen van Emma

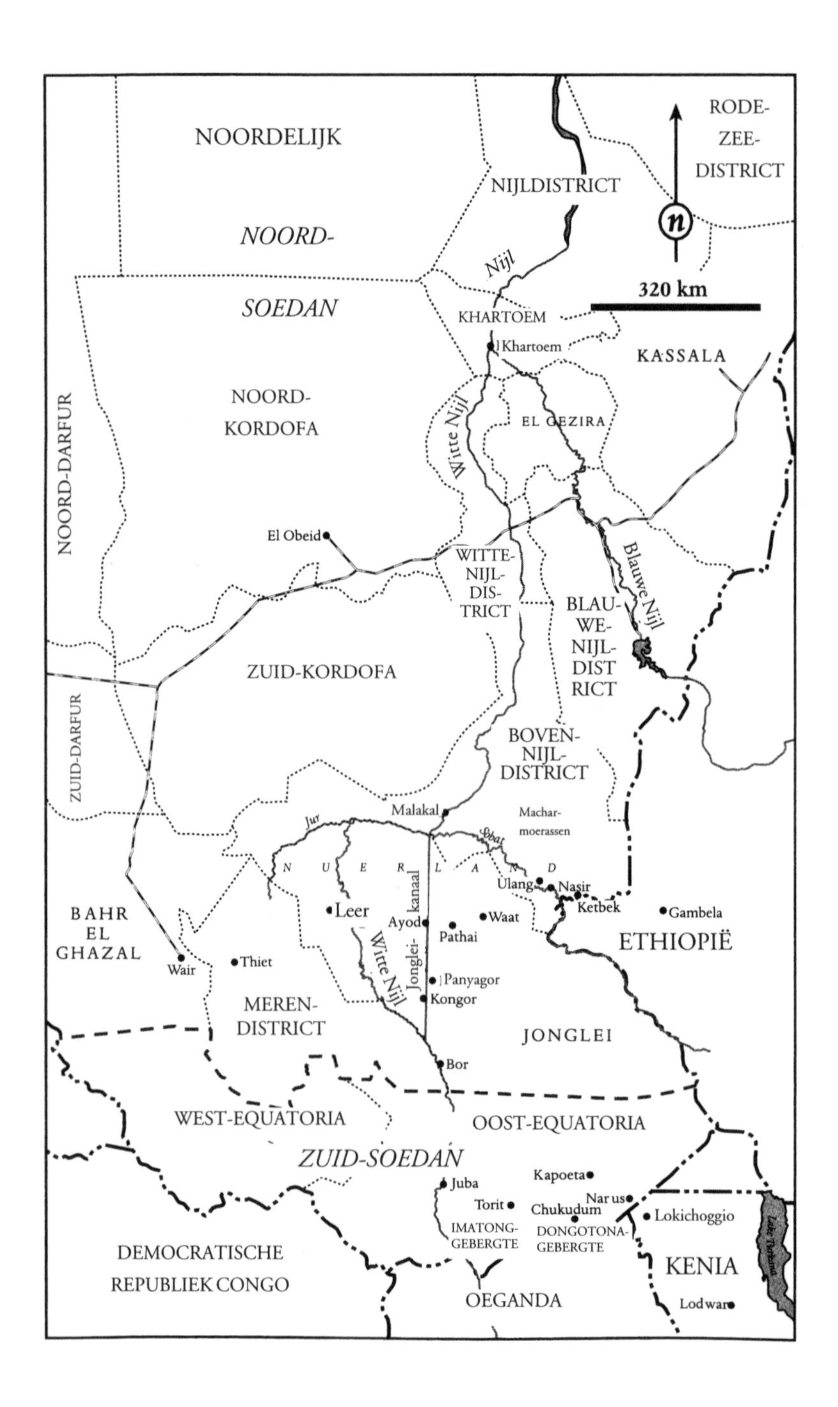
NOORDELIJK
NOORD-
SOEDAN
NIJLDISTRICT
RODE-
ZEE-
DISTRICT
320 km
Nijl
KHARTOEM
Khartoem
KASSALA
NOORD-DARFUR
NOORD-
KORDOFA
Witte Nijl
EL GEZIRA
El Obeid
WITTE-
NIJL-
DIS-
TRICT
Blauwe Nijl
BLAU-
WE-
NIJL-
DIST
RICT
ZUID-KORDOFA
ZUID-DARFUR
BOVEN-
NIJL-
DISTRICT
Malakal
Machar-
moerassen
Jur
Sobat
N U E R L A N D
Ulang
Nasir
Ketbek
Gambela
BAHR
EL
GHAZAL
Leer
Ayod
Waat
Pathai
ETHIOPIË
Wair
Thiet
Jonglei-kanaal
Witte Nijl
Panyagor
Kongor
MEREN-
DISTRICT
JONGLEI
Bor
WEST-EQUATORIA
OOST-EQUATORIA
ZUID-SOEDAN
Kapoeta
Juba
Torit
Narus
Chukudum
Lokichoggio
IMATONG-
GEBERGTE
DONGOTONA-
GEBERGTE
DEMOCRATISCHE
REPUBLIEK CONGO
KENIA
OEGANDA
Lodwar

Maggie McCune

Sporen van Emma

Vertaald door Wim Scherpenisse

ARENA

Oorspronkelijke titel: *Till the Sun Grows Cold*

Omslagontwerp: Mariska Cock, Amsterdam
Foto's omslag: Peter Moszynski
Typografie en zetwerk: Peter Verwey Grafische Produkties bv, Zwanenburg
ISBN 90 6974 399 X
NUGI 301, 470

voor Erica, Jennie en Johnny

Kijk uit uw venster en zie
Mijn passie en mijn smart;
Ik lig op het zand daarbeneden,
Bezwijmd van de kou van uw hart.
Moog' de nachtwind uw voorhoofd beroeren
Met de hitte van mijn zuchten en kwijnen,
En uw oren de gelofte laten horen
Van een liefde die niet zal verdwijnen
Totdat de zon is ijskoud,
De sterren zijn verflauwd
En het Boek des Oordeels zich ontvouwt.

'Bedouin Song'
Bayard Taylor (1825-1878)

INLEIDING

Ik wist dat mijn dochter, Emma McCune-Machar, toen ze op 24 november 1993 in Nairobi, Kenia, op tragische wijze om het leven kwam, al een tijdje bezig was met het schrijven van haar autobiografie. Op het moment van haar overlijden was ze getrouwd met een Soedanese warlord.

In de tijd die sindsdien is verstreken, heb ik erover nagedacht hoe ik haar verhaal zou kunnen vertellen aan de hand van fragmenten uit haar onvoltooide boek, dat *Wedded to the Cause – Living with the War in the Sudan* zou gaan heten. In het slothoofdstuk van haar nagelaten manuscript staat:

> *Als ik terugkijk op één jaar huwelijk met Riek Machar vind ik dat onze liefde op de proef is gesteld. In plaats van ons uit elkaar te drijven hebben de moeilijkheden die we tegenkwamen ons juist dichter bij elkaar gebracht. De omstandigheden zijn niet ideaal en de toekomst is onzeker. Hoe dit boek afloopt, is nog niet bekend. Er zijn talloze scenario's: eeuwig verder leven met de spanning van de burgeroorlog, vermoord worden, in de gevangenis komen, verbannen worden, een overwinning behalen of in vrede en welvaart leven.*

Emma hield een dagboek bij en schreef brieven, en die korte schetsen van haar leven in Afrika raakten me. Zij en ik hadden nooit de tijd gehad om samen uitgebreid over haar tijd in Afrika te praten. Daarom zwoer ik na haar dood me in haar leven te verdiepen om anderen te kunnen vertellen over haar vrijgevochten aard en duidelijk te maken wat een bijzondere jonge vrouw ze was.

Toen ik eenmaal de moed had verzameld om het allemaal op te schrijven, ging alles ineens heel snel: ik pakte de telefoon, toetste nummers in, praatte met mensen van wie ik de meeste tot dan toe helemaal niet kende en vroeg hun wanneer en waar hun pad dat van Emma had gekruist en welke indruk ze bij hen had nagelaten.

Naarmate het verhaal van Emma's leven zich begon te ontvouwen, begon ik er als vanzelf mijn eigen verhaal van te maken, en zo werd het boek een ontdekkingsreis voor me, op zoek naar mijn dochter.

Het was een fascinerende en dankbare taak. Iedere stap, hoe klein ook, en iedere achteloze opmerking droeg een steentje bij tot mijn begrip van mijn dochter, en van mezelf. Ik ben ervan overtuigd dat ieder van ons een verhaal kan vertellen, en dat zelfs het kortste leven onsterfelijkheidswaarde heeft.

Ik begon aan mijn boek met Goethes krachtige woorden in mijn achterhoofd: 'Al wat ge kunt of meent te kunnen: begin eraan.'

Dat heb ik gedaan, op zoek naar de sporen van Emma.

Maggie McCune
1999

1

Het is al moeilijk genoeg om erachter te komen waar en bij wie we tijdens ons leven werkelijk thuishoren. Maar voordat we sterven, hebben we wellicht de tijd om ons erover te beraden waar op deze wereld we voor eeuwig willen rusten. Hebben we echter, ondanks een voorgevoel van onze eigen dood – die altijd onverwacht komt – geen tijd gehad om een plek te kiezen, dan moeten onze dierbaren, die ons kennen, die beslissing voor ons nemen...

Ik leef nu alweer een hele tijd alleen. Vlak bij mijn huis in Surrey staat een kerk die omringd wordt door een heel oude begraafplaats. Op deze plek staat al minstens duizend jaar een kerk: de muren van het schip zijn versierd met spookachtige fresco's uit de twaalfde eeuw, die taferelen uit het leven van Christus en de verschrikkingen van de hel verbeelden. Maar vandaag is het de eerste dag van een nieuw jaar aan het einde van de twintigste eeuw.

Het decor is typisch Engels. Het licht van de winternamiddag neemt af en de begraafplaats is verlaten. De nacht valt en verdeelt alles in zwart en wit. Er is een dik pak sneeuw gevallen, dat de grond en de graven als een lijkwade bedekt; er waait een ijzige, vlagerige wind. De rijen grafstenen onder de sombere cipressen vormen een kring rond de kerk. Van de grafzerken, die scherp afsteken tegen de sneeuw en bedekt zijn met gele mosspikkels, staan sommige rechtovereind, maar andere zijn scheef weggezakt.

Voor een van de zerken blijf ik staan: de naam, de jaartallen, de trieste grafschriften, de definitieve slotsom van een menselijk bestaan, het is allemaal uitgewist door de elementen en de tijd. Op een naburig graf heeft iemand een miniatuurkerstboompje geplant. Op de top zit de minuscule gestalte van een gevleugeld engeltje van roze wol. Ik wend me verstoord af. Wat rest ons, behalve nietige maar toch ontroerende gebaren als deze, als we een kind het leven niet meer kunnen teruggeven, een kind dat nu in de duisternis onder een deken van sneeuw ligt?

Daarom kom ik hier af en toe, om te luisteren naar de galmende stilte van de doden, om te treuren over de verliezen die we in deze wereld nooit meer goed kunnen maken. Daarbij moet ik altijd onwillekeurig denken aan mijn eigen verleden; in alle rust overpeins ik situaties die allesbehalve rustig waren, en ik tracht te begrijpen hoe we vandaar tot hier zijn gekomen. In een andere wereld, in een ander leven, zou mijn dochter Emma heel goed hier begraven hebben kunnen liggen en zou ikzelf op een dag toevertrouwd kunnen worden aan dezelfde aarde. Maar dat is een zinloze overweging, afkomstig uit een leven dat nooit geleefd is.

Ik zet de kraag van mijn jas op tegen de wind en keer op mijn schreden terug over het besneeuwde pad. De schaduwen verdiepen zich. Thuis zal ik me warmen bij het vuur, een kop thee zetten, gaan zitten in de stilte van het huis, uitkijken over de tuin die ik met zoveel hartstocht verzorg en nadenken over de dingen die ik me moet voornemen voor het nieuwe jaar dat vandaag is begonnen. Maar hier in de ijskoude nacht is het maar al te gemakkelijk om te geloven dat mijn bestaan niet meer is dan een schaduw; dat de werkelijkheid hier, in het eeuwige gezelschap van de doden en de spoken, op de een of andere manier reëler is.

Op een novemberochtend in 1993 arriveerde ik, samen met een aantal van Emma's beste vrienden, bij het krieken van de dag met een busje op Wilson Airport, aan de rand van de Keniaanse hoofdstad Nairobi. Toen we moeizaam uit het busje klauterden, de ochtendmist in, werden we verwelkomd door een jonge Soedanees. Hij was knap, middelgroot en charismatisch. Hij heette Kwong en was de adjudant van de man die naast mij stond, mijn schoonzoon Riek Machar (uitgesproken als Ri-ek Masjar) Teny-Dhurgon, een Zuid-Soedanese warlord.

Kwong leidde ons op eerbiedige wijze naar een gebouw van één verdieping dat niet veel meer was dan een houten hut. Het interieur werd voor eenderde deel in beslag genomen door een wachtruimte die sober was ingericht met stoelen met een donkerblauwe bekleding. Ik ging zitten; na een poosje kwam het me voor dat ik daar al oneindig lang zat te wachten, diep verzonken in beheerste en zwijgende gedachten. Aan de rustige wachtruimte grensde een kantoortuin die bruiste van de activiteiten: een fax braakte stapels papier uit, mensen namen gehaast rinkelende telefoons op. Vlak bij de ingang stonden opgewonden reizigers te midden van bagage in alle soorten en maten: koffers, kisten, kratten en rugzakken lagen ordeloos door elkaar op de grond. Aan de muren hingen overal kaarten van het werelddeel waarin ik zo onverwacht was beland.

Wilson Airport is een klein maar druk vliegveld dat door het Rode Kruis en andere hulporganisaties wordt gebruikt als uitvalsbasis om voedsel en levensreddende apparatuur naar de verste uithoeken van Oost-Afrika te vervoeren. Het wordt ook gebruikt door de reisorganisaties die exclusieve safari-expedities organiseren. De passagiers die zich op een willekeurig moment in het primitieve luchthavengebouw bevinden, vormen een wonderlijk samenraapsel: enerzijds zijn er de hulpverleners in vrijetijdskleding, met vermoeide gezichten en verkreukelde kleren, en anderzijds de frisse Europese reizigers in flitsende, dure safaripakken, vervuld van naïeve voorpret over giraffes die bedaard op vlaktes staan en gnoes die aan het wegtrekken zijn uit de Serengeti.

Het duizelde me van het pandemonium waarin ik terecht was gekomen. Ik keek de andere kant op, door het stoffige raam. Het had de vroege ochtend van een aprildag in Engeland kunnen zijn, hoewel het al drukkend warm was. Ik droeg een blauwe katoenen zomerjurk en had alleen een kleine rugzak bij me, waarin mijn papieren, een camera, een klamboe en een toilettas zaten. Mijn dierbaarste bezit was een door de BBC uitgegeven verzameling gedichten, *Poetry Please*, die mijn zus Sue me een paar dagen eerder in handen had gedrukt; de indringende poëzie die erin stond, bleef maar door mijn hoofd tollen en begon licht te brengen in de duisterste hoekjes van mijn leven.

Nu lijkt het meer dan ooit groots: sterven,
Te middernacht, verdwijnen zonder smart...
Gij kwaamt niet voor de dood ter wereld, eeuw'ge vogel,
Nimmer vertrapt door hong'rige horden!

uit 'Ode to a Nightingale' van John Keats

Ik keerde terug naar de gebeurtenissen in de hut. Mijn ogen volgden onze pilote, Heather Stewart, die zich een weg baande tussen de ongeduldige passagiers door, onderwijl behendig de bagageobstakels op de grond omzeilend, in een poging om de fax te bereiken. Op haar rustte de ondankbare taak twee lichte vliegtuigjes te regelen die ons nog diezelfde dag van het relatief veilige Kenia naar het door oorlog verscheurde zuidelijke deel van Soedan konden brengen. Het bemachtigen van de vereiste passen en visa voor ons groepje kostte in dit deel van de wereld een aanzienlijke hoeveelheid tijd en geduld, en het was uiterst twijfelachtig of de hele onderneming wel zou slagen.

Ik volgde haar bewegingen terwijl ze in het kantoor heen en weer liep. Ze had kort blond haar, droeg een versleten spijkerbroek en een wit katoenen overhemd en was charmant, beleefd en aanstekelijk enthousiast over haar werk; ik had al begrepen dat ze, mocht dat nodig blijken, op haar strepen zou gaan staan en was erg dankbaar dat ze ons begeleidde.

Heather is de directeur én de voornaamste piloot van haar eigen bedrijfje, Trackmark, en staat bekend om haar vakmanschap bij het vliegen in dit veelgeplaagde deel van Afrika. En, wat in deze context van meer belang is, ze behoorde tot de weinige mensen die zich boven en in dit van oudsher zo gevaarlijke gebied durfden te begeven om hulpgoederen of hulpverleners te vervoeren. Ze was onmiddellijk bereid geweest mij en Riek met ons zwijgzame gezelschap van veertien personen naar onze eindbestemming te brengen met haar eigen lichte vliegtuigje en een tweede toestel dat ze zou charteren.

Ik zat geduldig te wachten in die verstikkend kleine ruimte die tegelijkertijd dienstdeed als aankomst- en vertrekhal en als Heathers privékantoor. Ik zat doodstil en wenste vurig dat er iets zou gebeuren, terwijl zij zo'n drie uur lang stoïcijns haar werk deed en op kalme en beleefde wijze de officiële toestemming loskreeg voor de vlucht van twee vliegtuigjes naar het oorlogsgebied. Ons gezelschap bestond, behalve uit mij en mijn schoonzoon, uit mijn zus Sue; mijn kinderen Erica, Johnny en Jennie, alle drie begin twintig; Emma's beste vrienden Sally Dudmesh en Annabel Ledgard, Patta Scott-Villiers, Emma Marrian, Peter Moszynski en Catherine Bond, en dominee Matthews Mathiang, een zwaarlijvige presbyteriaanse geestelijke uit Nairobi die het hele gedoe verstrooid stond aan te kijken, terwijl alle anderen hun best moesten doen om hun geduld niet te verliezen.

Na een eindeloze wachttijd voelden we dat er beweging in de zaak begon te komen, en mijn reisgenoten controleerden voor de laatste keer of we de onmisbare voorraden bij ons hadden die het grootste deel van onze bagage vormden: voldoende drinkwater en proviand om het volgende etmaal te doorstaan in een verafgelegen gebied waar zelfs de meest basale voorzieningen ontbraken. Maar terwijl ik ze zo bezig zag met het nalopen van een checklist met noodrantsoenen, moest ik aan belangrijker dingen denken dan voedsel en drinkwater.

Hoewel de ochtendmist nog niet helemaal was opgelost, draaiden de motoren van het eerste vliegtuigje dat we zouden gebruiken al warm. Het was een tweemotorige Otter, die eruitzag als een mini-uitvoering van een Hercules-transportvliegtuig. Ik stond op de startbaan te kijken terwijl de voorbereidingen voor het vertrek werden getroffen. Er waren acht mensen van ons gezelschap uitgekozen die vooruit zouden gaan, onder wie dominee Matthews, wiens enorme vleesmassa nauwelijks in het krappe vliegtuigstoeltje paste. Ik zou met Riek en mijn naaste familieleden met de tweede vlucht meegaan zodra de anderen veilig waren aangekomen.

Pas veel later hoorde ik dat de eerste vlucht was opgezet als een soort afleidingsmanoeuvre voor vijandige elementen die het mogelijk op Riek hadden voorzien. Het vliegtuigje zou koers zetten naar Soedan via Lokichoggio, een stadje aan de Keniaanse grens, waar het zou bijtanken en waar alle papieren van de reizigers nog eens terdege zouden worden gecontroleerd en afgestempeld. Mocht iemand het vermoeden hebben dat Riek aan boord was, dan zou blijken dat hij ongelijk had. Heather zou vervolgens twee uur later met ons een andere route volgen: een omweg via Lodwar, dichter bij de Oegandese grens.

Toen het eerste vliegtuigje was opgestegen en uit het gezicht was verdwenen, stelde iemand voor de wachtruimte even te verlaten en te kijken of we ergens wat konden drinken. Het was nog maar negen uur, maar de hitte was al drukkend en ik had ineens een vreselijk droge keel. In een van de vele krakkemikkige hutjes die langs de startbaan stonden, een eind van de wachtruimte en de vertrekhal af, vonden we een soort kantine, en we bestelden wat te drinken. Terwijl Riek, politicus in hart en nieren, de tijd benutte om op een paar meter afstand zachtjes te overleggen met de Soedanese afgevaardigden die hem overal waar hij ging schenen te omringen, dronken wij hete, zoete koffie uit plastic bekertjes en luisterden we oplettend naar Catherine, verslaggeefster bij BBC World Service en een goede vriendin van Emma, die ons in kort bestek de geschiedenis van Soedan uiteenzette.

Soedan is het grootste land van Afrika, maar voor de meeste Britten is het niet meer dan een ver woestijnland dat ze zich vaag herinneren van geschiedenislessen over generaal Gordon, lord Kitchener en de nederlaag van het derwisjleger. Toen de Britten zich in 1956 uit Soedan terugtrokken, verdeelden ze het zuiden in drie gebieden met verschillende godsdiensten: het Boven-Nijldistrict werd overgedragen aan de presbyteriaanse zendelingen, Equatoria aan de anglicaanse zendelingen en het gebied Bahr-el-Ghazal aan de katholieken. Maar sinds het einde van het Brits-Egyptische bestuur in 1956 is Soedan verstrikt in een catastrofale burgeroorlog tussen de Arabische moslimregering – gevestigd in de hoofdstad Khartoem in het noorden – en de christelijke opstandelingen in het zuiden, van wie een deel wordt aangevoerd door mijn schoonzoon. De laatste jaren is er onder de zuidelijke rebellen – afstammelingen van veehouders die ooit, eeuwen geleden, tot het christendom werden bekeerd door kruisvaarders en zendelingen – steeds meer verdeeldheid ontstaan; facties van de voornaamste twee stammen, de Dinka en de Nuer, voeren een verbitterde strijd tegen elkaar.

Mijn schoonzoon Riek is een Nuer, afstammeling van een oude Nuerprofeet, en staat aan het hoofd van een factie die zich heeft afgesplitst van het Soedanese volksbevrijdingsleger, de SPLA. Gekleed in luipaardvellen voert hij het bevel over enkele honderdduizenden Nuer die in de uitgestrekte moerasgebieden en equatoriale bossen in het hart van het Boven-Nijldistrict wonen. Hoewel de Nuer en de Dinka aanvankelijk gezamenlijk streden tegen hun aartsvijand, de regering in het noorden, zijn het van oudsher vijandelijke stammen die de geringste aanleiding aangrijpen om tegen elkaar ten strijde te trekken. Beide stammen hebben een collectief geheugen dat ver teruggaat, en de strijdbijl is nooit echt begraven. Het verschil is dat ze elkaar in het verleden met speren bevochten en tegenwoordig met kalasjnikovs.

Rieks luidruchtigste tegenstander was de afgelopen jaren John Garang, een Dinka, een in Amerika opgeleide ex-legerofficier en aanvoerder van de hoofdstroming van de SPLA. Garang was in 1983 een van degenen die de SPLA oprichtten om de opstand tegen de regering te leiden; een jaar later benoemde hij Riek tot zijn eerste commandant. Tegenwoordig zijn er onoverbrugbare meningsverschillen tussen de twee mannen en zijn ze doodsvijanden; Riek had dan ook meer te vrezen van Garang dan van de regeringstroepen.

Terwijl ik probeerde alles te verwerken wat Catherine vertelde, werd ik bevangen door een enorme neerslachtigheid over het feit dat zo'n wellevend volk, dat statige ras waarmee Emma zich vrijwillig had verbonden, uit naam van christendom of islam kon doden, vechten en verminken. Zo'n wrede oorlog leek zo misplaatst in een van de meest afgelegen en ontoegankelijkste gebieden ter wereld. De woestijnen, bergen en bossen die het gebied omzomen, hebben altijd gefunctioneerd als fysieke barrière tegen invloeden van buitenaf, waardoor een vroeger tijdperk kon voortleven, een tijdperk waarin leven en dood worden bepaald door de seizoenen en waarin de mensen nog zo leven als ze dat eeuwenlang hebben gedaan, hun bestaan dat is gebaseerd op landbouw en veeteelt moeizaam ontworstelend aan de aarde.

Het gebied is rijk aan natuurlijke hulpbronnen – olie, mineralen, hout – en vruchtbare grond, en het is ook de plaats waar de Witte Nijl en de Blauwe Nijl samenvloeien tot één machtige rivier, die langs de meest uiteenlopende landschappen, culturen en volkeren verder stroomt naar Egypte, de Nijldelta en de Middellandse Zee. De Nijl in Soedan zou het symbool kunnen zijn van de manier waarop stammenoorlogen kunnen worden bijgelegd, maar na vier generaties oorlog is er nog steeds weinig zicht op een duurzame vredesregeling.

Ik herinnerde me een van de brieven die Emma op haar eerste reis naar Soedan naar huis had verstuurd en waarin ze iets van de schoonheid en triestheid van Afrika beschreef, de schoonheid en triestheid die haar zouden verlokken om er te blijven.

Kinderen sprongen vanaf de hoge oevers in de Nijl, mensen in houten kano's peddelden stroomopwaarts of lieten zich met de stroom meedrijven om vis te vangen. De eilanden van waterhyacinten. De reigers, bewegingloos, op het wateroppervlak. Op-

springende vissen die kringen in het water maakten... Een gigantische, omgevallen satellietschotel, een ambitieus project, gefinancierd door de regering van Koeweit om Zuid-Soedan de twintigste eeuw binnen te sleuren: tussen het labyrint van dunne metalen draden groeiden nu grasssprieten en bomen. Het grote, schotelvormige hoofd hing droevig omlaag; een monument voor de oorlog...

Na een tijd die eindeloos leek kregen we ten slotte dan toch te horen dat ons vliegtuig klaar was voor vertrek. We betaalden de ober met Keniaanse shillings en liepen het duizeligmakende zonlicht in, op weg naar de kleine achtpersoons Cessna. In onze afwezigheid waren er een paar stoelen uit het achterste gedeelte van het vliegtuigje verwijderd; in de vrijgekomen ruimte had men met zorg Emma's houten doodskist met de zes koperen handvatten geplaatst, die zojuist door de begrafenisondernemers van de kathedraal van Nairobi hiernaartoe was getransporteerd; de kist was bedekt met een tapijt van bloemen uit de talloze boeketten van de rouwdienst die de vorige middag was gehouden. Toen ik de doodskist opnieuw in het oog kreeg, stokte mijn adem in mijn keel. Maar vervolgens voelde ik me opeens vreemd kalm en vredig. Het was bemoedigend dat ze daar zo dicht bij ons was en samen met ons haar laatste reis maakte, terug naar het land dat ze als haar thuis beschouwde.

De Soedanese afgevaardigden stonden in hun bontgekleurde kleding wat ter zijde rustig te wachten om afscheid te nemen van hun aanvoerder Riek en van Emma en haar familie. Vrouwen in kleurige gewaden en met betraande ogen en mannen in sobere pakken wuifden naar ons in de trillende hitte terwijl Heather de motoren één voor één opvoerde en we over de startbaan schoten. In een paar minuten waren we in de lucht en op weg naar het noorden, naar de Soedanese grens.

Het vliegtuigje was gerieflijk maar beslist niet luxueus; voor ieder raampje was er één stoel. Ik zat het grootste deel van de reis voorin naast Heather; Riek zat achter ons en haalde wat slaap in, zijn meer dan twee meter lange lichaam ongemakkelijk in zijn stoel gewurmd. Erica, die oorpijn had, zat achter mij in stilte te lijden. Jennie en Johnny deden een hazenslaapje, en Catherine zat helemaal achterin, vlak bij Emma, en zweeg. Ik bleef alert en geboeid, zei af en toe iets tegen Heather over het landschap onder ons en mijmerde dan weer een poos in stilte. In andere omstandigheden zou dit een spannend avontuur zijn geweest: het was mijn eerste bezoek aan het land waar Emma zo van hield en mijn eerste reis met zo'n klein vliegtuigje. Ondanks alles glimlachte ik tegen mezelf, en ik keek achterom naar de doodskist van mijn dochter. Ze had me dan toch waar ze me had willen hebben, 'goedschiks of kwaadschiks', zoals ze ooit eens had gezegd: ik was per vliegtuig op weg naar Soedan.

Na iets meer dan een uur landden we in Lodwar, een bruisend marktstadje vlak bij de Soedanese grens. Tijdens de landing zagen we door de raampjes van het vliegtuig dat de mensen naar ons toe kwamen lopen vanaf het vlakbij gelegen marktpleintje dat vol stond met stalletjes waar eten, kleren, bedden, emmers en nog veel meer dingen werden verkocht. Het leek alsof de mensen waren toegestroomd met elk vervoermiddel dat beschikbaar was: ezel, kameel, vrachtwagen, vliegtuig of benenwagen. Zoals op alle Afrikaanse markten deden lege kartonnen dozen met de opvallende logo's van hulporganisaties erop dienst als geïmproviseerde kraampjes; de kooplui verkochten alles, van zeep, thee en zout tot groenten. Alles lag keurig uitgestald.

Heather raadde ons aan even de benen te strekken terwijl zij het vliegtuig bijtankte, de noodzakelijke officiële procedures doorliep en onze documenten liet controleren. We wandelden de kokendhete dag in. De hete wind voerde stof mee dat in onze ogen prikte. De equatoriale zon knalde op onze hoofden en bracht onze hersenen op kooktemperatuur. Een halfnaakt jongetje – een van een hele troep kinderen die om ons heen dromde – duwde zich naar voren en strekte zijn armen uit naar Riek. Ik smeekte mijn schoonzoon hem te vragen een paar strooien hoeden te kopen op de markt om ons tegen de verzengende hitte te beschermen.

We liepen langs een dor, stenig paadje en kwamen bij een kleine Ierse missiepost die werd geleid door nonnen, van wie sommige daar al vijfentwintig jaar waren. Het was een stenen gebouw, zowel van buiten als van binnen witgeverfd, met een dak van golfplaat. Eindelijk waren we beschermd tegen die meedogenloze zon, en verder kregen we tot onze grote vreugde ijskoud drinkwater aangeboden. Een van de nonnen was verpleegster, en zij behandelde Erica's oor, deed er watten in en gaf haar een pijnstiller om haar lijden te verlichten.

Na twintig minuten verscheen Heather om ons op te halen. Ze leste snel haar eigen dorst en leidde ons toen door de hitte terug naar de plaats waar Riek ons opwachtte. Hij was de hele tijd bij het vliegtuig gebleven, en aangezien hij nu op het punt stond het luchtruim binnen te gaan van het land waarvan hij een deel beheerste, had hij zijn marineblauwe pak en das verwisseld voor zijn gebruikelijke strijdtenue, waarin hij zich veel meer op zijn gemak leek te voelen. In de chaos van de afgelopen zes dagen was men vergeten zijn militaire laarzen voor hem in te pakken, en de chique zwarte schoenen die hij nu moest dragen, en die kraakten bij elke stap die hij zette, vielen sterk uit de toon bij zijn camouflagepak.

Maar, bedacht ik, dat gold eigenlijk voor bijna álles aan deze kalme, zoetgevooisde man die mijn dochter tot echtgenoot had gekozen. Vlak voor we weer aan boord klommen voor de laatste etappe van onze reis, dook het jongetje dat ik eerder had gezien grijnzend uit het niets op met vier strooien hoeden in zijn hand. Als Riek ergens om vroeg, kreeg hij het kennelijk ook.

We maakten onze riemen vast en stegen weer op; de stoffige startbaan, omzoomd door Egyptische palmen en bananenbomen, zonk snel weg in de diepte. We hadden nog verscheidene uren vliegen voor de boeg, over het gevarieerde landschap van Oost-Equatoria en het Jongleigebied, voor we onze eindbestemming bereikten: Rieks geboorteplaats Leer.

Zonder vooraankondiging begon ons vliegtuigje plotseling scherp te stijgen. Het klom hoger en hoger. Ik had het nauwelijks opgemerkt totdat mijn zoon Johnny aan Catherine vroeg: 'Waarom gaan we zo hoog?'

'Om buiten bereik van het luchtafweergeschut te blijven,' antwoordde ze. Ze wilde er nog een nadere uitleg bij gaan geven, maar Heather, die mij met een bezorgde uitdrukking op haar gezicht aankeek, onderbrak haar abrupt en wees mij op het Dongotonagebergte aan onze rechterhand.

Toen we de grens goed en wel over waren en we een veiliger gedeelte van het luchtruim hadden bereikt, dat in handen was van Rieks en niet van Garangs mensen, daalden we weer af tot onze normale vlieghoogte. We staken de kleine bergketen in de buurt van Torit over en vlogen over uitgestrekte moerasgebieden, met hier en daar dorpjes bestaande uit minuscule lemen hutjes. Terwijl we steeds maar verder vlogen drong het tot me door hoe enorm uitgestrekt dit gebied is; het leek zich naar alle kanten oneindig ver voort te zetten. Ik moest denken aan iets wat Emma in 1989 in haar dagboek had geschreven:

> *Het was een tweemotorig vliegtuigje. Toen we omhoogklommen boven de woestijn zag ik een kronkelende rode weg beneden me. Het was een weg die ik inmiddels goed kende. Niets dan zand, lage begroeiing, onvolgroeide acaciabomen. Heel af en toe een lichte glooiing; verder een eindeloze leegte.*

De moerassen beneden ons boden een vreemde en fascinerende aanblik, met het water dat glinsterde onder een groene, glanzende laag riet en algen. Ik was in een soort trance; gedachten, stemmen en herinneringen raasden door mijn hoofd terwijl de nietige schaduw van ons vliegtuigje daar in de diepte over het landschap snelde.

Na drie uur naderden we Leer, een landelijk plaatsje in het westen van het Boven-Nijldistrict in Zuid-Soedan. Leer ligt in het hart van het land van de Nuer. Riek is er geboren en hij en zijn familie wonen er nog steeds. Naar deze afgelegen en eenzame plek brachten wij mijn liefste Emma, mijn eerstgeborene, samen met haar ongeboren kind, om hen beiden te slapen te leggen in de zonverbrande Afrikaanse aarde waarvoor ze leefde en stierf.

Mijn mijmeringen werden onderbroken door een beweging naast me: Heather schoof heen en weer op haar stoel en boog zich voorover, over het instrumentenpaneel heen, om op het oog de minuscule landingsbaan te zoeken die ergens beneden ons tussen de moerassen moest liggen en die berucht was om zijn slechte zichtbaarheid. Ik voelde een golf van paniek opkomen en dacht: wat moeten we als we de landingsbaan niet kunnen vinden?

Je moet een scherpe blik, een vaste hand en stalen zenuwen hebben om een klein vliegtuigje veilig aan de grond te zetten in Leer. Je moet dalen boven een monotoon moerasgebied, met weinig andere herkenningspunten dan wat groepjes lemen hutten of een enkele losstaande boom. Terwijl het landschap onder je trilt en golft in de hitte, tuur je gespannen voor je uit, op zoek naar een kort, recht, smal stukje bleekgekleurde aarde. Je bidt tot God dat je het zult ontdekken, want je kunt vele honderden kilometers in de omtrek nergens anders landen. Voordat de paniek de kans kreeg volledig bezit van me te nemen en mijn hart fijn te knijpen, zagen we opeens, in de verte voor ons, het rechte stukje lichtgekleurde aarde.

Met de deskundigheid en het zelfvertrouwen van een door de wol geverfde piloot greep Heather de hendels, en het vliegtuigje begon met gierende motoren aan de afdaling. Na een paar minuten waren de bomen en de lemen hutten vlakbij. Heather bracht het vliegtuig op één lijn met de landingsbaan en trok de gashendel naar zich toe, en met een schok waren we, veilig en wel, terug op de grond.

Terwijl het vliegtuig te midden van stofwolken langzaam uitrolde en tot stilstand kwam, werd mijn oog getroffen door een tafereel dat het meest buitengewone was dat ik ooit heb gezien. Ik geloof niet dat ik ooit nog iets zal meemaken wat meer indruk op me zal maken. Vanuit mijn vliegtuigraampje zag ik, door het langzaam neerdalende stof heen, duizenden en nog eens duizenden Soedanese mannen, vrouwen en kinderen tien of vijftien rijen dik langs dat kleine stoffige stukje grond midden in de Afrikaanse bush staan. Later hoorde ik dat velen van hen dagenlang hadden gelopen om hier te komen, en dat de meesten geduldig in de verzengende hitte – het was inmiddels vijfenveertig graden – hadden staan wachten, soms wel twee dagen lang.

Er was nauwelijks contact met de buitenwereld, berichten werden van dorp tot dorp doorgegeven door boodschappers, en zo hadden ze uit Nairobi het nieuws vernomen dat hun leider Riek samen met zijn vrouw was vermoord. De hel was losgebroken; Riek had voor zijn meest toegewijde volgelingen een haast goddelijke status, en zonder hem zagen zij de toekomst somberder in dan ooit. Ze waren vanuit alle windrichtingen gekomen, trokken in drommen door de bush en doken in de trillende hitte op als bijbelse luchtspiegelingen, om zich persoonlijk op de hoogte te stellen en een laatste eerbetoon te brengen aan de man die hen zoveel jaren had geleid en de vrouw die hij tot zijn echtgenote had gemaakt.

Het nieuws dat ze te horen kregen toen het eerste vliegtuig arriveerde maakte geen einde aan hun ontzetting; weliswaar leefde Riek nog, maar zijn vrouw, de blanke vrouw die zoveel om hen had gegeven en die zij

'Emm-Maa' noemden, bleek inderdaad te zijn overleden. Het leek de volgende wrede slag, hun toegebracht door een God wiens hardvochtigheid jegens hun land hen sprakeloos maakte.

Veel van de lange, donkere gestalten die zich steeds dichter om ons heen verdrongen in de hitte hielden dunne houten stokken omhoog waaraan vlaggen wapperden waarop het rode kruis van Sint-Joris was gekalkt. Het leek een middeleeuws tafereel. Met hun kleren van repen stof leken ze sprekend op figuranten op de set van een film over de kruistochten. Weer anderen omklemden ruwhouten kruisbeelden waarmee ze trots getuigden van het presbyteriaanse christendom dat hun eeuwen geleden door blanke zendelingen was gebracht en waarvoor ze nu een oorlog voerden. De lucht resoneerde van een verschrikkelijk misbaar, een hoog gejammer en gehuil van de vrouwen, begeleid door het oorverdovende gedreun van trommels met klankkasten van kalebassen en vellen van geitenhuid. Mijn hart begon ritmisch te bonzen in mijn borstkas, mijn handen trilden en ik was met stomheid geslagen terwijl de beelden, de geluiden en de hitte mijn hoofd vulden en deden overstromen.

Zodra de propellers tot stilstand waren gekomen, werd de deur van het vliegtuigje opengerukt en daalde er een rauwe, witte, vochtige roerloosheid op onze haren en kleren neer. De leden van ons gezelschap die ons vooruit waren gereisd en ons gedurende een paar onbehaaglijke uren hadden opgewacht, beschutting zoekend tussen het olifantsgras in de schaarse schaduw van een paar bomen, traden nu behoedzaam in het felle zonlicht om ons formeel welkom te heten. Toen ze zich over de gloeiend hete landingsbaan zwijgend op weg begaven naar ons vliegtuigje, beschouwden de samengestroomde Soedanezen dat als een teken om ook naar het vliegtuig te lopen, wanhopig trachtend een glimp op te vangen van Riek om met eigen ogen te zien dat hij werkelijk nog leefde. Zodra Rieks rijzige gestalte in de deuropening voor hen verscheen, verloren de mensen hun zelfbeheersing en drongen ze naderbij.

In een paar tellen hadden ze de eersten ingehaald en dromden ze rond ons nietige vliegtuigje samen als een kolkende massa lijven en stof; we werden zowat onder de voet gelopen. Het begon echt gevaarlijk te worden; hysterie en paniek namen bezit van Rieks volk. We trokken ons haastig terug in het inwendige, kwamen op adem en probeerden onze paniek- en angstgevoelens te onderdrukken terwijl het stof het vliegtuig binnen wolkte. Riek probeerde nog twee keer uit te stappen in een vergeefse poging om de gemoederen te kalmeren, maar beide keren werd hij teruggedrongen door de menigte. Mannen en vrouwen begonnen, gek van verdriet, het vliegtuig te bestormen; ze probeerden ons aan te raken, iets van Riek te zien en door de raampjes heen een glimp op te vangen van Emma's kist. Ze klommen op de fragiele vleugels, waardoor we vervaarlijk begonnen te schommelen, en hielden zich vast aan de draden; ondertussen begonnen Rieks soldaten en lijfwachten verwoed om zich heen te slaan met zwepen, takken en wapenstokken, zodat de mensen achteruitdeinsden.

Overdonderd door de opdringerige horde die het vliegtuig aan alle kanten omstuwde, bleef het kleine groepje Britten stilletjes zitten, zich afvragend hoe dit in vredesnaam zou aflopen. Vooral Heather maakte zich erg ongerust, want mocht haar vliegtuigje ernstige schade oplopen, dan waren hulp en reserveonderdelen héél ver weg. Alleen Riek leek zijn kalmte te bewaren en bleef de mensen aanmanen achteruit te gaan.

Net als in Lodwar bij mijn smeekbede om strooien hoeden werd er plotseling gehoor gegeven aan Rieks tussen zijn tanden gesiste verzoeken om bijstand van zijn volgelingen. Uit het niets, zonder dat duidelijk was waar hij vandaan kwam, verscheen er plotseling een witte landrover, in deze omgeving iets ongerijmd moderns, die zich langzaam een weg baande door de tierende menigte en dicht bij het vliegtuigje stopte. Riek wachtte tot hij dichtbij genoeg was, sprong toen in zijn gevechtstenue op het dak van de auto, zijn rode baret schuin op zijn hoofd, en begon de menigte toe te spreken door een megafoon die iemand hem in handen had geduwd.

Zijn diepe, welluidende stem schalde over de zwarte hoofden van de menigte heen, maande tot kalmte, bezwoer de paniekstemming, en langzamerhand nam het geschreeuw af en begonnen de mensen te luisteren naar hun leider die ze in hun moedertaal toesprak. Op de tekenen die Riek met zijn hand gaf, onderwijl steeds verder sprekend, begon de landrover langzaam weg te rijden van het vliegtuig, in de richting van het omheinde dorpje waar hij en Emma twee *tukuls* (lemen hutten) naast elkaar hadden gebouwd tijdens hun korte maar buitengewone huwelijk. Tot onze grote opluchting volgde het merendeel van de mensen de landrover, waarbij de deinende vlaggen en kruisen rondom de auto de plaats van de voorhoede aangaven.

Nu konden we eindelijk veilig, zij het nog wat beverig, de beschutting van het vliegtuigje verlaten, geholpen door de vrienden en familieleden, die het hele gebeuren met angst en beven hadden gevolgd. Toen we weer tot onszelf waren gekomen en ons mentaal hadden voorbereid op wat ons nog te wachten stond, werd Emma's kist door zes van Rieks gewapende soldaten voorzichtig uit het vliegtuigje getild, waarna ze hem op hun schouders naar Rieks dorp droegen, begeleid door een groep vasthoudende dorpelingen.

Een boomlange soldaat met een kalasjnikov aan een schouder pakte behoedzaam een plastic emmer vol bloemen op die we uit Nairobi hadden meegenomen en tilde hem met grote eerbied op zijn nog vrije schouder. Wij grepen de boeketten, die inmiddels verwelkt waren, en volgden de begrafenisprocessie zwijgend en in een keurige rij, onze loodzware benen dwingend ons in de ziedende hitte naar de begraafplaats te dragen. De rest van de stamleden volgde achter ons.

Ik volgde de zo te zien lange rouwstoet van treurende Afrikanen op de voet tot het dorp in zicht kwam. Ik keek om me heen, verwonderd hoe vreemd het allemaal was: die merkwaardige combinatie van blank en zwart, van burgers en soldaten; de kinderen met de bloemen, de mannen met hun geweren. Ze waren allemaal lang en slank en liepen met dezelfde soepele pas die ik van Emma kende. Ze had altijd lachend opgemerkt dat de mensen van dit volk de enigen waren naast wie zij, met haar één meter tachtig, klein leek. Ik probeerde me voor te stellen dat ze nu tussen hen in liep in de kleurige kleren waar ze zo van hield, haar glanzende haar opgebonden met een felgekleurde haarband en met rinkelende armbanden om haar polsen, stralend, lachend, terwijl ze de kinderen in het voorbijgaan door hun haar streek.

Hij huwde een vrouw die veel rijkdom bracht;
Zij hield van chic, en hij hield van macht.
Hij was ongeletterd en arm als een muis,
En vele kinderen speelden alras rond haar huis.

uit 'Maud Muller' van John Greenleaf Whittier

De lucht was heet en roerloos, vliegen zoemden om onze monden en ogen, de dorre rode aarde verkruimelde onder onze voeten. Een zweem van iets zoets en misselijkmakends drong mijn neus binnen, die al vervuld was van de stank van zweet en de doordringende lucht van verbrande mest.

We liepen in de hitte verder naar het dorp, dat ovaal van vorm en slechts enkele tientallen meters lang was. Er stond een schutting omheen van palen van tweeënhalve meter die stevig bijeen waren gebonden met gras. Toen we de hoofdingang waren gepasseerd, kreeg ik Emma's graf in het oog, dat naast haar tukul voor haar was gegraven: een diepe groeve met een betonnen rand, zodat mens noch dier het graf kon onteren. Met iedere stap die ik dichter bij het graf kwam, voelde ik het ritmische bonzen in mijn lichaam, op de maat van mijn hartslag, luider worden. Ik voelde dat ik begon op te gaan in de grootse plechtigheid waarvan ik deel uitmaakte: de kleuren, de geuren, de hitte, de duizenden mensen die stuk voor stuk iets voor Emma voelden en evenveel recht hadden als ik om aan haar graf te treuren. Ik besefte ineens dat ik een onderdeel was van iets wat vele malen groter was dan ikzelf; ik was geen individu meer, maar ging op in een belevenis die mensen van totaal verschillende culturen verenigde in één gemeenschappelijk verdriet. Mijn familieleden en ik waren feitelijk de buitenstaanders, vreemdelingen met bleke gezichten in een vreemd land, die hoffelijk waren uitgenodigd om een *rite de passage* bij te wonen die zijn wortels had in oeroude tijden. Voor het eerst sinds Emma's dood begon het me te dagen dat dit in zekere zin niet míjn plechtigheid was, maar ónze plechtigheid.

Mijn bezwete hand omklemde een papiertje met een gedicht dat Leo Marks had geschreven voor de Franse verzetsbeweging. Ik was van plan geweest het voor te lezen bij Emma's graf.

Het leven is alles wat ik heb
En dat leven is van jou.
En al mijn liefde voor dat leven
Is van jou, van jou, van jou.

Slaap zal mijn deel zijn,
Rust zal ik vinden,

Maar de dood is voorbij in een zucht
Want mijn vredige jaren in het lange groene gras
Zijn van jou, van jou, van jou.

Hoewel deze woorden me nog steeds zeer toepasselijk voorkwamen, meer dan ooit zelfs, aangezien ik hier nu werkelijk op een plaats was waar lang groen gras groeide, drong het ineens tot me door dat er geen woorden bestonden die dit moment afdoende konden beschrijven; ik besloot af te zien van de zinloze vertoning en stopte het verkreukelde velletje terug in mijn rugzak. De zon brandde nog steeds op onze hoofden, bracht ons in een soort trance en maakte alles onwezenlijk en surrealistisch.

We bereikten de begraafplaats en baanden ons een weg tussen de talloze bezwete mensen die ons daar zwijgend stonden op te wachten. Voetje voor voetje schuifelden we naar het graf toe. De misselijkmakende zoete lucht die ik al eerder had geroken drong weer mijn neus binnen, en nu zag ik wat het was. Er was een koe geslacht ter ere van mijn dochter; de donkerrode, trage sappen van het dier sijpelden op de stoffige aarde naast de plaats waar Emma begraven zou worden, de dode ogen staarden me aan, er kwam bloed uit de neus. Iemand achter me gaf me een duw ten teken dat ik over het kadaver heen moest stappen, volgens een oeroude traditie waar ik niets van wist.

Duizend donkere ogen keken me doordringend aan, wachtend op mijn reactie. Ik moet er in de ogen van de mensen van Leer wel heel vreemd hebben uitgezien. Een frêle Engels vrouwtje met grijs haar en een askleurig gezicht, haar ogen verstopt achter een zonnebril; was zo iemand in staat de mooie, rijzige Emma te baren, de vrouw met de klaterende lach en de onstuitbare energie? Vrouwen die ik niet kende huilden openlijk, klaagden en jammerden zachtjes om mijn overleden kind, maar bij mij wilden de tranen niet komen, alsof ik in een soort trance was. Ik had al moeite genoeg om op de been te blijven te midden van al die emoties die mijn hart verscheurden. Sally leende me een *kanga*, een stuk katoenen stof, voor om mijn hoofd, maar de pijn van mijn verdriet kon niet worden afgeschermd van de zon.

Ik schrok hevig toen een oude Afrikaan met een smal gezicht, een lang wit gewaad en een hoofdtooi van gras zich plotseling schreeuwend en jammerend voor mijn voeten op de grond wierp. Verbijsterd wendde ik me tot een van Rieks medewerkers die zichzelf had opgeworpen als mijn officiële tolk. 'Wat zegt hij?' vroeg ik, hevig ontdaan door deze vertoning. De oude man wierp zich nogmaals voor mij neer en keek naar me op met droevige, donkere ogen, een blik die me langzamerhand bekend voorkwam. Hij vertelde van beproevingen uit het verleden en nieuwe beproevingen die nog zouden volgen, van het verlies van dierbaren, van fysieke ontberingen. In die ogen stonden gebrek, honger en angst te lezen.

'Hij zegt tegen u dat hij het verlies van Emma niet kan verdragen,' zei de medewerker met een zwaar accent. 'Dat hij niet meer verder kan leven. Hij smeekt u hem toe te staan samen met haar te worden begraven.' Voor het eerst sinds mijn aankomst in Leer wist ik niet wat ik moest doen. De voodoo-achtige handelingen van de oude man ergerden me. Ik voelde dat het me bijna te veel werd, maar was vastbesloten mijn kalmte te bewaren; ik maakte een gebaar dat ik met rust gelaten wilde worden, en vrijwel onmiddellijk werd de oude man van me weggetrokken.

We verzamelden ons naast Emma's laatste rustplaats, in de schaarse schaduw van een vijgenboom. Ondanks de hitte stonden we allemaal dicht op elkaar. Alle vrienden en familieleden waren, na de lange reis die ze hadden gemaakt, nu weer bij elkaar; iedereen worstelde met zijn eigen verdriet. Rondom het diepe, betonnen graf lagen hopen losse, droge aarde, en we wachtten op het begin van de dienst, die hopelijk kort en sober zou zijn, zoals we hadden gevraagd. Plotseling verscheen op het dak van de witte landrover, die vlak bij het graf was geparkeerd, de logge gestalte van dominee Matthews, gekleed in een smetteloos overhemd met een hoge boord en een donkere broek en met een bijbel in zijn hand. Zijn huid glansde. Vanaf zijn hoge positie begon deze enorme, gezette man, die volstrekt misplaatst leek in deze armelijke omgeving, gebeden te lezen, en daarna volgde de begrafenisdienst.

We concentreerden ons op ieder moment, op iedere seconde, ingesloten door het gedrang van menselijke lichamen die ons voor mijn gevoel ieder ogenblik in de groeve konden duwen. Ik voelde adem in mijn nek, rook het zweet van honderden mensen, proefde bijna het zout van hun tranen. Begeleid door hun gesnik en geweeklaag keek ik met droge ogen toe hoe een paar soldaten de lange, smalle kist met mijn dochter langzaam in de schemerige rechthoek van het graf lieten zakken.

Riek, die – zoals gebruikelijk voor iemand van zijn volk en met zijn positie – sinds de dag van Emma's dood weinig emoties had getoond, stond als een duistere schildwacht aan het hoofd van het graf te kijken en te wachten. Toen sprong hij, zomaar opeens, met één vloeiende beweging in de diepe groeve en ging wijdbeens op de kist staan om onze boeketten aan te pakken. Het tafereel had haast iets mythologisch: een rouwende echtgenoot die vanuit een diep graf zijn armen uitstrekt om de bloemen aan te pakken en ze op de kist van zijn overleden vrouw en zijn ongeboren kind te leggen.

Annabel gooide, hevig huilend, een foto van haar baby Jessie in het graf, haar enkele maanden oude zoon die Emma nooit had gezien. Emma's broer Johnny en haar tante Sue gooiden bossen slaphangende blauwe tuberozen en witte lelies naar beneden. Toen de regen van boeketten en persoonlijke voorwerpen voorbij was, bleef Riek nog een ogenblik doodstil staan; hij boog zijn hoofd en sloot zijn ogen, dronk de laatste ogenblikken in. Nooit zou hij meer zo dicht bij zijn geliefde Emma, zijn 'koningin Nefertete' zijn.

Riek klauterde uit het graf; anders dan wij wist hij zijn tranen goed in bedwang te houden. Hij klom op het dak van de landrover en begon de menigte toe te spreken door de megafoon alsof het een politieke bijeenkomst betrof. Hij stelde ons, de vreemdelingen die naar Leer waren gekomen, één voor één aan de mensen voor, vertelde wie we waren en wat onze band met Emma was; zijn bezielde betoog dwong ons allemaal ons te vermannen en onze emoties onder controle te houden. We knikten om beurten verlegen naar de mensenmassa als Rieks hand ons aanwees. Alleen Erica, met haar hevige oorpijn en die andere pijn waarvoor geen medicijn bestond, kon zich niet langer inhouden. Ze zakte als een snikkend hoopje ellende in elkaar op het enige waarop je kon zitten, het kleine betonnen kruis dat nog op het hoofdeinde van Emma's graf moest worden gezet. Ik keek omhoog en zag nu voor het eerst dat de takken van de bomen buiten de omheining vol zaten met jongetjes; als een zwerm kraaien hadden ze de begrafenisplechtigheid zwijgend vanuit de hoogte gevolgd.

Na de begrafenis verdween de mensenmassa weer, op dezelfde geheimzinnige manier als waarop ze die verafgelegen en onherbergzame plek had bereikt; ze verspreidde zich in de bush, loste op in het landschap, werd één met de aarde. Wij waren kapot van alle emoties en voelden onze krachten uit ons wegvloeien. Rieks mannen leidden ons met zachte hand naar een gebouw van rode steen dat een paar honderd meter verderop stond, het Rode-Kruisgebouw. Het was bezaaid met kogelgaten en alle ramen waren al jaren stuk, maar het treurige, onttakelde gebouw had nu een verrassende nieuwe bestemming gevonden als slaapplaats voor de buitenlandse gasten. Op de veranda stonden rijen ijzeren bedden onder klamboes, er was één kraan waaraan we ons konden wassen, en we hadden allemaal gekoeld bier bij ons waarmee we onze hevige dorst konden lessen.

Ik slokte het geelbruine vocht gulzig naar binnen, en de alcohol vloeide door mijn aderen en kalmeerde me. Ik voelde een overweldigende opluchting dat het moment waar ik de hele afgelopen week zo vreselijk tegen op had gezien eindelijk voorbij was. De beproeving was doorstaan, en voor het eerst sinds dagen kon ik weer rustig ademhalen.

Ik wandelde door het dorp om mijn zinnen te verzetten en zag hoe de mensen zich bij hun hutten verzamelden, hun avondeten klaarmaakten, brandhout zochten of hun dieren verzorgden. Andere dorpelingen zaten te kletsen terwijl hun kinderen op de stoffige grond speelden. Ik zag een stapel opgerolde matten van gras; ik wist dat dit een erfenis van Emma was, die had geprobeerd oude ambachten en vaardigheden te behouden die door de oorlog verloren dreigden te gaan. Helemaal aan de andere kant van het dorp bereikte ik een rivier, en ik keek toe terwijl de mensen die van heinde en verre waren gekomen om mijn kind de laatste eer te bewijzen hun kleren uittrokken, ze in een bundeltje op hun hoofd legden en naar de overkant waadden; de ondergaande zon zette alles in een geheimzinnige, oranje gloed. Ik liep terug naar het dorp en werd opnieuw getroffen door de schraalheid van het landschap, het permanente ongemak van hitte, stof, muggen en tseetseevliegen, en ik vroeg me af hoe Emma hier had kunnen leven.

Later die avond, na de maaltijd bestaande uit een stoofschotel van geitenvlees met pannenkoeken die we er met onze handen in doopten, zat ik in de schaduw aan de rand van het dorp te kijken en te luisteren terwijl Riek onder een enorme volle maan mensen te woord stond en hun tot diep in de nacht goede raad gaf. Eén voor één kwamen ze bij hem met hun problemen, die ze zachtjes met hem bespraken in hun eigenaardige, zangerige taal. Hij luisterde een minuut of tien aandachtig en gaf dan zijn oordeel. Zijn stem was sonoor en vriendelijk en kwam ergens diep uit zijn binnenste; het geluid weerkaatste tegen de muren van de hutten. Ik had er wel de hele nacht naar willen zitten luisteren, maar ik werd bevangen door de vermoeienissen van de dag en de roes van de avond en ging op een gegeven moment stilletjes naar bed; ik viel in slaap met de liefelijke klank van Rieks stem in mijn oren.

In de rusteloze nachten van de maanden en jaren die sindsdien zijn verstreken probeer ik altijd als ik niet kan slapen in gedachten weer die betoverende stem te horen, in mijn hoofd weer die zachte, welluidende woorden af te spelen in een taal die ik niet versta, maar die rechtstreeks tot mijn ziel spreekt over voorbije tijden en schitterende visioenen.

Ik bewaar muziek in mijn gedachten
Die geen misbaar op aarde doet verstommen,
Die juichend zingt van smart en schoonheid in de hel.
Ik liep tot het eind der wereld, vond de woeste blik des doods;
Maar ik werd gekroond in mijn kwelling, verheven door muziek...

uit 'Secret Music' van Siegfried Sassoon

De volgende ochtend was iedereen al vroeg op en klaar om te vertrekken. Heather wilde ons zo snel mogelijk veilig terugbrengen naar Kenia. Als Garangs mannen hadden gehoord van de begrafenis wisten ze ook dat Riek in Leer was, en daarom was het veel te gevaarlijk om daar nog langer te blijven. Ik zocht mijn weinige spulletjes bij elkaar en probeerde me voor te bereiden op het afscheid; toen ik naar buiten liep, zag ik daar alweer horden mensen, van wie velen familie van Riek waren, zwijgend bij de ingang van het dorp staan wachten om ons uitgeleide te doen.

Samen met de rest van het gezelschap werd ik naar het stoffige vliegveldje gebracht, waar het vliegtuig wachtte dat ons terug zou brengen naar de toekomst en de levens waarvan we ondanks alles de draad weer zouden moeten oppakken. Soldaten en familieleden boden aan mijn tassen te dragen, handen duwden me vooruit, mensen dromden om me heen in de mist van de vroege ochtend. Plotseling werd het me te veel; ik liet mijn spullen vallen, draaide me om, duwde iedereen opzij en holde zo snel als mijn benen me dragen konden terug naar het dorp. Ik had nog geen afscheid genomen, ik was nog niet zover, ik wilde nog even alleen zijn met Emma.

Wat ben ik blij dat ik nog één keer ben teruggegaan. De begraafplaats was stil en verlaten, en tot mijn verrassing was het open graf 's nachts als door tovenarij afgedekt; het beton lag nu onder een laag aarde, door talloze handen aangevoerd en gladgestreken. Het kleine betonnen kruis was zorgvuldig op zijn plaats gezet. Dit was mijn laatste kans om, in de koelte van de vroege ochtend, nog één keer in alle rust bij Emma te zijn.

Ik had geen moment getwijfeld aan mijn beslissing om haar hier, in dit dorp, bij deze mensen, te laten begraven. Ik wist dat ze daar thuishoorde en dat haar geest daar zou blijven. Maar op dat moment, op die eenzame, stoffige, van God verlaten plek, waar zelfs geen tuintje was om op uit te kijken, vond ik de gedachte haar daar helemaal alleen achter te moeten laten ineens ondraaglijk. Ik kon op de een of andere manier niet accepteren dat haar woorden, haar lach, haar onverschrokkenheid, haar schoonheid en haar levenslust voorgoed waren uitgedoofd. Ze was nog maar negenentwintig. Ze droeg een kind in haar buik, mijn eerste kleinkind. Het was gewoon niet eerlijk.

Ik zou nog tijd genoeg krijgen om stil te staan bij die decennia vol herinneringen en te mijmeren over de onvoorspelbare koers van ons leven. Hoe het lot had bepaald dat een heel gewoon Engels meisje, dat was geboren in India, opgroeide in een dorpje in Yorkshire, op een ezeltje reed, wilde bloemen droogde en zeeschelpen verzamelde, was veranderd in de temperamentvolle bruid van een Soedanese guerrillaleider die was verwikkeld in een oorlog in een ver werelddeel; een conflict waarvan de meeste mensen op deze wereld nog nooit gehoord hebben.

Daar, in de meedogenloze Afrikaanse zon, kwam voor het eerst die vraag op die me eindeloos zou blijven achtervolgen: hoe zijn we van daar tot hier gekomen?

2

Het was 1942 en in India, dat toen nog Voor-Indië heette en tot het Britse rijk behoorde, ging de zon onder terwijl in Europa de oorlog woedde. Een geüniformeerde officier van het Britse leger was bijna aan het eind van een lange reis gekomen die hem van de gevechten in Birma naar de Britse regeringspost in Quetta in de Indiase landstreek Baluchistan had gevoerd, vlak bij de grens met Afghanistan. Quetta, dat tegenwoordig deel uitmaakt van Pakistan, is vooral bekend vanwege de rampzalige aardbeving die daar zeven jaar eerder had plaatsgevonden en waarbij twintigduizend mensen omkwamen en het Britse militaire hoofdkwartier zo goed als met de grond gelijk werd gemaakt.

Toen de officier door een drukke straat liep, kwam hem een jonge vrouw tegemoet die een kinderwagen voortduwde. De man en de vrouw liepen elkaar voorbij; hun blikken ontmoetten elkaar gedurende een fractie van een seconde. Hij liep verder, maar werd getroffen door het vluchtige beeld van een opvallend mooi gezicht met hoge jukbeenderen en kastanjebruin haar. Toen hoorde hij zijn eigen naam. Hij draaide zich om. De vrouw was stil blijven staan en glimlachte naar hem. Pas op dat moment herkende hij zijn vrouw. Ze liepen nogal onhandig op elkaar toe, begroetten elkaar met een paar gestamelde, verbaasde woorden en omhelsden elkaar verlegen.

'Kijk in de kinderwagen,' zei ze. Hij boog zich voorover om zich voor het eerst te verdiepen in het gezicht van een slapend kind.

Ik was zes maanden oud. Ik was zijn dochter.

Mijn vader, Alexander George Bruce, leerde mijn moeder, Patricia, kennen tijdens een zeereis; ze waren allebei passagiers op een legertransportschip dat van Engeland via het Verre Oosten naar Australië voer. Hij was vier jaar lang directeur van een theeplantage in Boven-Assam geweest en was daarna naar zijn geboorteland Schotland gegaan voor een half jaar verlof én om te kijken of hij zich daar nuttig kon maken in de oorlog.

Een van de eigenaardige uitvloeisels van het grote belang dat in Engeland aan theedrinken wordt gehecht, was dat degenen die werkzaam waren in de theebranche in de Tweede Wereldoorlog niet in het leger hoefden te dienen. Maar mijn vader had besloten om niet op een plek te blijven waar je je volledig kon afsluiten voor het feit dat er in een ander deel van de wereld een vernietigende en verwoestende oorlog woedde; hij wilde zijn steentje bijdragen. Hij sloot zich aan bij een regiment Gurkha's en werd uitgezonden naar Birma.

Terwijl hij daarheen op weg was, raakte hij onder de bekoring van mijn moeder. Zij was afkomstig uit de periferie van de Australische theaterwereld en moet een zeer exotische indruk hebben gemaakt op de autonome, vrijgevochten en belezen jonge Schot, die hield van eenvoudige plattelandsgenoegens. Ze was een levensgenietster, had zelfs naakt geposeerd, en leidde sinds twee jaar een rondtrekkend bestaan als zangeres op de D'Oyly Carte, waarbij ze ook optrad voor de troepen in het Verre Oosten. Ze hield van mensen en plezier maken en was van huis weggelopen om te ontsnappen aan haar eigen ongelukkige jeugd met een stiefvader die dronk. In de sprankelende wereld van het theater en de sociale kringen waarin ze zich had gestort was ze een vaardig golf- en kaartspeelster geworden. Ze ontmoette mijn vader toen het schip in Gibraltar aanlegde en ze waren verloofd tegen de tijd dat ze Malta hadden bereikt. Mijn vader ging in Bombay van boord, en zij reisde door naar Australië met de belofte gauw weer naar hem toe te komen.

Vele jaren later bekende mijn vader mij dat hij stilletjes had gehoopt dat hun affaire na de romantiek van de zeereis een zachte dood zou sterven, maar net zoals hij bereid was om naar Birma te gaan, zo hield mijn moeder zich aan haar woord en kwam ze naar hem toe. Als echte gentleman hield mijn vader zich aan zijn belofte, en ze trouwden in het slaperige legerplaatsje Dehra Dun, vijf uur ten noorden van Delhi, de toegangspoort tot de Garhwal-Himalaya. Nog geen twee weken later vertrok mijn vader naar Birma; zijn kersverse echtgenote liet hij achter op het officierscollege in Quetta. En zo kon het gebeuren dat hij meer dan een jaar later terugkwam, haar nauwelijks nog herkende en ontdekte dat ze hem een kind had gebaard.

Van de eerste vier jaar van mijn leven herinner ik me vrijwel niets. Ik heb alleen wat vage beelden van de plaatsen waar we woonden, want we trokken van de ene legerbasis naar de andere, door heel India, en ik versleet de ene *ayah* (kinderjuffrouw) na de andere. Mijn vader ging als kapitein van de tiende compagnie Gurkha-karabiniers terug naar Birma, en werd in het voorjaar van 1943, toen hij op een drie maanden durende patrouille diep in het door de Japanners beheerste gebied doordrong en geheime informatie verzamelde op verkenningstochten waarbij soms meer dan honderdvijftig kilometer werd gemarcheerd, voorgedragen voor een militaire onderscheiding. De motivatie voor deze voordracht luidde: 'Hij heeft gedurende de operaties voortdurend laten blijken te beschikken over leiderschapskwaliteiten en vakkundigheid, en zijn plichtsbetrachting op deze vele gevaarlijke patrouilles is het waard te worden beloond.' En zo kreeg een man die vanwege zijn betrekking in de theebranche eigenlijk niet had hoeven vechten een van de hoogste militaire onderscheidingen voor zijn dapperheid.

Toen de oorlog voorbij was en in 1947 de onafhankelijkheid van India was uitgeroepen, bereidden wij ons als gezin voor op de terugkeer naar Engeland. Het zou mijn eerste bezoek aan mijn vaders thuisland worden, en de lange zeereis daarheen begon in Bombay, in de Sassoon Docks. Bombay was erg vreemd en angstaanjagend voor een klein meisje als ik; ik vond het er na de schone lucht van Assam bedompt en smerig en was volledig overdonderd door het enorme aantal mensen dat ik zag. Terwijl we wachtten op de afvaart sleepte mijn moeder me mee naar een bioscoop om *The Red Shoes* te zien, waardoor ik me alleen nog maar ellendiger voelde. Ik raakte van streek van het tragische einde waarin de heldin, gespeeld door Moira Shearer, voor een trein viel. De slotscène, waarin ze vraagt of iemand de rode balletschoentjes met de linten van haar voeten kan halen, bleef nog jarenlang op mijn netvlies branden.

Van de reis werd ik ook al niet vrolijker: ik kreeg kinkhoest en mazelen en lag het grootste deel van de tijd in de ziekenboeg. Het enige lichtpuntje van de reis was voor mij een goochelaar die trucjes uithaalde met gele donzige kuikentjes. Ik keek ademloos naar hem.

Kort na onze aankomst in Engeland werd ik vanaf het Londense Euston Station als een postpakket met de stoomtrein op weg gestuurd voor een bezoek aan mijn grootmoeder van vaderskant, die in de buurt van het Schotse Lockerbie woonde. Mijn ouders bleven in Londen, waar ze van alles te doen hadden. Zo ging ik op mijn vijfde jaar zonder begeleiding in een voor mij vreemd land op reis – de eerste van de talloze eenzame reizen die ik in mijn leven heb gemaakt – op bezoek bij iemand die ik nog nooit had gezien. Zelfs op de prille leeftijd die ik toen had begon het me al te dagen dat mijn moeder verstoken was van zelfs de meest basale moederinstincten.

'Hallo Margaret, ik heet Margot,' zei een glimlachende vrouw die me op het perron van Dumfries stond op te wachten en zich voorstelde als mijn tante.

'Namaste,' antwoordde ik braaf, met mijn handpalmen tegen elkaar en een knikje van mijn hoofd. Verwonderd over mijn traditionele Indiase begroeting pakte ze me bij de hand, waarna ze me met de auto naar Parkend bracht, het donkere huis van grijze steen waar mijn grootmoeder woonde. Ik overwon mijn aanvankelijke schroom snel toen ik ontdekte dat mijn grootmoeder een aardig en grappig mens was en wel van een grapje hield, ondanks het feit dat ze pas weduwe was geworden. Mijn grootvader was dokter geweest en had zich vrijwillig gemeld voor de oorlogsdienst, net als mijn vader later zou doen; hij was in Gallipoli geweest, had het overleefd en zijn herinneringen aan die veldtocht geboekstaafd.

Dumfries was een oud en welvarend grensstadje – de dichter Robbie Burns had er gewoond – en op die historische plek kreeg ik dankzij de grootmoeder die me zo onverwachts was toegevallen voor het eerst enig idee van wat een normaal gezinsleven inhield; door haar werd ik me bewust van traditie en familietrots. Ze leerde me koken en bakken, las me voor, praatte met me en deed spelletjes met me. Ik kan me niet herinneren dat mijn moeder ooit zulke dingen met me deed of iets van haar levenslust met me deelde. Pas toen ik veel ouder was, begon ze belangstelling voor me te tonen en liet ze me kennismaken met alles waar ze zelf zo van hield: theater, opera en ballet.

De tijd bij mijn grootmoeder en tante Margot was heel bijzonder voor mij. Margot kwam me als een soort toverfee-moeder voor, een mooie vrouw die er altijd was om mee te praten en plezier mee te maken. Ze was papa's oudere zus en had voor hem en zijn jongere broer Stuart gezorgd toen ze klein waren. Ik deed mijn best zo braaf mogelijk te zijn en niets te doen waardoor oma of tante Margot me zou wegsturen, maar net toen ik voor het eerst een echte emotionele band kreeg met mensen die ook van mij leken te houden, werd het 'postpakket' opnieuw verstuurd, terug naar Londen, waar ik voor een korte periode weer bij mijn moeder zou wonen.

Maar mama kon mijn permanente aanwezigheid niet aan en stuurde me opnieuw weg, ditmaal naar de kleuterschool, om andere kinderen te leren kennen en met ze te spelen. Ik weet nog dat we in een lange sliert twee aan twee over de trottoirs moesten lopen, waarbij ieder tweetal kinderen aan een riem vastzat die iedereen bij elkaar hield. Ik was veel liever thuisgebleven, maar mijn moeder wilde niet dat ik haar de hele tijd voor de voeten liep. Ik heb nauwelijks herinneringen aan mijn vader, die in die tijd kennelijk bijna nooit thuis was. Maar na vijf maanden in Engeland scheepten we ons met zijn drieën in om terug te keren naar India, waar mijn vader zijn werk zou hervatten op een theeplantage in Doom Dooma in Boven-Assam.

Toen we ons eenmaal hadden geïnstalleerd in een van de comfortabele bungalows op die uitgestrekte plantage in het noordoosten van India, begon een van de gelukkigste periodes van mijn leven, vooral dankzij mijn nieuwe ayah Ferami, die ik aanbad en vertrouwde. Ze was een ronde, gedrongen vrouw van midden twintig, afkomstig uit de matriarchale Khasi-stam die in de heuvels leefde; ze was ook dol op mij, en ik bracht meer tijd met haar door dan ik ooit met mijn eigen moeder had gedaan. Trouwens, op een dag was mijn moeder ineens verdwenen; ik werd op een ochtend wakker en ontdekte dat ze er niet meer was.

'Waar is mama?' vroeg ik mijn vader, voornamelijk uit nieuwsgierigheid.

'O, die moest weg,' antwoordde hij zonder verdere uitleg te geven. Ze was vertrokken zonder afscheid van me te nemen, zonder een brief of iets anders tastbaars voor me achter te laten. Ze was gewoon in het niets opgelost. Ik herinner me dat ik verbaasd, ja zelfs verontwaardigd was, maar veel meer ook niet. Ik rouwde niet echt om haar; omdat ze zich nauwelijks om me had bekommerd, kon ik ook heel goed gelukkig zijn met mijn vader en mijn ayah. En ik had, als klein verwend meisje in India, inmiddels heel wat afleiding.

Zo ging ik met Lokom, onze *mali* (tuinman), naar de plaatselijke bazaar om gekleurd papier te kopen voor een vlieger. Vliegeren is in India van oudsher zeer populair. In de dorpen en steden laten hele families vanaf alle daken en open veldjes kleurige vliegers op; zover het oog reikt zie je ze als scherp afgetekende ruitvormige silhouetten in de lucht dansen. Voor mij als opgroeiend kind in Assam werd het als een onmisbaar onderdeel van mijn opvoeding beschouwd me vertrouwd te maken met deze oude traditie. Ik zie Lokom nog voor me zoals hij op het gras gehurkt stukken bamboe bewerkt met een scherp mes om het driehoekige frame te maken. Daarna leerde hij me hoe ik plakrijst moest koken om die als lijm te gebruiken voor het vastplakken van de om het frame gewikkelde stukken papier. We lieten de vlieger in de zon drogen, en de volgende ochtend klommen we met de kinderen van de plaatselijke koelie (werkman) op een heuveltje en hup! daar ging het vrolijk gekleurde geval werkelijk de lucht in. Ik keek gefascineerd toe. Maar het meest hield ik van het circus met de fakkels dat ons dorp af en toe aandeed. Ik was door het dolle heen van de voorpret, half bang en half opgewonden, als ik naar de piste werd gebracht, waar geheimzinnige mannen met een donkergekleurde huid, glinsterende gouden broeken en tulbanden in exotische kleuren achteloos over gloeiende kolen liepen of op spijkerbedden lagen. Het was zó spannend.

Mijn vader leek mijn moeder helemaal niet te missen. Hij was gek op vissen en nam mij en Ferami mee op wekenlange expedities door het Lohitdal, tot in de uitlopers van de Himalaya. Hij bracht menige lange dag door op de imposante Brahmaputrarivier, waar hij op *mahseer* viste, een karperachtige vis die wel vijftig kilo zwaar kan worden. Hij geldt als een van de lastigst te vangen vissen ter wereld, en mijn vader keerde altijd triomfantelijk terug in het basiskamp, terwijl zijn drager zuchtte onder de last van zijn vangst. De Brahmaputra biedt bij hoogwater een ontzagwekkende aanblik. Als de regentijd komt en de rivier opzwelt, is er weinig tegen haar macht te ondernemen. Als het water zich terugtrekt, blijft er vruchtbare landbouwgrond achter die een rijke oogst aan rijst, mosterd en jute oplevert.

Mijn vader reed vaak op zijn paard over de theeplantage om toezicht te houden op de honderden koelies die de vele hectaren weelderige groene struiken verzorgden waarmee het glooiende landschap bedekt was. In het plukseizoen (de oogsttijd) trokken de arbeiders met tenen manden op hun ruggen gebonden tussen de keurige rijen theestruiken door om de bovenste bladeren af te plukken. Ik volgde hen op mijn kleine pony, Peanuts.

'Kom op, konijntje,' riep papa me plagerig toe terwijl ik achteraan kwam sukkelen met mijn breedgerande slappe strooien hoed. Hij noemde me al 'konijntje' vanaf dat ik heel klein was – wat ik veel leuker vond dan Margaret, Maggie of juffrouw Bruce – en ik vond het prachtig dat niemand anders dan hij me zo noemde. Het was ons geheimpje.

Het was een heel gelukkige tijd, ondanks het feit dat mijn moeder er niet was, en ik had wel gewild dat er nooit een eind aan kwam. Maar algauw stuurde mijn vader me, zonder enige nadere verklaring, naar het internaat van het Loreto-klooster, dat op achthonderd kilometer afstand lag, in de regeringspost Shillong, de hoofdstad van Meghalaya, wat letterlijk 'woonplaats van de wolken' betekent. Die verhuizing betekende een lange en vermoeiende treinreis van twee dagen, gevolgd door een taxirit over een weg die door pijnboombossen en weilanden omhoog kronkelde naar de stad die in India bekendstaat als 'het Schotland van het Oosten'. Ik werd misselijk van die hobbelige, slingerende weg.

Jaren later ontdekte ik dat de beslissing om me naar dat klooster te sturen vooral was ingegeven door de politieke ontwikkelingen van die tijd. Op 30 januari 1948, een jaar na de onafhankelijkheid, werd Mahatma Gandhi vermoord in New Delhi. Na de begrafenis braken er op grote schaal rellen uit tussen de hindoe- en de moslimgemeenschap, en veel mensen – onder wie mijn vader – vreesden een bloedbad. Mijn vader meende dat mijn veiligheid in een klooster in Shillong beter gegarandeerd zou zijn dan op een theeplantage. Voor het geval er een verdere verslechtering van de situatie zou optreden, had hij al een visum in mijn paspoort laten stempelen waarmee ik zo naar mijn moeders familie in Australië kon afreizen.

Toen ik eenmaal in Shillong was gedumpt en me had verzoend met het feit dat mijn vader zich niet had laten vermurwen door mijn dagenlange gemok, besloot ik er het beste van te maken, en tot mijn eigen verbazing vond ik het er zelfs leuk. Als enig kind had ik in Assam een geïsoleerd leven geleid, en ik genoot van het dagelijkse gezelschap van andere kinderen, wat voor mij iets geheel nieuws was. Ik miste mijn vader verschrikkelijk, vooral de verhaaltjes voor het slapen gaan en onze kietelspelletjes, en ik had een bloedhekel aan de havermout en rabarber die ze hier aten en die ik ook moest eten, maar ik had nieuwe vrienden en een nieuwe woonplaats, en na een tijdje vond ik Shillong eigenlijk zo kwaad nog niet.

Maar al na een paar maanden, en lang voordat ik innige vriendschapsbanden had kunnen aanknopen met mijn medeleerlingen of de nonnen, werd ik weer teruggehaald naar de theeplantage, die in Assam 'theetuin' wordt genoemd. Ik kreeg er onmiddellijk spijt van dat ik zo hevig had geprotesteerd tegen het internaat, want ik meende dat mijn vade alsnog gehoor had gegeven aan mijn wensen en me weer bij zich wilde hebben. Tot mijn grote verbazing werd ik bij mijn terugkeer in de bungalow opgewacht door mijn moeder; na haar afwezigheid van zeven maanden was ik haast vergeten hoe ze eruitzag. Ze deelde mee dat ze een verrassing voor me had.

'Ik ben in Australië geweest, Margaret,' zei ze, 'en kijk eens wat ik voor je heb meegebracht.' Ik was dolblij met de opgezette koalabeer, maar met stomheid geslagen door het kleine zusje in de wieg. Ik was zes jaar en had me nog nooit van mijn leven zo bedot gevoeld.

In de jaren die daarna volgden, gebeurde er weinig opzienbarends; ik pendelde heen en weer tussen Shillong en de theetuin in Assam. Ferami, op wie ik zo dol was, moest nu voor mijn nieuwe zusje Suzanne zorgen, zodat ik steeds minder met haar samen kon zijn. Ik groeide snel en werkte in sneltreinvaart alle gebruikelijke kinderziekten af. In de twee jaar daarna had ik een zwakke gezondheid; uiteindelijk kreeg ik malaria en moest lange tijd op de ziekenafdeling van het internaat liggen. Na een kort bezoek aan mijn ouders om weer op krachten te komen werd ik opnieuw naar Shillong gestuurd.

Het begin van die reis staat me nog helder voor de geest. Ik zat met mijn moeder in het vliegtuig te wachten tot we zouden vertrekken. Mijn vader had ons naar het vliegveld gebracht maar ging niet met ons mee. Ineens stond hij toch voor ons; hij was haastig aan boord van het vliegtuig gekomen. Hij vertelde dat hij net bericht had gekregen van de dokters die me hadden behandeld.

'Margaret moet naar Engeland,' zei hij tegen mijn moeder, en zij knikte begrijpend. Hij ging met zijn hand door mijn haar en zei: 'Kop op, konijntje.'

En zo nam mijn leven op mijn negende jaar alweer een nieuwe wending en keerde ik terug naar Engeland, maar deze keer bleef ik er alleen achter terwijl mijn moeder en Suzanne – of Sue, zoals ze weldra genoemd zou worden – zonder mij teruggingen naar India. Ik was waarschijnlijk te jong om te begrijpen waarom ik in de steek werd gelaten en er werd ook geen poging gedaan me dat uit te leggen, maar achteraf denk ik dat het veel te maken had met mijn gezondheid en de vermeende behoefte aan frisse Engelse lucht. Ik had geen keus, ik moest het maar accepteren en, zoals mijn vader me verzocht, niet huilen.

Denk aan mij als ik vertrokken ben
Op weg naar het verre, stille land;
Dan neem je mij niet meer bij de hand.

uit 'Remember' van Christina Rossetti

Mijn nieuwe pleegouders, meneer en mevrouw Parker, leidden in het Victoriaanse kuststadje Worthing in West-Sussex een pension dat Sea View heette. Ze waren een zeer conventioneel, kleinburgerlijk echtpaar; mijn moeder had ze een keer – puur toevallig – op het strand ontmoet. De Parkers hadden één kind, een dochtertje dat Janet heette en even oud was als ik, en verhuurden kamers om makkelijker rond te kunnen komen. Janet had blond haar met vlechtjes, en ik kwam er meteen de eerste dag al achter dat ze naar dezelfde nonnenschool ging waar ik vroeger als dagleerlinge op had gezeten. De Parkers hadden ermee ingestemd dat ik bij hen zou komen wonen vanwege het schoolgeld voor Janet en omdat ik dan haar speelkameraadje kon worden. En zo kwam het dat wij, die elkaar totaal niet kenden, in aangrenzende kamers sliepen, elke dag samen naar school gingen op onze fietsjes, samen thuiskwamen voor het middageten en 's middags weer samen naar school gingen.

Ik woonde drie jaar als huurder bij het gezin Parker; alle kosten werden per cheque betaald door mijn vader in India. Janet was in het begin best aardig en we hadden genoeg afleiding: we konden de hele zomer zwemmen in zee en kijken naar de traditionele poppenkastvoorstellingen op de acht kilometer lange zeeboulevard met gebouwen uit de Regency-tijd. Maar verder was ik niet erg gelukkig en verveelde ik me aan de koude en regenachtige zuidkust van Engeland. Ik miste de warmte en de kleuren van India; ik miste Ferami en mijn pony; en ik verlangde terug naar de dromerige dagen toen ik klein was, papieren vliegers maakte en me koesterde in de zon.

Drie jaar lang, van mijn negende tot mijn twaalfde, zag ik noch mijn vader, noch mijn moeder, noch mijn jongere zusje. Ze zullen heus wel af en toe een brief of een foto hebben gestuurd, maar ik herinner me er niets van. Ik maakte er maar het beste van, probeerde me zo fatsoenlijk mogelijk te gedragen en troostte mezelf met mijn onafscheidelijke koalabeer en met het bijhouden van knipselboeken over de Engelse koninklijke familie. Mijn moeder had, als Australische en koloniale, altijd gedweept met de koninklijke familie, en waarschijnlijk hoopte ik wat te stijgen in haar achting door net zo fanatiek te worden als zij.

De enige lichtpuntjes in die eenzame jaren waren de bezoeken die mijn tante Margot me af en toe bracht en een onverwachte uitnodiging – waar zij waarschijnlijk achter zat – om mijn zomervakantie te komen doorbrengen in Blairgowrie in Perthshire (Schotland) bij mijn oom Stuart, zijn vrouw Diana en hun twee jonge kinderen, die ik geen van allen ooit had ontmoet. Ik greep de kans om weer naar Schotland te gaan en in de buurt van mijn grootmoeder te komen met beide handen aan. Het was een plotselinge verlossing uit de barre eenzaamheid, en die twee maanden waren iedere zomer de enige tijd dat ik me echt gelukkig voelde, met picknicks in de *glens*, wandelingen op de hei en zwempartijen in beekjes met bruin water dat vaak zo koud was dat je huid ervan ging tintelen.

De aanwezigheid van mijn neefje Robin en mijn nichtje Linda, die minstens zes jaar jonger waren dan ik maar met wie ik tenminste leuk kon spelen, hielp me om me over het gemis van mijn naaste familieleden heen te zetten. We hadden veel plezier met de allersimpelste kinderspelletjes, zoals steentje springen in de snelstromende beekjes, waarbij je voeten niet nat mochten worden en je ook niet op de oever mocht stappen. We klommen in bomen om vogelnesten te onderzoeken, visten naar bruine forellen, verzamelden wilde paddestoelen en gingen soms zelfs kamperen. Alles was anders dan thuis, niets hoefde. Die lange, heerlijke zomers gaven me het gevoel ergens thuis te horen en iemand te zijn; ze maakten me trots dat ik een Bruce was. Ik bleek toch wortels te hebben.

Soms nam mijn oom Stuart me in zo'n zomervakantie mee voor een bezoek aan mijn grootmoeder in Parkend. Ik kwam altijd graag in haar huis en dwaalde er rond tussen de hoge stokrozen en riddersporen in haar tuin; ik plukte erwten en frambozen met haar tuinman, een lange man die me deed denken aan meneer McGregor uit Beatrix Potters *Peter Rabbit*-verhalen en die het nooit erg vond als ik handenvol versgeplukte vruchten in mijn mond propte. Ik vond het zalig om, gezeten in een ligstoel in het groen geschilderde draaibare tuinhuisje, te kijken naar de vlinders en de vogels in de tuin of te wachten op de mollige, goedlachse vrouw die elke week langskwam om de schone was te brengen en de vuile op te halen. Ook hoor ik in gedachten nog steeds hoe Lizzie, de kokkin, op de gong slaat voor het middageten. Het was een klein, veilig wereldje.

Maar in september moest ik, zoals gewoonlijk alleen met de trein, terug naar Worthing en de Parkers. De treinreis van Perth naar Londen was lang en eenzaam; alleen de conducteur of een medepassagier lette een beetje op me. Op Euston Station werd ik opgevangen door een verre neef die tot taak had me dwars door Londen naar Victoria Station te escorteren, waar ik weer op de trein stapte voor de laatste etappe van mijn reis.

De eerste anderhalf jaar bij de Parkers was ik niet ontevreden. Ik weet nog dat ik die winter voor het eerst sneeuw zag vallen en opgewonden de achtertuin in holde. Ik snapte niets van dit manna uit de hemel; het leken wel plukken watten die uit de lucht vielen en in mijn handpalmen smolten. Maar toen begon Janet zonder enige aanleiding een wrok tegen mij te koesteren. Lievelingsboeken en cadeautjes die ik van oom Stuart en tante Margot had gekregen raakten ineens zoek, en de Parkers begonnen mijn godsdienstige gevoelens in twijfel te trekken en dwongen me hun vaste vrijdagse kost – palingen in gelei met een kom bouillon – te eten terwijl vrijdag altijd mijn vastendag was geweest.

Ze lachten om mijn belangstelling voor de koninklijke familie en bespotten me vanwege al die foto's en artikelen in mijn knipselboeken. En voor het eerst sinds ik bij hen woonde, plaagde meneer Parker me met het feit dat ik 's avonds in het donker bang was en altijd onder mijn bed en in de kast keek of zich daar geen slangen, jakhalzen of tijgers verscholen; inmiddels weet ik dat dit de klassieke angstsymptomen van een in de steek gelaten kind zijn. Ik werd verteerd door verdriet over de verandering in het gedrag van de Parkers. Ik had me altijd voorbeeldig gedragen en kon me niet voorstellen dat ik iets had gedaan wat hen boos had gemaakt. Nu denk ik dat dat kleine verlegen 'rijkeluismeisje' in hun midden hun gewoon de keel uit was gaan hangen en dat ze hadden besloten dat het veel leuker zou zijn me te pesten dan me met rust te laten. Het voelde alsof de ankers van mijn leven één voor één werden losgetrokken.

Tot overmaat van ramp gebeurden er ook nog twee dingen die me ten diepste schokten. Toen ik tien was, schreef mijn tante Margot me dat ze een arts had leren kennen die George heette en van plan was met hem te trouwen. Er was hem als vooraanstaand dermatoloog een betrekking van drie jaar in Chicago aangeboden en ze zouden naar Amerika verhuizen. Ik voelde me ellendig. Margot kwam naar Worthing om afscheid te nemen en ik mocht in een van de plaatselijke winkels iets uitzoeken als aandenken aan haar. Ik koos een bedlampje met een konijntje erop, dat ik de hele nacht aan kon laten om de boze geesten te verjagen. En toen was ze weg.

Ik was nog nauwelijks hersteld van deze schok toen uit Schotland het bericht kwam dat mijn grootmoeder was overleden; het was het eerste sterfgeval van iemand die mij na stond. Mevrouw Parker vertelde me van haar dood tijdens de middagpauze en stuurde me daarna terug naar school. Ik was vreselijk van streek; tijdens de les dacht ik terug aan de gelukkige dagen in Parkend, en in gedachten zag ik oma in haar warme, gezellige keuken zitten. Diep ongelukkig stak ik mezelf ook nog met de scherpe punt van mijn potlood zo hard in mijn dijbeen dat het bloedde. Nu had ik niemand meer. Ik had me nog nooit van mijn leven zo alleen gevoeld.

Niet lang daarna kwam uit India het bericht dat mijn ouders en Sue voor een kort bezoek naar Engeland zouden komen. Na zo'n lange scheiding wist ik niet goed hoe ik ze zou moeten begroeten. Ik vroeg me af hoe ze eruit zouden zien. Zouden ze nu oud zijn? Zou ik ze nog wel herkennen? Ik was ten prooi aan verwarring en werd bestormd door tegenstrijdige gevoelens. Stiekem was ik vrolijk en opgelucht bij het vooruitzicht misschien te worden verlost van de Parkers. Ik was blij dat we als gezin zouden worden herenigd, maar voor hoelang? Mijn eerdere ervaringen hadden me geleerd nooit te veel te verwachten, en voorzover ik had begrepen waren ze sowieso niet van plan om lang te blijven. Ik trok mijn mooiste jurk aan, maakte mijn vlechten los, kamde mijn lange, donkere haar en verzamelde met sombere voorgevoelens moed voor het weerzien.

Ik zal overleven, en men zal mij vragen
Wat ons hielp te blijven leven
Zonder brieven en zonder nieuws, in een tijd
Van gruwelijke beloften in ruil voor verraad.

uit 'I will live and survive' van Irina Ratushinskaya

We ontmoetten elkaar in de schemerige voorkamer van het huis van de Parkers, vol vale meubels bedekt met gehaakte antimakassars. Ik zat op de divan voor het raam met de vitrage stijfjes te wachten tot zij zouden worden binnengelaten. Jaren later vertelde Sue me dat ze aanvankelijk de neiging had op me af te rennen en mij, haar oudere zus die ze zich nauwelijks herinnerde maar over wie ze had gedroomd, om de hals te vliegen. Maar ze bevroor midden in haar beweging door de ijzige sfeer in het vertrek: mijn hele houding drukte afstand, hooghartigheid en rancune uit jegens haar zowel als mijn ouders, die me behoedzaam begroetten. Zelfs het opgewekte 'Hallo konijntje' van mijn vader – waarvan mijn hart zozeer ineenkromp dat ik bijna op hem af was gevlogen – was niet genoeg. Ik had mezelf vanbinnen geharnast en was niet van plan hun direct te vergeven dat ze me in de steek hadden gelaten. Diep vanbinnen werd ik verteerd door jaloezie op Sue, die, zonder daar zelf enige invloed op te hebben gehad, het leven met mijn ouders had gedeeld dat mij ontzegd was. Nog maanden na de hereniging kon ik me niet over die gevoelens heen zetten. Arme Sue, ik deed afschuwelijk tegen haar, en toch aanbad ze me tegen de klippen op.

Maar nu was het tijd om eindelijk mijn schamele bezittingen te pakken en het kosthuis te verlaten waar ik zo ongelukkig was geweest. Ik vergat het onmiddellijk, evenals de Parkers. In de maanden die volgden woonden we voor korte tijd met het hele gezin in Londen, vervolgens in Schotland, waar mijn vader de nalatenschap van zijn moeder regelde, en ten slotte – toen mijn vader terugkeerde naar India – op huurkamers in het kustplaatsje St. Leonards-on-Sea in Oost-Sussex. Mijn moeder bleef nog even om Sue en mij in te schrijven bij de nonnenschool in St. Leonards Mayfield en vertrok toen ook naar India. Wederom bleef ik achter met een vreemde.

Het moet voor Sue dubbel moeilijk zijn geweest: ze werd door haar ouders achtergelaten in een vreemd land en merkte dat de zus naar wier kameraadschap ze had verlangd iets tegen haar had. Wat het voor haar nog erger maakte, was dat we op verschillende afdelingen van de school werden geplaatst, zij bij de jongere en ik bij de oudere meisjes, zodat onze wegen elkaar nauwelijks kruisten. Maar het was een goede school en we hadden het er naar onze zin: we zwommen voor het ontbijt in zee, op Halloween lazen de nonnen ons spookverhalen voor terwijl wij onder donzen dekens lagen en op Guy Fawkes Day roosterden we 's avonds kastanjes op een open vuur en staken vuurwerk af. Ik kreeg mijn eerste tennislessen en zou een blijvende hartstocht voor deze sport opvatten. Tijdens de zomervakantie werden Sue en ik zoals gebruikelijk uitbesteed aan diverse voogden, onder wie een tante Bobby in Worthing, en ik liet Sue kennismaken met het zomerse leven bij oom Stuart in Schotland. Het was een grote opluchting voor me toen tante Margot in 1956 eindelijk terugkeerde uit Amerika en in Londen kwam wonen, en vanaf dat moment brachten we alle schoolvakanties door bij haar en haar man. Ze hadden zelf geen kinderen en behandelden ons alsof wij hun kinderen waren.

Rond mijn dertiende was ik door het ontbreken van het toezicht en de invloed van mijn ouders zo vrijgevochten geworden dat ik het uiterst vervelend vond toen mijn moeder ons verraste door terug te keren naar Engeland. Van heel jongs af aan had ik me al slecht op mijn gemak gevoeld in haar gezelschap, en ik was altijd blij als haar bezoeken weer voorbij waren. Nu ik haar zo weinig zag en haar van een afstand kon beoordelen, was ik nog kritischer. Ze was erg theatraal en behoorlijk excentriek. Ze had hoge, gewelfde wenkbrauwen die ze zwaar aanzette en deed altijd veel te veel poeder en make-up op haar gezicht. Als ze glimlachte kwamen er barstjes in de dikke laag, en als ze me een begroetingskus gaf viel het poeder van haar wangen. Ik schaamde me dood en hoopte vurig dat geen van mijn schoolvriendinnen het zag.

Uit angst dat ik de hele zomervakantie bij mijn moeder zou moeten zijn, greep ik iedere kans om de vakantie elders door te brengen als me dat door vriendinnen werd aangeboden. Zodoende was ik op mijn zeventiende al aardig bereisd. Ik was in al die paas-, zomer- en kerstvakanties zowat overal in Groot-Brittannië geweest en had zelfs geskied in Verbier. Sue en ik konden steeds beter met elkaar overweg, en ik begon net afspraakjes met jongens te maken en me voor hen te interesseren. Al met al was ik best tevreden met mijn lot... totdat mijn moeder weer op het toneel verscheen en niet meer verdween.

Mijn vader en zij leefden inmiddels min of meer apart, en het leven in India begon haar te vervelen. Ze nam een flat in Queen Gate in de Londense wijk Kensington, en toen ik van school kwam had ik geen keus en moest bij haar intrekken. Op haar aanraden, en omdat er voor een jong meisje in 1959 behalve trouwen weinig andere mogelijkheden waren dan verpleegster, kokkin of secretaresse worden, volgde ik een negen maanden durende cursus aan een secretaresseopleiding in South Molton Street. Diverse vroegere schoolvriendinnen van me volgden dezelfde cursus en mijn moeder vond het verstandig om in ieder geval een diploma te halen. Het was de beste beslissing die ze ooit voor me heeft genomen, want ik heb er heel wat keren op terug moeten vallen.

Op mijn achttiende solliciteerde ik naar de functie van secretaresse bij de afdeling opleidingen van Imperial Chemical Industries, en zo kreeg ik mijn eerste baan. Ik vond het werk niet speciaal leuk, maar er werden hoge eisen aan me gesteld en ik leerde een heleboel. Maar het wonen bij mijn moeder was bepaald niet gemakkelijk en haar grillige aard begon me steeds meer zorgen te baren. Soms was ze dagen en nachten achter elkaar aan het feesten en fuiven en zag ik haar nooit; dan weer hing ze dagenlang in haar peignoir in onze flat rond en was ze chagrijnig en onberekenbaar. Ik nam geen vrienden meer mee naar huis toen ze tot twee keer toe een feestje bedierf dat ik had georganiseerd: de eerste keer stormde ze halfnaakt haar slaapkamer uit en sommeerde ons minder lawaai te maken, de tweede keer sloot ze me buiten toen ik mijn vrienden uitliet. Ik had in die tijd af en toe een aanbidder, maar ik piekerde er niet over die mannen mee naar huis te nemen om ze aan haar voor te stellen.

Toen mijn moeder tot mijn verrassing voorstelde dat ik een half jaar verlof zou nemen en een zeereis naar India zou maken om mijn vader op te zoeken, nam ik dat aanbod dankbaar aan. Het was 1961, ik had hem vier jaar niet gezien en zij evenmin. Sue zat nog op school en ik meende dat mijn moeder mijn gezelschap zat was en even alleen wilde zijn. Ze ontdekte dat een paar oude vrienden uit Assam naar Bombay zouden reizen met de Chusan, een luxe lijnboot van P&O, en boekte een passage voor mij. En zo scheepte ik me op mijn negentiende wederom in om naar India te gaan; het zou de leukste van al mijn eenzame reizen worden.

Het leven aan boord van de Chusan was het meest betoverende wat ik ooit had meegemaakt. Terwijl we door de Golf van Biskaje, langs Gibraltar, over de Middellandse Zee en door het Suezkanaal naar India voeren, bracht ik mijn dagen en nachten door met chique cocktailparty's, diners en knappe mannen die maar wat graag met me over de dansvloer zwierden en was getuige van menige scheepsromance. Ik eindigde als *postillon d'amour* van een stel, heen en weer rennend met briefjes als een dienstmeid uit een stuk van Shakespeare. We dronken Pimm's en crème de menthe, aten kreeft en dansten de hele wonderschone nacht lang. Ik ontmoette voor het eerst lesbiennes, er werd iemand aangerand en iemand anders beroofd, en ik voelde me alsof ik pardoes in een boek van Agatha Christie was gestapt. Ik leefde in een roes.

Toen ik in Bombay van boord ging, zweefde ik nog steeds een beetje. Maar door het vuil, de stank en het stof van het land dat ik twaalf jaar niet meer had gezien kwam ik weer met beide benen op de grond. De stad gonsde van de bedrijvigheid; het leek of elk van de miljoenen bewoners op de been was. De skyline werd bepaald door hoge gebouwen: tussen de talloze huizen betwistten christelijke kerken en hindoetempels elkaar de schaarse ruimte. Het wemelde van de bedelaars, en wij moesten met z'n vijven dwars door de drukte en het waanzinnige verkeer heen het Victoria-station zien te bereiken. De trein waarmee we via de Central Railway naar Calcutta reden werd getrokken door een stokoude locomotief. De reis duurde bijna drie dagen en nachten omdat er de vorige dag een trein was ontspoord; daar waren slachtoffers bij gevallen, en onze trein stopte om de doden en gewonden mee te nemen.

Die treinreis was wel even een stap terug na de overdadige luxe van de Chusan. De Calcutta-expres (de benaming 'expres' was volstrekt onterecht) bestond uit wagons die weinig meer waren dan wat verroest blik.

Het was er onvoorstelbaar heet en benauwd en ze boden nauwelijks bescherming tegen de felle zon; uit alle deuren, ramen en dakluiken hingen passagiers, en we konden onze coupé niet uit. We bestelden ons eten telkens als we op een station stilstonden en konden het dan bij de volgende stop ophalen. De maaltijden bestonden steevast uit een omelet met chilipeper en *chapati*, het ongezuurde Indiase brood, en werden ons vanaf het perron door het open raam aangereikt door een man met een tulband. We kregen er zoete thee bij.

Bij een van de tussenstops verlangde iemand van ons gezelschap zo vreselijk naar iets stevigs dat hij een passerende Indiër wat geld in handen stopte in de hoop daar een fles whisky voor terug te krijgen. De vreemde was dolgelukkig met deze meevaller, en toen onze trein het station uit reed zagen we nog net hoe hij op een krakkemikkige fiets de bazaar binnenreed en al voorthobbelend naar ons probeerde te zwaaien terwijl zijn witte *dhoti* in de wind wapperde.

Toen we op een hete en stoffige ochtend voor dag en dauw eindelijk het imposante Victoriaanse Howrah-station van Calcutta bereikten, waren we uitgeput. Op het perron krioelde het van de mensen; sommigen verdrongen zich voor een mooi plekje in de volgende trein, anderen probeerden koopwaar aan de man te brengen, en dan had je natuurlijk de alomtegenwoordige bedelaars. Het was er lawaaiig, druk en benauwd; nog erger dan in Bombay. Maar op de anderhalve kilometer lange Howrah-brug vlak bij het station waren de drukte, het gedrang en de bedrijvigheid nog eens honderdmaal zo erg. Je moet het hebben gezien om te geloven wat er zich afspeelt op deze gigantische brug over de modderige Hooghlyrivier: auto's, vrachtwagens, bussen, trams, riksja's, scooters, fietsen, ossenkarren, mensen, koeien, geiten en ezels proberen allemaal zo snel mogelijk aan de overkant te zijn; men schat dat dagelijks drie miljoen mensen gebruikmaken van de brug. Met veel moeite baande ik me een weg door dit pandemonium, dwars door de grootste stad van India naar het vliegveld, vanwaar ik een binnenlandse vlucht naar Assam zou nemen.

Het leek een eeuwigheid te duren voor mijn vliegtuigje drie uur later de afdaling inzette en veilig landde in Dibrugarh in Boven-Assam; de korte landingsbaan bestond uit metalen platen met gaten waar het gras doorheen kon groeien. Mijn vader stond me op te wachten. Ik stapte vreselijk verlegen en een beetje gereserveerd op hem af omdat ik hem zo lang niet had gezien, maar hij pakte mijn handen vast en omhelsde me hartelijk.

'Welkom thuis, konijntje,' zei hij, en de tranen sprongen in mijn ogen. Ook hij was hevig aangegrepen door het weerzien, en hij stelde me vol trots voor aan een paar vrienden die met hem mee waren gekomen naar het vliegveld.

De herinneringen aan mijn gelukkige jeugd in Assam met mijn ayah kwamen weer boven toen ik met mijn vader op de veranda van zijn bungalow ijskoude gin-tonic zat te drinken. We praatten geanimeerd terwijl de kleine schepselen van de nacht me kwamen verwelkomen. Gekko's kleefden aan het gaas dat om de veranda heen was aangebracht in afwachting van de insecten die werden aangetrokken door het licht, en vuurvliegjes lichtten op in de warme nachtlucht. De grote plafondventilator zoemde boven onze hoofden en bracht ons koelte terwijl we al die verloren jaren inhaalden.

De vijf maanden daarna waren de gelukkigste sinds jaren; ik genoot met volle teugen van alle aandacht en complimentjes die ik kreeg van mijn vader en van de vele ongetrouwde jongemannen die in Assam werkten. Het was als een lopend vuurtje rondgegaan dat Alecs dochter uit Engeland over was, en ik had geen gebrek aan aanbidders. Ik was een aantrekkelijke jonge vrouw, slank en donker, met grote reebruine ogen en – zo hoorde ik vaak – een lieve lach. Ik had de hoge jukbeenderen van mijn moeder en was net zo ad rem als mijn grootmoeder, en voor het eerst sinds lange tijd voelde ik dat ik werd bemind en bewonderd. Volgens mijn vader was ik een 'snoepje'.

Papa heeft me altijd verteld hoe ik opbloeide gedurende die tijd bij hem, en ongetwijfeld deden het dagelijks leven en de gewoonten op de plantage me geweldig goed. Ik durfde er haast niet aan te denken dat ik ooit weer zou moeten terugkeren naar het saaie Londen en de sleur van het leven met mijn moeder.

Het leven van een theeplanter was destijds uiterst aangenaam. De directeuren waren grotendeels Brits en werden door theemaatschappijen in Londen ingehuurd om toezicht te houden op uitgestrekte theeplantages in verafgelegen delen van de wereld. Het werk betaalde goed en het aangename leven in een warm klimaat was een extra pluspunt voor de werknemers en hun gezinnen. De werkdag begon gewoonlijk om zes uur; om acht uur werd het ontbijt geserveerd, en daarna moest men nog eens drie uur werken op de plantage of in de fabriek; dan om twaalf uur de lunch (of *tiffin*), gevolgd door de siësta. Die twee uur na de lunch waren gouden, doodstille uren: niemand verroerde een vin, zelfs de koelies niet. Iedereen kroop weg voor de verzengende hitte van de dag. Na de siësta werd er nog wat gewerkt, en dan bleef er nog tijd over om te tennissen of golf of polo te spelen voordat de zon onderging. Dan nam men de *sun downers*, de drankjes voor het avondeten, en werd er gedineerd en gedanst. Het was allemaal even fantastisch.

Hoezeer ik het ook naar mijn zin had, ik wist natuurlijk best dat het niet eeuwig kon duren. Een half jaar, had mijn moeder gezegd, en er waren al vijf maanden om. Mijn vader was bereid me in alles te steunen wat ik na mijn terugkeer zou gaan doen, maar toen ik hem vertelde dat ik graag arts wilde worden, lachte hij.

'Wat vind je van verpleegster?' zei hij toen hij zag hoe sip ik keek. Vanaf dat moment was ik vastbesloten om in de verpleging te gaan en ik besloot me onmiddellijk na mijn terugkeer in Engeland in te schrijven bij een verpleegstersopleiding. Mijn besluit stond vast. Maar ik had er geen rekening mee gehouden dat er een man in mijn leven zou komen die Julian McCune heette.

Julian was een vriend van mijn vader, vierendertig – veertien jaar ouder dan ik – en een verdraaid knappe vrijgezel, met een beetje de reputatie van een playboy. Hij werd destijds door iedereen Bunny ('konijntje'!) genoemd, want het was toen erg in de mode om een bijnaam te hebben. Hij was groter dan ik, opgewekt en zeer charmant, en toen ik hem voor het eerst zag, bij de paardenrennen in Jorhat, droeg hij een geelgeblokt vest, wat destijds zeer gewaagd was. Hij was altijd gladgeschoren, had muisgrijs haar, een langwerpig, hoekig gezicht en grote voortanden en wist hoe hij moest charmeren zonder te overdrijven. Hij was in Ierland geboren, opgegroeid in Yorkshire en onlangs als ingenieur komen werken in Dibrugarh, waar hij de machines moest controleren waarmee de theebladeren werden gesorteerd en geprepareerd. Hij hield veel van jagen en vissen en was hoffelijk en geestig, kortom, het type man dat iedere gastvrouw graag op cocktailparty's wil hebben, ook al omdat hij de zeldzame kunst verstond een vrouw het gevoel te geven dat ze fantastisch was.

Een maand voor mijn vertrek kwam Bunny op een avond onaangekondigd op bezoek in de bungalow van mijn vader. Ze zouden op snippen gaan jagen, zei hij, en of wij ook van de partij wilden zijn. Ik nam de uitnodiging dankbaar aan, droeg de patronen en genoot van de opwinding van de jacht terwijl we over een *beel* (modderige rivieroever) ploeterden, de natuurlijke leefomgeving van snip, eend, gans en *morghi*, een junglevogel waarvan alle hier voorkomende vogels afstammen.

Ik wierp af en toe besmuikte blikken op Bunny en we babbelden beleefd wat met elkaar in de avondschemering, maar vanwege ons enorme leeftijdsverschil dácht ik zelfs niet aan meer. Ik merkte echter wel dat hij een beroepscharmeur was en dat intrigeerde me zeer. Later die avond gaf hij een diner voor het hele gezelschap, waarbij hij ons vertelde dat hij een keer een nacht in de gevangenis had gezeten nadat hij per ongeluk een heilige koe met zijn auto had aangereden na een heerlijke kerrielunch in het beroemde restaurant Firpos in Calcutta. Thuisgekomen was hij naar bed gegaan maar al snel gewekt door een boze menigte bij zijn tuinhek, die hij had verjaagd door met zijn geweer over de hoofden heen te schieten. Hij was een beetje teut en slaperig zoals hij daar in zijn ondergoed voor het open raam stond, en op het moment dat hij de trekker had overgehaald was zijn dhoti van zijn middel gegleden zodat hij plotseling poedelnaakt was. Ik zag hoe iedereen om me heen met glinsterende ogen verrukt zat te luisteren terwijl Bunny de clou van zijn verhaal vertelde.

In de benevelde dagen en nachten die volgden, vol eindeloze party's en etentjes, begon Bunny steeds meer interesse voor mij te tonen, en hoewel ik met alle vleierijen van de afgelopen vijf maanden wel wat gewend was, was ik toch erg in mijn nopjes met deze aandacht. Mijn vader was minder enthousiast. Bunny was niet bepaald het soort levensgezel dat hij zich als zorgzame vader voor zijn dochter wenste.

Naarmate Bunny's hartstocht steeds duidelijker werd, groeide papa's bezorgdheid, en hij besloot me er voor een paar dagen op uit te sturen. Een *shikar* (tijgersafari) was volgens hem een ervaring die ik in geen geval mocht missen voor ik naar Engeland terugging om verpleegster te worden. Dus ik vertrok, nadat papa me nog had medegedeeld dat hij Bunny had verboden me te volgen. Maar natuurlijk nam Bunny stiekem het eerstvolgende vliegtuig en we hadden samen een paar verrukkelijke dagen op safari, die nog spannender waren omdat onze liaison verboden was. Ik voelde me als Julia met haar Romeo.

Een week later kwam Bunny weer op bezoek in mijn vaders bungalow. Ik zou over een paar dagen naar huis vliegen en was in mijn slaapkamer bezig met pakken. Hij stormde plotseling binnen, pakte me van achteren beet en zei: 'Ik wil dat je met me trouwt.' Ik draaide me verbijsterd naar hem om. Ik was wereldvreemd, nog maagd en inmiddels vreselijk verliefd op hem; ik wist dat ik op het punt stond om achter mijn vaders rug een gepassioneerde verhouding met hem te beginnen, maar ik had van mijn leven niet gedacht dat het meer zou worden dan dat. Ik was met stomheid geslagen.

Ik wist niets anders te bedenken dan er in één adem uit te flappen: 'Ik ben katholiek, ik wil zeven kinderen en ik heb haast geen cent,' waarna ik blozend mijn ogen neersloeg. Dit was beslist niet wat ik graag had willen antwoorden op het eerste huwelijksaanzoek dat ik ooit had gehad.

Bunny zette zijn handen in zijn zij en keek me stomverbaasd aan. Hij fronste zijn wenkbrauwen, en ik vreesde al dat hij na mijn uitbarsting van gedachten was veranderd. 'Wel heb ik ooit!' riep hij uit, maar toen verscheen er een brede grijns op zijn gezicht en trok hij me naar zich toe om me te omhelzen. Met de volgende zoen was mijn lot bezegeld.

3

'Hierbij wordt de verloving bekendgemaakt van Julian, enige zoon van majoor L.G. McCune en wijlen mevrouw McCune uit Helen's Bay, Co Down, en Margaret Patricia, oudste dochter van de heer en mevrouw A.G. Bruce uit Doom Dooma, Assam, India.'
Door deze korte aankondiging in de rubriek 'Voorgenomen huwelijken' van de Daily Telegraph *hoorde mijn moeder voor het eerst van mijn plannen. Mijn vader had weliswaar een telegram naar Londen gestuurd, maar de door Bunny geplaatste advertentie werd geplaatst voordat ze gelegenheid had gehad papa's bericht te lezen. Het was maart 1962, en het huwelijk zou op 3 november in Assam plaatsvinden: nog een half jaar, en dan zou ik in een vreemd land met een vreemdeling trouwen.*

Ik besloot terug te keren naar Engeland om mijn weinige bezittingen op te halen, een trouwjapon te kopen, mijn uitzet te regelen en met mijn moeder te praten. Na het bruisende en benevelde sociale leven van het afgelopen halfjaar had ik behoefte aan een beetje realiteit. Mijn vader bracht me naar het vliegveld en nam afscheid van me met de woorden: 'Als je terugkomt om te trouwen, konijntje, zorg dan in vredesnaam dat je moeder niet meekomt.' Hij meende het uit de grond van zijn hart.

Gedurende de terugreis dacht ik lang en diep na over mijn beslissing om in te gaan op Bunny's onverwachte huwelijksaanzoek. Ik wist dat ik hem zeer aantrekkelijk vond, maar ook ondoorgrondelijk, en ik vond het een heerlijk idee nog langer in India te blijven, waar ik me erg thuis voelde. Maar ik besefte ook dat ik hem eigenlijk nauwelijks kende en zag heel goed in dat ik dat aanzoek, dat immers vlak voor mijn voorgenomen vertrek was gekomen, ten dele óók had aangenomen vanuit een verlangen om aan mijn moeder te ontsnappen.

Ze stond me bij mijn aankomst op Heathrow al op te wachten. Haar gezicht stond op onweer. Ze was, begrijpelijkerwijs, ziedend over het feit dat ze totaal niet in mijn toekomstplannen was gekend. Terwijl we terugreden naar het centrum van Londen, staarde ik uit het raampje van de auto naar de grauwe regen; de kleurloosheid en de wanorde van de stad vielen me rauw op het lijf. In gedachten was ik nog ver weg, in het groene Boven-Assam.

Gedurende de hele rit bekritiseerde mijn moeder me aan één stuk door vanwege mijn beslissing, en ze vroeg steeds waarom zij van niets wist. Het punt was niet zozeer dat ze mijn aanstaande echtgenoot afkeurde – ze had hem nooit ontmoet – maar dat ik haar, mijn moeder, niet naar haar mening had gevraagd. Ik wilde het liefst tegen haar schreeuwen, haar al die jaren voor de voeten werpen waarin zij nooit naar míjn mening had gevraagd en steeds beslissingen over mijn leven had genomen die me doodongelukkig hadden gemaakt. Maar ik kon het niet. In plaats daarvan keek ik maar uit het raampje, hartstochtelijk wensend dat de rit en haar afschuwelijke gevit snel voorbij zouden zijn.

Toen we haar flat hadden bereikt, wilde ik zo snel mogelijk alleen zijn. Ik had haar getier geen minuut langer kunnen verdragen. Ik gooide mijn spullen binnen neer en ontvluchtte het gebouw, op weg naar een katholiek kerkje net om de hoek, in Kensington High Street, waar zoals ik wist een zondagavondmis werd gehouden. Toen ik de straat overstak, was ik zo kapot van al haar afkeuring dat het me op dat moment geen zier had kunnen schelen als ik door een bus was overreden. Voor het eerst van mijn leven voelde ik zelfmoordneigingen. Toen ik buiten adem en huilerig het kerkje bereikte, had ik behoefte aan een leidende hand, aan God. Ik liet me op mijn knieën vallen en begon mee te bidden. Er tekenden zich nieuwe woorden in mijn hoofd af.

'Gezegend zijt gij, Maria, moeder van God... Ik beloof plechtig dat ik geen van mijn dochters dit ooit zal aandoen. Ze mogen trouwen met de man van hun keuze, waar en wanneer en hoe ze maar willen...'

Het vergde het uiterste van mijn zelfbeheersing om in de maanden die volgden het steeds grilliger gedrag van mijn moeder te negeren, die op me blééf foeteren. Ten dele om me wederom aan haar te onttrekken nam ik een baantje als secretaresse bij een ingenieursbureau aan Tottenham Court Road, en ik begon te bedenken welke kleren en andere spullen ik zou aanschaffen voor de bruiloft, en voor het leven in de tropen daarna. Bunny stuurde me geld om mijn verlovingsring te kopen. Na me een middag in mijn eentje te hebben vergaapt aan de etalages in West End maakte ik een bescheiden lijst met huwelijkscadeaus; ik weet nog dat ik bedacht dat een badkamerweegschaal absoluut het allerfrivoolste was waar ik ooit om had gevraagd.

Ik betrok mijn moeder niet bij het winkelen en hield haar, omdat ze steeds neurotischer werd, ook grotendeels buiten mijn voorbereidingen voor de grote dag die culmineerden in het uitzoeken van een bruidsjurk. Ik wist wel dat mijn moeder altijd al een beetje jaloers was geweest op mijn vaders kant van de familie, maar ik besefte pas dat ze érg jaloers was toen ik haar vertelde dat ik bij Harvey Nichols voor vijfentwintig pond een eenvoudige bruidsjurk had uitgezocht die paste bij de mooie kanten bruidssluier van grootmoeder Bruce die ik van tante Margot had gekregen. Vanaf dat moment deed mijn moeder haar best om dat plan te doorkruisen.

Ze sprak openlijk geringschattend over de door mij gekozen jurk en troonde me mee naar Moss Brothers om voor het vorstelijke bedrag van acht pond een tweedehands jurk te kopen. De jurk die ze voor me uitkoos was zo rijk bewerkt met kantwerk en borduursel dat ik daar onmogelijk die lange sluier van mijn grootmoeder bij kon dragen, en ze koos in plaats daarvan een heel korte en doodgewone sluier voor me uit. Omdat ik zag dat haar besluit onwrikbaar was, capituleerde ik zonder enig protest; het enige wat ik hoopte was dat ik de maanden die nog resteerden tot mijn ontsnapping, zonder verdere confrontaties door zou kunnen komen. Ik herinner me tot op de huidige dag haar triomfantelijke en zelfingenomen grijns.

Het duurde echter niet lang of onze onderlinge relatie was zo gespannen en onaangenaam geworden dat ik er voor mijn gevoel niet meer omheen kon zelf het heft in handen te nemen. Toen ik op een avond thuiskwam in de flat ontdekte ik dat ze mijn hele zorgvuldig opgevouwen uitzet had uitgepakt en ordeloos door mijn kamer had gegooid. Die inbreuk op mijn bezittingen was de druppel die de emmer deed overlopen, want daardoor kwamen de afschuwelijke herinneringen aan de tijd bij de Parkers en mijn verdwenen cadeautjes weer bij me boven. Gekrenkt besloot ik te verhuizen en bij een paar vrienden in te trekken. In mijn toestand was ik echter niet in staat de vlotte vrijgezelle Londense meid uit te hangen, en aangezien ik bovendien niet goed kon opschieten met mijn flatgenoten, smaakte ik de vernedering met mijn staart tussen mijn benen te moeten terugkeren naar mijn moeders flat. Dat deed de spanning natuurlijk alleen maar meer stijgen en daarom zocht ik naarstig naar een nieuwe ontsnappingsroute.

Degene die me in het verleden altijd uit de puree had gehaald was tante Margot en ook nu was zij het weer die me de helpende hand bood. Ze zei dat ik wel bij haar en George kon komen logeren in hun grote huis aan Hereford Square, niet ver van mijn moeders flat, en ik nam het aanbod aan in de wetenschap dat ik dan althans de laatste paar weken van mijn verblijf in Engeland wat rust en vrede zou vinden.

Nooit zal ik de gevoelens van verraad, afwijzing en schaamte vergeten waaraan ik ten prooi was toen ik na het verlaten van mijn moeders flat over Gloucester Road liep met een koffer met al mijn aardse bezittingen. Tegen de tijd dat ik bij Margot voor de deur stond, moest ik moeite doen om mijn tranen te bedwingen. Zoals altijd was ze fantastisch: kordaat maar vriendelijk. Ze wees me mijn kamer en vroeg niet al te veel. Margot wist, beter dan wie ook, dat ik eindelijk mijn nederlaag had erkend in de relatie met mijn moeder. Zij had gewonnen.

Een maand later, in oktober 1962, ging ik in mijn eentje op reis naar Assam om te trouwen met een man die ik nauwelijks kende. Al onze huwelijkscadeaus en mijn bezittingen waren al naar Calcutta verscheept en ik volgde per vliegtuig; stevig klemde ik de naaimachine vast die mijn tante Margot me cadeau had gedaan (en die tot op de dag van vandaag in de familie is gebleven). De hele wereld hield zijn adem in omdat aan de andere kant van de aardbol de Cubacrisis haar climax naderde, maar het enige waaraan ik kon denken was hoe ik de komende dagen door moest komen.

Het was mijn bedoeling om eerst een week in Calcutta bij vrienden van Bunny te logeren en daarna, een paar dagen voor de bruiloft, naar Assam te reizen. Mijn vader had me een verontrustend telegram gestuurd waarin stond dat mijn moeder op het laatste moment had besloten toch naar de bruiloft te komen en al vóór mij in Doom Dooma was gearriveerd om toezicht te houden op de laatste voorbereidingen. De moed zonk me in de schoenen, maar ik wist dat ik er niets aan kon doen.

Binnen een paar weken zou ik mevrouw Julian McCune zijn. Op die gedachte concentreerde ik me terwijl ik in een vliegtuig van BOAC oostwaarts rond de aarde vloog, op weg naar India om aan mijn volgende levensfase te beginnen. Maar het ging met dit plan zoals met de meeste van mijn plannen: er kwam iets tussen. Ik had geen rekening gehouden met het uitbreken van wat later de 'cartografische oorlog' zou worden genoemd. China was het noordoostelijke deel van India binnengevallen. Na de Chinese revolutie, aan het begin van de twintigste eeuw, was bepaald dat de grens tussen India en China een denkbeeldige lijn volgde langs de Himalaya, de hoogste waterscheiding ter wereld. In 1959 waren er schermutselingen aan de grens geweest, maar in september 1962 had een grote Chinese troepenmacht de noordoostelijke grens van India overschreden.

Premier Nehru riep de noodtoestand uit en stuurde troepen om terrein terug te winnen. Het was een tijd van spanningen en chaos voor de Britse emigranten in Boven-Assam, die zich in de steek gelaten voelden door zowel de Britse als de Indiase regering. Velen vluchtten omdat ze bang waren voor een invasie, trokken zuidwaarts naar Calcutta of veroverden een plekje op een van de buitenlandse vluchten die uitsluitend bedoeld waren voor vrouwen en kinderen.

Calcutta had een pitstop voor me moeten worden, een weekje om even rustig te acclimatiseren voor ik weer het vliegtuig zou nemen om Bunny's bruid te worden. In plaats daarvan bleek ik er in de val te zitten; ik wist niet of mijn ouders en Bunny dood waren of leefden, kon niet naar Assam vertrekken en evenmin met iemand daar contact opnemen. Ik zat er middenin en kon niets doen. Ik had geen andere keus dan maar af te wachten wat het lot voor me in petto had.

Ook voor Bunny was de toestand uiterst frustrerend, zoals ik later ontdekte. Omdat hij niet wist of ik het vliegtuig had kunnen nemen, had hij me vergeefs opgewacht op het vliegveldje van Dibrugarh in Assam. Toen hij merkte dat ik niet onder de weinige passagiers was die uit de Fokker stapten, reed hij terug naar mijn vaders plantage om te melden dat ik niet was komen opdagen, in stilte biddend dat ik hem niet de bons had gegeven.

De communicatie in dat soort afgelegen gebieden verliep destijds nog uiterst moeizaam en was soms gewoon onmogelijk. Er was geen enkele manier geweest waarop ik hem had kunnen berichten dat ik niet in dat vliegtuig zou zitten. Maar aangezien een heleboel gasten er wel in waren geslaagd de reis te maken voordat de politieke toestand was verslechterd en zich erg hadden verheugd op de bruiloft, werd besloten dat de feestelijkheden de volgende dag gewoon zouden plaatsvinden, niettegenstaande de afwezigheid van de bruid. Typisch Bunny. Ik hóór het hem zeggen: 'Waarom zouden we niet met z'n allen een leuk feestje bouwen, alleen maar omdat Maggie er niet op tijd is?' En zo geschiedde.

Een week later, op 9 november, was er enige ontspanning in de toestand gekomen en lukte het me eindelijk om een plaats te krijgen op een vlucht naar Assam, waar Bunny me breed grijnzend opwachtte en mijn moeder me op ijzige toon berispte vanwege de problemen die ik had veroorzaakt.

'Je beseft toch hopelijk wel,' foeterde ze, 'dat het me vreselijk veel moeite heeft gekost om voor de tweede keer een bruidstaart te regelen?' Het grootste deel van de avond bleef ze op dit onderwerp terugkomen.

Later die avond, de avond voor mijn bruiloft nota bene, verloor ik eindelijk mijn geduld met haar en hadden we onze eerste knetterende ruzie. Ik was gekwetst en boos dat zij het had bestaan naar India te komen; ik wilde de paar dagen die de gelukkigste van mijn leven hadden moeten zijn door niets laten bederven en was vastbesloten me ditmaal niet door haar te laten overvleugelen. Dat zei ik haar, recht in haar gezicht, op de veranda, terwijl Bunny en papa zich gin-tonic drinkend in mijn badkamer schuilhielden; verbijsterd zag ik hoe zij haperend en stotterend antwoord gaf. Pas op dat moment besefte ik voor het eerst van mijn leven, als in een flits, dat ze dronken was. Mijn moeder, de ooit zo mooie en opgewekte Australische actrice en zangeres, wier vuur wellicht was gedoofd door de beperkingen van het huwelijksleven en het moederschap, had op een gegeven moment troost gezocht bij de fles.

Toen werd alles van vroeger me ineens als bij toverslag duidelijk: haar wisselende stemmingen en woede-uitbarstingen, haar grillige gedrag en haar slordig aangebrachte make-up. Als ze de hele dag in haar peignoir rondliep en klaagde dat ik zoveel lawaai maakte, had ze gewoon een kater. Als ze 's middags chagrijnig en prikkelbaar werd, kwam dat door de drank. Ik snapte niet dat ik het nooit eerder had gezien. En nu ik het wel zag, was ik opeens ook veel minder bang voor haar.

'Je bent dronken, je moet naar bed!' riep ik uit, en terwijl haar mond van verbazing openviel draaide ik me om en gooide de deur van mijn slaapkamer triomfantelijk achter me dicht. In het leven van alle ouders komt er een moment waarop ze ineens beseffen dat hun kind geen kind meer is; dat het hun uit handen is geglipt en dat ze het kwijt zijn. Dit was dat moment voor mij en mijn moeder. Er was geen weg terug.

De volgende ochtend, op 10 november 1962, een verrukkelijk warme en zonnige dag, trouwde ik met Bunny in de kleine St.-Joseph-kerk van de missiepost in Doom Dooma, de enige katholieke kerk in de wijde omtrek. De uitgestelde huwelijksdienst werd geleid door een Belgische priester, de eerwaarde Jerrard, die ik al sinds mijn jeugd in Assam kende.

Het was een fijne dag, en ik vond het helemaal niet erg meer dat ik een jurk droeg die ik niet zelf had uitgezocht. De hele kerk was behangen met een bonte verzameling Indiase vlaggetjes, en het gangpad was versierd met guirlandes van oranje goudsbloemen en evenzovele felgekleurde pompons. Ik droeg blauwe schoentjes, een van oma's kanten zakdoekjes en een paar oranjebloesems van was. Mijn bruidsmeisjes waren drie kinderen van vrienden van mijn vader. Mama droeg een opvallende hoed maar gedroeg zich goed; mijn vader schonk mij aan Bunny en straalde de hele dag. De hele dienst was in een oogwenk voorbij.

Mijn huwelijkscadeau voor Bunny was een gouden sierknoopje voor op zijn boord. Ik had al eerder een stel gouden manchetknopen voor hem gekocht waar onze initialen in waren gegraveerd. Zijn cadeaus voor mij waren een schietcursus bij de London Shooting School en een Purdy-jachtgeweer kaliber 12, dat een vermogen gekost had; later ruilde ik het achteloos tegen een Webley & Scott kaliber 28, omdat ik vond dat dat beter bij me paste.

Na de huwelijksdienst gingen we terug naar papa's bungalow voor een receptie op de veranda. Het was fantastisch. Er waren niet veel mensen, aangezien de meeste officieel genodigden een week eerder de receptie zonder bruid hadden bijgewoond. Sue was er niet, omdat ze nog op school zat in Sussex, en tante Margot en haar man waren ook verhinderd, maar ik vond het niet erg. Ik was al met al heel tevreden en moest telkens weer denken aan de zin waarmee bijna alle sprookjes eindigen: 'En ze trouwden en leefden nog lang en gelukkig.'

De toespraken waren hilarisch, vooral die van de getuige Peter Smith, bijgenaamd Smudge ('vlek'), die uitvoerig stilstond bij het feit dat ik konijntje werd genoemd en mijn man Bunny, terwijl hijzelf werkte voor een bedrijf dat Warren ('konijnenhok') heette. U kunt zich de toespelingen voorstellen.

Bij wijze van huwelijksreis gingen we een vistochtje maken op de Brahmaputra, waar ik als kind zoveel gelukkige dagen met mijn vader had doorgebracht. Het waren een paar betoverende dagen. De bootsman was met een paar bedienden vooruitgegaan om een kamp op te slaan. We hadden tenten en een echt bed met een matras; daarop verloor ik mijn maagdelijkheid. We visten de hele dag en keerden 's avonds terug naar het basiskamp voor een drankje en het diner; alles stond al netjes voor ons klaar. Ik ving in die dagen de grootste vis die ik ooit heb gevangen, een goudbruine mahseer van bijna zeven kilo. Hij gaf zich niet zomaar gewonnen en het was spannend om hem met moeite op te halen uit het kristalheldere water dat van de besneeuwde bergen naar beneden kwam.

Maar van mijn dromen van een rustig, huiselijk bestaan zou niets terechtkomen, dat begreep ik al spoedig. Een paar dagen na de bruiloft werd ik geëvacueerd vanwege de hernieuwde dreiging van een Chinese invasie; gedurende de drie weken die volgden was ik een vluchtelinge in Calcutta, met slechts een paar spullen, zenuwachtig wachtend op een levensteken. Bij het haastige vertrek uit Assam hadden de bedienden me per ongeluk een koffer vol met kleren van Bunny gegeven, dus ik had nauwelijks meer dan de kleren die ik aanhad. En toen was de dreiging ineens voorbij, even plotseling als ze was gekomen. De Chinezen hadden hun opmars in India beëindigd en er was overeenstemming bereikt over een staakt-het-vuren. Ik mocht terugkeren naar Assam, en na een paar dagen waren Bunny en ik weer bij elkaar in onze bungalow in de buurt van Dibrugarh en kon ik mijn nieuwe rol als *memsahib* in India gaan spelen.

In maart 1963 vierden we mijn eenentwintigste verjaardag op een sociëteitsavond in Doom Dooma in gezelschap van familie en vrienden. Ik voelde me nogal opgelaten doordat een groepje vrijgezellen, allemaal voormalige aanbidders, een liedje ter ere van mij zong waarin ik de 'schone van Assam' werd genoemd. Het was een heerlijke avond en we dansten in de balzaal, op een steenworp afstand van de uitlopers van de Himalaya.

Ik geloof niet dat ik ooit echt hartstochtelijk verliefd ben geweest op Bunny, of hij op mij, maar in die begintijd hadden we wel een hechte vriendschap door onze gemeenschappelijke liefde voor *shikar*, jagen en vissen, de bezigheden die voor mij zo onverbrekelijk verbonden waren met mijn jeugd en mijn vader. Bunny bleef de gangmaker van alle feestjes en ik genoot van mijn rol als plichtsgetrouwe echtgenote. Hij werkte hard en zorgde dat ik een luxueus leventje had, al was ik vaak nogal eenzaam. Maar langzamerhand nam mijn zelfvertrouwen toe. Ik raakte gewend aan mijn nieuwe manier van leven en begon meer uit te gaan; ik tenniste en sloot vriendschap met andere vrouwen. Ik was met een goede man getrouwd, concludeerde ik; hij had me gered uit de klauwen van mijn moeder en behoed voor een saai leven in Engeland, en daar was ik hem oprecht dankbaar voor.

Liefde ontsnapt aan Tijd, al vallen lippen, wangen
Ten prooi aan de sikkel in diens wrede hand;
De Liefde laat zich niet in uren, weken vangen
Maar houdt nog op de rand van het verderf fier stand.

uit sonnet CXVI van William Shakespeare

Ik had er tegenover Bunny nooit een geheim van gemaakt dat ik een groot gezin wilde. Zeven kinderen, had ik tegen hem gezegd toen hij zijn aanzoek deed, maar hij had daar toen met een grapje op gereageerd. Wat hij misschien wel nooit werkelijk begrepen heeft is hoe diep bij mij de behoefte zat om een groot, gelukkig gezin te stichten als compensatie voor mijn eigen eenzame jeugd. Wanneer ik 's avonds in bed lag, stelde ik me soms voor dat de tuinen rond de bungalow vervuld waren van het gelach van mijn kinderen en hun ayahs, dat ik garnalen met ze ging vangen bij de zandbanken in de Brahmaputra of met ze ging ponyrijden. Ik had zoveel liefde te geven en smachtte naar iemand aan wie ik die liefde kon schenken.

Op mijn eenentwintigste, een half jaar na de bruiloft, werd ik zwanger, en Bunny was net zo verrukt als ik. Alles verliep volgens plan en ik bloeide op terwijl de weken en maanden verstreken. Ik verlangde hevig naar de geboorte van mijn kind en trof in-gelukkig alle voorbereidingen.

Mijn moeder, die in India was gebleven en met wie het wat beter ging, verraste me door veel belangstelling te tonen voor mijn zwangerschap. Het leek wel alsof ze al die jaren van verloren moederschap op de een of andere manier goed wilde maken door al haar liefde en aanhankelijkheid uit te storten over haar eerste, nog ongeboren kleinkind. Ik voelde me er een beetje ongemakkelijk bij.

Lang voor en ook nog tijdens mijn zwangerschap was het wekelijkse hoogtepunt in het 'koude' seizoen van november tot februari het zondagse vistochtje op de Brahmaputra met vrienden en familie. We vertrokken al voor zonsopgang uit de bungalow om bij de oever van de rivier te zijn op het moment dat de dageraad door de mistbanken brak die uit de voorgebergten van de Himalaya omlaag waren gedreven. In boomstamkano's die zwaar waren beladen met eten en visgerei gingen we de rivier op, vaak in kleine groepjes, op weg naar de kleinere zijrivieren waar een overdaad aan vis zat. De kano's hadden buitenboordmotoren waar vaak wat mee was, voornamelijk vanwege de weinig zachtzinnige manier waarop onze bootslieden ermee omgingen. In het gunstigste geval bereikten we om negen of tien uur 's ochtends een geschikte bestemming, net op het moment dat de zon doorbrak en de mist verdampte.

Op sommige plaatsen is de Brahmaputra zo breed dat je de overkant niet kunt zien. Deze snelstromende rivier, die uitmondt in de heilige rivier de Ganges, slijpt in de zandige rivierbedding geulen uit die voortdurend van plaats veranderen. Soms zijn deze diep, maar je loopt ook heel gemakkelijk onverwacht aan de grond, zelfs in een kano met een platte bodem; de boot loopt dan sidderend vast terwijl de motorbladen een fontein van water en zand opzwiepen. Als dat gebeurde probeerden we weer van de zandbank los te komen door ons af te duwen met lange, dikke bamboestaken; of we sprongen uit de boot om die lichter te maken en duwden hem naar dieper vaarwater. De zandbanken veranderden als gevolg van de grillige stromingen dagelijks van plaats, en de positie van de vaargeulen was dan ook moeilijk te bepalen. En er waren nog meer verborgen gevaren: in de regentijd werden in het hoge water van de rivier vaak enorme teakbomen meegesleurd, waarvan sommige zich half of helemaal onder het oppervlak van het nooit in kaart gebrachte water bevonden waarover wij voeren.

Op een zondag toen we laat in de middag op de terugweg waren na een dag vissen, kregen Bunny en ik een ongeluk dat ons bijna noodlottig zou worden. Ik was hoogzwanger; het zou nog maar een paar weken duren voor mijn kind zou worden geboren, maar ik was toch meegegaan omdat ik het gezellig en spannend vond en omdat ik niet helemaal alleen thuis wilde blijven. We zakten de rivier af in konvooi met mijn vader en moeder, die ons in een andere boot volgden, toen onze kano, die een flinke vaart had, tegen iets groots botste dat zich net onder water bevond. Binnen enkele ogenblikken was de boot gekapseisd en spartelden wij allemaal in het water. Bunny dreef snel stroomafwaarts, terwijl de bootsman, schijnbaar onaangedaan door het ongeluk, zichzelf kalm weer op de omgekeerde boot hees, waarvan ik de rand nog met één zwakke hand vasthield. Hij leek het prima te vinden om daar zo te zitten en zich door de stroom te laten meevoeren en deed geen enkele poging mij te helpen, ondanks het feit dat mijn moeder in de andere boot hysterisch gilde.

Mijn grootste zorg gold op dat moment niet mijzelf maar onze twee honden, Engelse springerspaniëls, die in onze boot hadden gezeten en nu onder de omgekeerde kano gevangen zaten. Met toenemende ongerustheid over hun lot probeerde ik de boot weer rechtop te draaien, waarop hij prompt zonk, waarbij alle spullen die erin hadden gezeten ofwel in de diepte verdwenen, ofwel met de stroom wegdreven. De honden en de bootsman zwommen richting oever.

Ik volgde hen, zo hard zwemmend als onder deze omstandigheden mogelijk was, maar toen ik de oever naderde, kreeg het water grip op mijn plompe gestalte en mijn natte kleren en sleepte me terug naar het midden en stroomafwaarts. Ik keek voor me uit en zag dat ik recht op een enorme omgevallen teakboom met kanjers van puntige wortels af dreef. Het water raasde en kolkte door de dikke, scherpgepunte vertakkingen van het wortelstelsel, waardoor krachtige onderstromen ontstonden. Voor het eerst van mijn leven vreesde ik acuut, zij het op een vreemde, afstandelijke manier, voor mijn leven, en voor dat van mijn ongeboren kind. Ik gaf mezelf weinig kans. Als ik niet gauw iets doe, dacht ik, word ik onder water gezogen en kom ik vast te zitten in die boomwortels, machteloos tegen de sterke stroming. En mijn kindje, wat gebeurt er met mijn kindje?

Alles leek zich vertraagd af te spelen terwijl de adrenaline zich door mijn aderen stuwde en me de extra kracht gaf die ik nodig had om zo hard als ik kon met mijn benen te trappen om mezelf uit die overweldigend sterke stroom te bevrijden. Ik draaide me om, worstelde tegen de stroom in en wist een drijvende boomstam te pakken te krijgen. Trappend en proestend en trachtend mijn hoofd boven het woeste water te houden wist ik met een laatste krachtsinspanning een rustiger gedeelte van het water te bereiken, waar mijn vader zijn boot had vastgelegd en mijn moeder me aanmoedigingen toeschreeuwde.

Toen ik hun boot had bereikt en op weinig elegante wijze aan boord werd gehesen, was ik uitgeput. Ik stond te trillen op mijn benen. Er werd een deken om me heen geslagen, en rillend van de schrik en de kou legde ik mijn hand op mijn gezwollen buik en bad dat alles goed zou komen. Bunny en onze bootsman klauterden kort daarna aan boord, eveneens flink aangedaan, en we slaagden erin de honden in hun nekvel te grijpen en ze veilig binnenboord te trekken. De boot lag erg diep in het water en de zon was al haast achter de heuvels gedoken, dus we vervolgden onze weg uiterst behoedzaam. Het was een race tegen de klok om het *ghat* (botenhuis) te bereiken voor de duisternis inviel. We waren al erg laat, en degenen van ons gezelschap die die ochtend naar andere plaatsen waren gegaan, wachtten al ongerust op onze terugkeer.

Onderweg naar huis, in de stilte van een magnifieke zonsondergang die de hemel feloranje en rood kleurde en zich weerspiegelde in het weer tot rust gekomen water van de rivier, beleefde ik het drama telkens opnieuw. Ik was nog nooit zo dicht bij de dood geweest, en toch had ik me vreemd kalm gevoeld. Er was geen paniek, geen hevige angst, zoals ik had verwacht. Ik had alleen een onvoorstelbare kracht in me voelen opwellen, een behoefte diep binnen in me om mijzelf en mijn kind te redden, terwijl ik geluidloos om hulp had geroepen. 'Mijn kindje, mijn kindje.'

Ik had ergens gelezen dat een ongeboren kind veel van zijn moeders emoties kan ervaren en bepaalde geluiden en gevoelens kan waarnemen. En een goede vriend vertelde me dat Indiase moeders geloven dat een ongeboren baby later blijk zal geven van de talenten en vaardigheden die zijn moeder tijdens haar zwangerschap tentoonspreidt. Terwijl ik op mijn gezwollen buik onder mijn natte kleren klopte, vroeg ik me af of en zo ja hoe mijn kind zou worden beïnvloed door onze flirt met de dood. Had ik gefluisterd tegen de ziel van mijn kind? Toen we bij het allerlaatste daglicht het boothuis bereikten, voelde ik me euforisch en een beetje onoverwinnelijk.

Na grondig te zijn onderzocht door een dokter en twee nachten liefdevol te zijn verpleegd in het Longsoal Central Hospital in Barahapjan, een klein ziekenhuis met een theetuin in de buurt van Doom Dooma, keerde ik gezond en wel naar huis terug. Vijf weken later begonnen de weeën en werd ik er in allerijl opnieuw naartoe gebracht en toevertrouwd aan de goede zorgen van een bevriend echtpaar, dokter Bill Burton, de geneesheer-directeur, en zijn vrouw Wendy, de hoofdverpleegster. De bevalling was langdurig en pijnlijk, en ik choqueerde alle Indiase verpleegsters door te weigeren pijnstillers in te nemen.

'Ik wil vóélen dat de baby geboren wordt,' zei ik fel, en toen gaven ze het op.

Op 3 februari 1964 om vijf over vier 's middags kreeg ik een dochtertje van zes pond. Toen ik haar voor het eerst in mijn armen hield, werd ik overspoeld door een golf van opluchting en emotie, en de vreugdetranen stroomden over mijn wangen. Het was een prachtig, donkerharig meisje, heel klein en kwetsbaar maar tegelijk ook verrassend sterk. Haar ogen stonden vanaf het moment dat ze ter wereld kwam wijdopen, en ze zette meteen een verbaasd gezicht en keek alsof ze al diep nadacht over de een of andere ernstige kwestie. Ik noemde haar 'mijn kleine bushbaby'; ik had geen idee hoe profetisch deze bijnaam later zou blijken.

Bunny kwam op bezoek met bloemen en was in de wolken toen hij zijn dochter zag.

'Heb je al bedacht hoe we haar zullen noemen?' vroeg hij terwijl hij haar in zijn armen wiegde en over haar hoofd aaide met zijn vingers. We hadden al gekibbeld over namen, want hij wilde graag dat zijn dochter Anna zou heten, naar een ex-vriendinnetje van hem.

Maar ik had allang een naam in gedachten voor het geval het een meisje zou zijn, een naam die ik erg mooi vond klinken.

'Emma,' zei ik uitdagend, en ik lachte vanuit mijn bed naar hem en voelde me uiterst tevreden. 'Bunny, ik heb het gevoel dat zij later echt iets met haar leven gaat doen.'

4

Emma en ik bleven zeven dagen samen in het ziekenhuis en leerden elkaar kennen. Ze was een fijne baby en hoewel ik vermoeid was van de regelmatige borstvoeding genoot ik van deze eerste fase van het moederschap. Mijn eigen moeder, wie ik de toegang tot het ziekenhuis had ontzegd omdat ik geen pijnlijke scènes wilde, wist toch binnen te dringen en was buiten zichzelf van vreugde toen ze haar eerste kleinkind zag. Ze had nog net de tijd om me een mooi doopjurkje voor Emma te geven; toen werd ze ontdekt door een zuster en van het ziekenhuisterrein afgevoerd. Ik bekeek het witte kanten jurkje dat ze had gekocht, moest denken aan mijn trouwjapon en legde het jurkje terug in de doos.

Bunny kwam elke dag bij ons op bezoek en was nog net zo trots en charmant als altijd. Hij logeerde in de bungalow van Bill en Wendy, en de avond voordat ik naar huis mocht werd ik uitgenodigd om bij hen te komen eten. Ik zette Emma in haar reiswiegje in hun logeerkamer; er werd zachtjes op de deur geklopt. Het was Ali, de hoofdbediende van Bill en Wendy, een rimpelig, kaal mannetje met vriendelijke ogen. Ik kende hem al vele jaren. Hij kwam glimlachend en op zijn tenen de kamer binnen en vroeg: 'Alstublieft, memsahib, mag ik de baby zien?'

Indiërs zijn dol op baby's, en ik gaf hem Emma maar al te graag in handen en keek toe terwijl hij haar heen en weer wiegde. Met zijn donkere gezicht over haar heen gebogen murmelde hij zachtjes tegen haar.

Toen het avondeten voorbij was, bracht Bunny Emma en mij met de auto terug naar het ziekenhuis. Later die nacht werd ik wakker van enige opschudding in het gebouw, maar het lawaai verstomde algauw weer en ik dacht er niet meer aan en sliep verder. Pas later hoorde ik dat die opschudding was verwekt doordat Ali dodelijk gewond in het ziekenhuis was binnengebracht; hij was in de buurt van de bungalow van Bill en Wendy in het hart gestoken. De zachtmoedige bediende die nog maar een paar uur daarvoor mijn kind zo lief had vertroeteld, overleed die nacht. Men heeft nooit ontdekt waarom of door wie hij is vermoord, maar ik vond het een akelig idee dat de eerste vreemde die mijn dochter in zijn armen had gehouden een paar uur later zo abrupt en gewelddadig aan zijn einde kwam.

Emma was de eerste tweeënhalf jaar van haar leven in India, waar ze gelukkig en heerlijk zorgeloos leefde. Ze was vanaf het begin vrijgevochten en genoot met volle teugen van de ruimte en de vrijheid waarin ze opgroeide. Ze was nieuwsgierig naar alles, onderzocht ieder ongewoon bloempje en blaadje dat ze zag, was altijd geïnteresseerd in de wereld om haar heen. Ze bestudeerde het nietigste alledaagse voorwerp met zoveel vreugde en trots om haar eigen ontdekking dat wij volwassenen hernieuwde waardering kregen voor dat wat haar aandacht had getrokken.

Op heel jonge leeftijd toonde ze al karakter en enthousiasme, en ze ontwikkelde excentrieke gewoonten; ze weigerde bijvoorbeeld kleren te dragen (al stond ik erop dat ze schoenen aantrok) en tooide zich met etnische sieraden van haar ayah. Vrienden uit Engeland die op bezoek kwamen en haar naakt in de tuin zagen ronddraven, van schouders tot navel bedekt met halskettingen, raadden me aan haar te wennen aan het dragen van kleren voordat ik met haar op vakantie naar Engeland ging.

Ik was graag samen met mijn kind, maar het leven thuis was verder nogal eenzaam, dus ik wisselde het af met regelmatige bezoeken aan onze club, waar de plaatselijke theeplantersgemeenschap samenkwam. We speelden golf, tennis en polo. Soms keken we naar een oude film. Ik speelde daar op die clubmiddagen in Assam een aantal van mijn beste tenniswedstrijden op de grasbanen. Mijn tegenspelers waren meestal Indiase mannen, *rajputs* (jonge infanteristen), die het spel tot in de perfectie beheersten; de Indiase vrouwen waren niet geëmancipeerd genoeg om mee te spelen. Terwijl de volwassenen zich met elkaar maten, speelden de kinderen – onder toezicht van hun ayahs – in de zandbak, het zwembad of de speeltuin. Emma was dol op de schommels; ze ging steeds maar hoger, giechelde aanstekelijk en smeekte om een nóg iets harder zetje.

Het allerleukst vond ik nog steeds het vissen op de Brahmaputra. Bunny en ik trokken er iedere zondag met familie en vrienden op uit en kwamen bijna altijd terug met grote manden vol zilvergeschubde vis. De rivieroevers waren breed en zanderig als stranden, en we genoten van heerlijke picknicks, ploeterden met Emma in het water, bouwden zandkastelen en leerden haar de eenvoudige genoegens van de rivieroever kennen.

Met alleen een badpak aan en mijn lievelingshoed op – een blauw met wit exemplaar met een slappe rand dat de plaatselijke *dherzi* (naaister) op de bazaar voor me had gemaakt van batikstof – speelde ik urenlang heerlijk met mijn dochtertje, terwijl Bunny in het water rondplaste met zijn geliefde honden of ging vissen. Emma had een eigen, speciaal voor haar gemaakt wit hoedje, en we waren vele zorgeloze uren lang samen en maakten lange tochten stroomafwaarts in een kano, voortgeduwd door een van de bootslieden met een enorme schotelvormige strooien hoed.

Emma was dol op het water en meende oprecht dat ze aan zee was in plaats van aan de oever van een rivier, zo breed was de stroom. Jaren later, toen ze twaalf was, moest ze voor een schoolopstel opschrijven wat ze zich herinnerde van haar jeugd in India. Ze schreef:

> *Ik weet nog dat papa en een vriend van hem op de oever van de rivier stonden, maar voor mij leek het wel de zee. Mama en ik zaten in een boot en wat ik me nog heel goed herinner is mama's hoed, en die man met de lange stok had ook een grote hoed op.*

Ik had inmiddels een aantal goede vriendinnen gekregen; een van hen was Gina, een Engelse die mannequin was geweest en die Bunny kende uit zijn tijd in Calcutta. We vroegen haar en Wendy Burton de peettantes van Emma te worden en ze stemden toe. Het bijzondere aan Gina was dat ze was getrouwd met Bhaiya, een Indiase maharadja. Bhaiya was lang en gespierd, in de veertig, en een bekwaam internationaal polospeler. Hij had op een Engelse particuliere kostschool gezeten en was zeer welgemanierd. Zijn moeder, de douairière Maharanee, was een matrone, gedrongen, bolrond, maar erg mooi. Niet lang na Emma's geboorte kregen Bunny en ik de eerste van een lange reeks uitnodigingen van Gina om bij haar thuis langs te komen, in het paleis van Cooch Behar.

Het was een imposant paleis met twee fiere, symmetrisch gebouwde zijvleugels aan weerszijden. Het had een koepel, een groot bordes met zuilen en twee vijvers (in India *tanks*, 'waterbassins' genoemd) in de paleistuin aan weerszijden van de lange, met grind bedekte oprijlaan, die werd omzoomd door prachtig onderhouden bloembedden vol golvend, scharlakenrood bloemriet. In die dromerige dagen gingen we 's morgens vroeg vaak op shikar om op snippen en eenden te jagen, op de voet gevolgd door nieuwsgierige dorpelingen die onze vorderingen nauwlettend in de gaten hielden. Thuisgekomen gingen we in bootjes van uitgeholde stammen roeien op de vijvers, waarna de lunch en de siësta volgden. In de namiddag tennisten we.

's Avonds dronken we eerst een glaasje gin met een tic, en daarna dineerden we in een gigantische zaal waarvan de muren behangen waren met schilderijen van Bhaiya's voorouders, op paarden gezeten en jagend op tijgers, luipaarden en buffels, en enorme rijkversierde en vergulde spiegels die het kaarslicht weerkaatsten. Het eten werd geserveerd door een heel leger van bedienden, stuk voor stuk gekleed in een lange witte jas met een Nehrukraag en een broek met een rood-met-gouden sjerp om het middel en met een wit-met-rode gevlochten *pughri* (tulband) op het hoofd. Ze kwamen binnen met enorme gouden of zilveren dienbladen vol dampende, verrukkelijke kerrieschotels, die we aten met chapati's en allerlei sterk gekruide bijgerechten.

Die banketten waren de meest luxueuze die ik ooit had meegemaakt. Twintig of meer mensen zaten rond een enorme gepolijste mahoniehouten tafel; sommige gasten waren helemaal uit Calcutta of Delhi gekomen. In de buurt van het paleis was een riviertje, en daar hield Bhaiya een kudde olifanten. Ik weet nog dat ik een keer op een olifant op weg ging om een huisvriend af te halen die op het privé-vliegveldje van het paleis landde. Toen hij uit het vliegtuig stapte, werd hij verwelkomd door het luide getrompetter van de zwaarlijvige junglebewoners.

Het was een magische, betoverende tijd, en ik wilde graag dat Emma er een herinnering aan zou bewaren. Ze werd op woensdagmiddag 25 maart 1964 in de Sacred Heart-missiekerk in Dibrugarh door een Spaanse priester gedoopt. Hij fronste zijn wenkbrauwen toen ik hem vertelde dat de Maharanee van Cooch Behar haar peettante zou zijn, maar trok een beetje bij toen hij zag dat ze een blonde Engelse vrouw was. Gina gaf Emma een mooie zilveren Indiase kaptafelgarnituur cadeau, en zij en Bhaiya waren onze eregasten. Het was een eenvoudige plechtigheid, en na afloop gingen we terug naar onze bungalow voor een *whoopie* (feestje). Emma was nu katholiek gedoopt en kon gezegend verder opgroeien, met peetouders die in staat waren haar vriendschap en geestelijke begeleiding te bieden.

Helaas zou het sprookjesachtige leven van Gina en Bhaiya in een tragedie eindigen. Bhaiya stierf een paar jaar later aan een hartaanval in een tijd van grote veranderingen in India; veel van de paleizen werden door de regering geconfisqueerd en de maharadja's werden beroofd van hun status en rijkdom. Gina bleef achter als onbemiddelde weduwe en was gedwongen India te verlaten. Het paleis raakte in verval en is nu onbewoond, een afbrokkelende ruïne, overwoekerd door klimplanten. Ik verloor de peettante van mijn dochter voorgoed uit het oog.

Ons leven verliep daarentegen ongecompliceerd en overzichtelijk; ik bracht nog steeds het grootste deel van mijn tijd door in de bungalow. Emma speelde met de bedienden, leerde fietsen op haar eerste driewielertje of plaste met zwembandjes aan haar armen onbevangen rond in het zwembad. Vooral de tuinmannen waren dol op haar. Ze hobbelde achter hen aan, meestal in haar nakie, en keek met een voor haar jonge leeftijd opmerkelijke fascinatie toe terwijl ze spitten en plantten, zaaiden en wiedden. Waar ze maar kon hielp ze hen: ze hurkte naast hen neer en stak haar vingers diep in de vruchtbare aarde. Ik ben wel bang dat ze vaak alleen maar de planten uittrok die zij net zo zorgvuldig in de bedden hadden gezet.

Ze had een ayah op wie ze gek was en die erg goed voor haar zorgde, Toto; maar ook ik bemoeide me intensief met haar dagelijks leven. Ik vond het belangrijk dat ze van jongs af aan andere kinderen zou hebben om mee te spelen, want ik wilde niet dat ze zo'n eenzame jeugd zou hebben als ik zelf had gehad; daarom organiseerde ik een speelgroepje met haar en een stuk of zes andere kinderen van dezelfde leeftijd maar met verschillende achtergronden, sommige Europees, andere Indiaas. Ik had geen onderwijservaring maar alleen maar mijn gezonde verstand en de wens onder de mensen te zijn, maar de proef slaagde.

Emma overbrugde moeiteloos elke etnische kloof; ze werd een wilskrachtige en vastberaden peuter en was populair bij de andere kinderen.

Ik trachtte haar de vrijheid te geven die ik zelf nooit had gehad, zowel fysiek als cultureel, en hoewel dat ertoe leidde dat ze soms wel erg werd verwend, denk ik toch ook dat het ertoe heeft bijgedragen dat ze later zo'n bijzondere vrouw is geworden.

Dat zij worde een bloeiende, beschutte boom,
Met gedachten als het kneutje in haar loof...
O, moge ze leven als een groene lauwerier,
Geworteld in één dierb're, eeuw'ge plek.

uit 'A Prayer for my Daughter' van W.B. Yeats

Emma was vitaal en totaal niet verlegen en nam vastberaden alle hindernissen die ze tegenkwam. Zelfs op die nog jonge leeftijd raakte ze nooit van streek van tegenslagen of van belevenissen waardoor ieder ander kind zich blèrend achter zijn moeders rokken zou hebben verstopt. Op een keer kreeg ze ringworm op haar hoofdhuid, en de dokter zei dat het verstandig zou zijn om haar helemaal kaal te scheren. Ik liet de *nappit* (barbier) komen, en hij kwam op de afgesproken tijd voorrijden in zijn riksja. Onder de uitstekende dakrand van de bungalow ging hij, in aanwezigheid van Emma's speelkameraadjes, aan de slag met zijn vlijmscherpe scheermes. Ik had hem met opzet op dat tijdstip laten komen, zodat de andere kinderen konden zien wat er met Emma gebeurde en haar niet uit de groep zouden stoten als ze haar plotseling kaal zagen. Het werkte: ze accepteerden het zonder meer, en Emma vertrok geen spier, ook al waren aller ogen op haar gericht. De enige die van streek was, was ik: het deed me veel verdriet haar zachte bruine lokken te zien sneuvelen.

Mijn ouders leidden een volkomen eigen leven en we zagen elkaar weinig, maar ze vonden het heerlijk om hun kleindochter iedere week bij de vistochtjes op de rivier te zien. Maar toen Emma nog heel klein was, kwam het echtelijke geschil dat al zo lang tussen hen had gesmeuld eindelijk tot uitbarsting. Ze kondigden aan dat ze gingen scheiden, en mijn moeder bereidde zich voor op haar terugkeer naar Engeland, waar ze de rest van haar dagen alleen zou slijten in een huis in Teddington in West-Londen. Mijn zus Sue volgde inmiddels een verpleegstersopleiding in Hillingdon Hospital en beloofde een oogje op haar te houden; papa en ik bleven in Assam. Toen we op het vliegveld van Dibrugarh afscheid namen van mijn moeder, was ik alleen maar opgelucht dat ze weer uit mijn leven verdween. Ons contact was stroef gebleven en ik werd altijd zenuwachtig in haar gezelschap.

Niet lang na mama's vertrek vloog ik met Bunny en Emma naar Engeland voor onze eerste vakantie sinds we getrouwd waren. Bij die gelegenheid konden we elkaars familie en vrienden leren kennen, die we nog nooit hadden ontmoet omdat we in het buitenland waren getrouwd. Het werden drie hectische maanden van heen en weer reizen naar County Down in Noord-Ierland om zoveel mogelijk bij Bunny's vader te zijn. Dokter Gordon McCune was een gepensioneerde huisarts, een zachte, vriendelijke man die na een attaque dapper voortleefde met een verlamming. Hij was al elf jaar weduwnaar, een eenzaam leven, omdat Bunny, zijn enige kind, in het buitenland woonde. Ik mocht hem erg graag en was blij dat we elkaar eindelijk hadden leren kennen. We reisden ook naar Yorkshire om op bezoek te gaan bij Bunny's familie van moederskant, naar Schotland om mijn verwanten te ontmoeten, en naar Londen voor tante Margot en oom George. We keerden vlak voor Kerstmis 1964 terug naar onze bungalow in Assam, waar ik korte tijd later ontdekte dat ik opnieuw zwanger was. In augustus 1965 kreeg Emma een zusje. Ze was net zo mooi als zij, met een zeer parmantig kinnetje. Op Bunny's aandringen werd ze Erica genoemd, naar de moeder van een vroegere vlam van hem.

We kregen nu niet alleen te maken met de zorgen van een groeiend gezin, maar ook met een zorgwekkende politieke situatie. India en Pakistan hadden elkaar de oorlog verklaard met Kashmir als inzet, de thee-industrie werd 'geïndiaseerd', wat inhield dat Britse werknemers werden vervangen door autochtonen, en we hadden nu twee kleine kinderen om voor te zorgen. We liepen al rond met verhuisplannen toen Bunny opeens ontslagen werd. Ook papa werd met pensioen gestuurd en wilde weg uit India. Hij was zeer geliefd geweest bij zijn personeel en er werd een emotioneel afscheidsfeest voor hem gehouden waarbij hij een zijden lint kreeg als aandenken en werd omhangen met guirlandes van goudsbloemen.

We overwogen om naar Zuid-Afrika te verhuizen, waarheen veel van onze vrienden waren geëmigreerd. Maar nog los van de gespannen politieke toestand die op dat moment in Zuid-Afrika en het naburige Rhodesië heerste, zou het voor ons een onoverkomelijk probleem zijn geweest om daar te wonen. Bunny noch ik hadden racistische opvattingen; we waren altijd met plezier omgegaan met mensen van andere rassen en wilden onze kinderen dezelfde vrije opvattingen bijbrengen. Maar in het Zuid-Afrika van midden jaren zestig was de apartheid in de wet vastgelegd, wat betekende dat we zelfs geen zwarten als gasten in ons eigen huis zouden mogen ontvangen. We vonden dit allebei zo'n onverkwikkelijke gedachte dat we besloten naar Engeland te emigreren.

Ik vond het naar om uit Assam weg te gaan. Ik had er zulke dierbare herinneringen aan, zowel uit mijn jeugd als van de laatste jaren, en had het land altijd als mijn thuis beschouwd. Ook Bunny was er heel gelukkig geweest, en papa was helemaal ontdaan. Maar Engeland wachtte en ik was opgewonden over deze nieuwe uitdaging. Wel was er vlak voor ons vertrek uit India nog iets wat me van mijn stuk bracht. We pakten onze waardevolste bezittingen in kisten en stuurden die vooruit en de rest verkochten we ter plekke. Een collega van Bunny kwam een aantal spullen ophalen die hij zou overnemen, maar betaalde ons uiteindelijk niets. Ik begon navraag te doen en kwam er zo achter dat Bunny hem geld schuldig was dat hij nooit had terugbetaald.

We arriveerden in 1966 in Engeland; dat jaar won Engeland de wereldcup, de kranten stonden vol over de Moors-moorden en Harold Wilson was de nieuwe Labour-premier. Een kolentip in Aberfan in Wales stortte in en honderdzestien kinderen kwamen om het leven. In fabrieken in het hele land werd gestaakt. Londen werd in die jaren van de Beatles en de Rolling Stones de swingende hoofdstad van de wereld genoemd.

We hadden geen woonruimte in Engeland en geen idee wat we moesten gaan doen. Mijn vader ging naar zijn geboortestreek in Schotland en trok in een huis in Dumfries dat hij sinds jaar en dag bezat maar dat te klein was voor ons allemaal. Dus mochten wij – met de kinderen en al onze spullen – drie maanden lang bij mijn fantastische tante Margot in haar huis aan Hereford Square wonen, terwijl Bunny een baan zocht.

Bunny was echt iemand van de oude stempel en besprak zijn persoonlijke of zakelijke aangelegenheden vrijwel nooit met mij. Een tijdlang had ik geen idee waarvan hij in Engeland dacht te leven. Na zonder succes bij een aantal oude vrienden te hebben aangeklopt besloot hij uiteindelijk in de bewakingssystemen te gaan; hij investeerde tweeduizend pond van zijn schamele spaarcentjes in een concessie bij een bedrijf dat Photo Scan heette en dat een pioniersrol speelde op de ontluikende markt van tv-bewakingscircuits. Bunny zou vertegenwoordiger worden in het rayon Noord-Yorkshire en we kregen een maand om daarnaartoe te verkassen en er een huis te zoeken.

Terwijl wij in Londen wachtten tot Bunny alles zou hebben geregeld, hadden we een fantastische tijd bij tante Margot en oom George. Ze waren erg aardig voor ons geweest en hadden de kinderen in hun hart gesloten. Vooral in Erica hadden ze beiden veel plezier, en ze voelden zich volkomen op hun gemak met haar. Op een dag toen we een autotochtje maakten zat Erica bij oom George op de knie, waarbij ze zo opgewonden en heftig op een neer wipte dat hij haar plagerig 'madame Jojo' noemde. Tot op de dag van vandaag wordt Erica door al haar familieleden en goede vrienden Yo genoemd.

Op een bitterkoude en grijze dag in februari 1967 zeiden we Londen vaarwel en reden we naar Yorkshire. De eerste maanden dat we er woonden, twijfelde ik er dikwijls aan of ik na het heerlijk warme India wel opgewassen was tegen dit leven in wat me nu voorkwam als een vreemd en onbekend land. Ik probeerde mezelf op te vrolijken door met de kinderen in een pension in Sandsend te gaan logeren, maar het was er zo koud en akelig, zo deprimerend, dat Bunny me ervan moest weerhouden om halsoverkop mijn koffers te pakken en terug te vliegen naar het warme, weldadig groene Assam. Maar Yorkshire zou de komende tweeëntwintig jaar – hoe dan ook – ons thuis zijn. De eerste paar maanden woonden we tijdelijk in een huurhuis in de buurt van Northallerton, ten oosten van de A1. Bunny maakte inmiddels heel wat kilometers in het zeer uitgestrekte district Noord-Yorkshire om producten van Photo Scan aan de man te brengen, terwijl ik geschikte scholen voor de kinderen zocht.

In het geheim was Bunny ook bezig een oude jeugddroom te verwezenlijken: wonen in Cowling Hall, een oud landhuis in de buurt van Bedale. Hij was er niet van af te brengen dat we daar met z'n allen moesten wonen, al helemaal niet meer toen hij ontdekte dat de huidige bewoners militairen waren die in Catterick waren gelegerd en op het punt stonden te worden overgeplaatst.

Cowling Hall was een hoog, rechthoekig huis dat op een heuvel lag en gebouwd was in Queen Anne-stijl. Bunny kende het nog heel goed uit zijn kindertijd, toen hij op de vlakbij gelegen Aysgarth-basisschool zat, en uit de tijd, jaren later, dat hij verloofd was met Wanda, de dochter van de schooldirecteur, en met haar ging paardrijden en jagen. Toen ik Wanda leerde kennen, was ze allang gelukkig getrouwd met de nieuwe directeur van Aysgarth. Hun en onze kinderen sloten vriendschappen voor het leven en Bunny en ik deden hetzelfde met Wanda en haar vrienden.

De eigenaren van Cowling Hall waren sir Claude en lady Smith-Dodsworth; het gebouw was het weduwenhuis van Thornton Watlass Hall, en architectonisch gezien zo merkwaardig en uniek dat het vermeld werd in Pevsners *Buildings of England*. Het was een samenraapsel van zeventiende- en achttiende-eeuwse architectuurstijlen dat op de een of andere manier één geheel vormde maar toch wel een vreemde aanblik bood. Het had een halvemaanvormige oprijlaan aan de ene kant en – tot mijn grote vreugde – een ommuurde tuin aan de andere kant, compleet met een sloot helemaal aan het uiteinde. Daarachter lagen uitgestrekte weilanden waar schapen graasden en in de verte zag men de weidsheid van de Vallei van York.

Met zijn aangeboren charme wist Bunny lady Smith-Dodsworth ertoe te bewegen ons Cowling Hall voor onbepaalde tijd te verhuren voor het belachelijk lage bedrag van zes pond per week, om te beginnen voor een huurperiode van vijf jaar. Hij regelde dit helemaal buiten mij om en plaatste me voor het voldongen feit. Ik was op het eerste gezicht overigens zeker onder de indruk van het huis; de voorgevel was zeer imposant. Het huis was echter lang niet zo groot als het eruitzag, omdat het feitelijk maar één vertrek diep was. En we leidden er beslist geen luxueus of extravagant leven, want zelfs in onze voorspoedigste tijden hadden we nooit veel geld. En ik zou er al spoedig achter komen dat er aan het leven op Cowling Hall heel wat nadelen kleefden.

De elementen hadden er vrij spel en het was dan ook het koudste huis waarin ik ooit heb gewoond. Ik weet nog goed hoe ik, van nature een tropisch wezen, de boter 's winters op een schoteltje voor de open haard in de woonkamer zette om hem zacht te laten worden, zodat we toost met boter en honing bij de thee konden eten; maar tegen de tijd dat ik terug was in de keuken, die een eind verderop was, was de boter alweer keihard. De keukenvleugel was het oudste gedeelte van het huis, waarvan werd gezegd dat het er spookte. Mijn geringe enthousiasme over het wonen daar slonk nog meer bij het vooruitzicht het huis te moeten delen met geesten uit het verleden. Onze twee springerspaniëls voelden vanaf het begin aan dat er iets niet klopte en weigerden via de achtertrap omhoog te lopen. Ik ontdekte later dat er in het huis aan exorcisme was gedaan en dat veel van de mensen die binnen deze muren hadden geleefd, voornamelijk mannen, op mysterieuze of tragische wijze aan hun eind waren gekomen.

De enige troost die ik had, was dat de geest die er toentertijd verblijf hield – en die naar men zei afkomstig was van een onrechtvaardig behandelde vrouw – naar verluidde een zwak had voor rooms-katholieken. Misschien kwam het doordat ik ontvankelijk was geworden voor bovennatuurlijke zaken, maar ik werd achtervolgd door voortekenen en vingerwijzingen. Op winterdagen, als de wind om het huis huilde en de mist zo snel kwam opzetten dat hij de ramen met een lijkwade bedekte, had ik het gevoel dat ergens in onze toekomst een onvoorzien ongeluk op de loer lag. Toen we nog niet zo lang in Cowling Hall woonden – het huis was nog niet eens helemaal gemeubileerd – trof Bunny mij op een avond bij thuiskomst onder aan de trap aan, met mijn hoofd in mijn handen.

'Wat is er aan de hand?' vroeg hij.

'Het is dit huis,' zei ik. 'Het is écht behekst. Ik geloof niet dat ik hier kan wonen.'

Hoezeer ik ook mijn best deed, ik vond het steeds moeilijker om me binnen deze muren op mijn gemak te voelen. Hij wist hoe ik hierover dacht, we hadden het er vaker over gehad, maar nu besefte hij dat ik het echt meende.

Hij dacht even na. 'Tja, als het zo'n probleem voor je is, zal ik de hele zaak afblazen.'

Dat was nou typisch Bunny: medelevend en impulsief handelen, zonder zich ook maar een tel af te vragen waar we dán moesten wonen en hoe we dat zouden aanpakken. Ik waardeerde zijn aanbod, maar bij het vooruitzicht om opnieuw te moeten verhuizen begon ik ineens weer nuchter na te denken.

'Nee, nee, dat kun je niet zomaar doen,' besloot ik kortweg, terwijl ik overeind kwam. 'Laten we het in ieder geval proberen.'

En dus probeerden we het, en naarmate de dagen langer, lichter en warmer werden leek het huis ook steeds meer mee te vallen. Met een nieuwe laag verf op de muren en het houtwerk en onze eigen spullen in de kale vertrekken begon ik me meer op mijn gemak te voelen in ons nieuwe huis.

En tegenover de naargeestige sfeer stonden ook een heleboel prettige dingen. De vergezichten en het glooiende landschap waren schitterend, de kinderen groeiden op met de simpele geneugten van het Engelse plattelandsleven en ik had het ook prima naar mijn zin. Zozeer zelfs dat Emma na verloop van tijd een tweede zusje kreeg, Jennie, geboren in september 1968 en genoemd naar Jennie Jerome, de moeder van Winston Churchill; twee jaar later gevolgd door onze zoon, die ik Johnny doopte, ondanks Bunny's rotsvaste voornemen om hem Randall te noemen. Beide kinderen werden geboren in de Victoriaanse pracht en praal van Harrogate General Hospital, wel even wat anders dan dat ziekenhuisje in die theëtuin in Assam. Net als bij zijn andere kinderen noteerde Bunny geboortedatum, -tijd en -gewicht in zijn in leer gebonden jachtboek, tussen de gegevens over het aantal fazanten dat hij had 'neergehaald' en de laatste nesten puppy's die zijn geliefde springerspaniëls hadden gekregen.

Ik was vastbesloten om er in Cowling Hall, mijn eerste huis in Engeland, wat van te maken. Ook Bunny leek zich goed te hebben aangepast aan onze nieuwe manier van leven. Nadat hij zeventien jaar in het buitenland had gewoond kon hij zijn passie voor vissen en jagen op het platteland van Noord-Yorkshire in ieder geval weer uitleven. Hij kende een aantal families die daar woonden nog uit de tijd dat hij er naar school was gegaan, zodat we snel vrienden maakten. Uiteraard golden er in Yorkshire meer beperkingen en conventies dan er in India waren geweest, maar Bunny stelde zich daar goed op in en gedroeg zich alsof hij een plaatselijke grootgrondbezitter was, ook al bezat hij noch een landgoed, noch het geld om er een te kopen. Zijn vader overleed in 1968 en liet hem een paar duizend pond na, maar van dat geld heb ik nooit iets gezien, en Bunny ging niet in op mijn dringende verzoeken om ergens in de streek een huis te kopen in plaats van te blijven huren.

Hij gaf geld uit als water zonder er veel over na te denken. Hij vroeg aan de lopende band spontaan mensen te eten of te blijven slapen en leek niet te beseffen dat ik dankzij zijn ruimhartigheid en behoefte aan gezelschap het grootste deel van de tijd in de keuken moest staan om fazanten te plukken, vissen schoon te maken en enorme maaltijden te bereiden op een oud en krakkemikkig Aga-fornuis. Omdat ik aan vier kleine kinderen mijn handen al vol had, nam ik 'Tompee' (mevrouw Thompson, een aardige vrouw uit de buurt) in dienst om me te helpen, en 's zomers had ik Poolse au pairs, maar verder stond ik bijna overal alleen voor.

Om het weer goed te maken ging Bunny naar de plaatselijke zelfbedieningszaak en sloeg daar enorme hoeveelheden buitenissige artikelen in – gerookte zalm, garnalen, chocoladetaarten – waarmee hij dan triomfantelijk thuiskwam. Zulke dingen hadden we echt niet nodig en ze namen alleen maar ruimte in beslag in de vriezer, maar dit was zijn onhandige manier om te proberen het leven voor mij een beetje aangenamer te maken.

Op een dag vertelde Bunny mij tussen neus en lippen dat hij zijn baan had opgezegd. Een oude vriend van hem werkte in Sheffield in de staalindustrie en Bunny verzekerde me dat die hem wel werk zou geven. Toen daar drie maanden later nog niets van terecht was gekomen, werd Bunny wanhopig en begon hij bij allerlei mensen aan te kloppen. Een verre neef, Peter Russell, directeur van een technisch bedrijf, kwam ons te hulp en bood Bunny een baan als vertegenwoordiger aan. Peter had Bunny in geen jaren gezien, maar herinnerde zich hem als een charismatische charmeur, een gezelschapsdier, en meende dat deze hoffelijke, zelfverzekerde ex-Indiaganger weleens geknipt zou kunnen zijn om reserveonderdelen voor landbouwmachines te verkopen. Ik weet nog dat ik verschrikkelijk opgelucht was dat Bunny eindelijk weer een bron van inkomsten zou hebben. Mijn schamele spaarcentjes waren allemaal op en het geld dat hij van zijn vader had geërfd leek wel te zijn verdampt.

De kinderen waren zich niet bewust van de problemen waarmee hun vader kampte en stonden onbekommerd en sterk in het leven, vooral Emma. Ze was zeer eigenzinnig, avontuurlijk en in zekere zin vroegrijp; ze ging in Catterick Garrison, vijftien kilometer van ons huis, naar een school die gevestigd was in een kleine barak van golfplaten uit de Tweede Wereldoorlog en ze genoot er. Ze bracht voortdurend vriendinnetjes mee naar huis, die ze vaak uitnodigde zonder het mij eerst te vragen, met de zelfverzekerdheid die ze van haar vader had geërfd. Een van haar hartstochten was het berijden van dieren; ze begon met onze ezelin Nellie. Emma was dol op Nellie en zat urenlang met haar armen om haar hals, ook al betekende dat dat ze regelmatig vlooien kreeg. Ik zat voortdurend te wachten op de eerstvolgende keer dat ze heftig op haar hoofd zou gaan krabben en ik het speciale flesje weer te voorschijn kon halen dat ik vol schaamte bij de plaatselijke drogist had gekocht.

Na een tijdje kreeg ze van Bunny een pony, Misty, en nog later Peanuts, een levendige en ondeugende kastanjebruine Arabische pony, genoemd naar mijn pony in Assam, die veel beweging moest hebben en die we uiteindelijk aan de plaatselijke manege hebben moeten overdoen. Toen Emma met Misty naar haar eerste ponykamp ging, was ze bij terugkomst uitgeput van de ontberingen van het slapen in tentjes en het verzorgen van haar pony. Toen ik haar kwam ophalen, was ze kapot maar dolgelukkig, zoals ieder klein meisje dat een week alleen maar met en voor haar geliefde pony heeft geleefd. Ze had die hele week zelfs geen tijd gehad om haar tanden te poetsen, maar ze had het heerlijk gevonden om de verzorging van het dier boven alles te stellen.

Haar jongere zus Yo kwam op dezelfde school als zij en gedroeg zich veel rustiger. Erica was een lief, altijd tamelijk verlegen en gevoelig meisje. Ze moederde over Jennie en Johnny en leefde erg in de schaduw van Emma, op den duur letterlijk, want Emma schoot de lucht in en torende op twaalfjarige leeftijd zelfs boven de meesten van haar vriendinnetjes uit.

'Mam, ze hebben me op de schoolfoto weer helemaal achteraan gezet,' zei Emma verontwaardigd toen ze op een middag uit school kwam. Ze was te lang, vond dat niet leuk en klaagde er voortdurend over.

Ik ging met haar aan tafel zitten en nam haar beide handen in de mijne.

'Emma, schatje, het is iets waar je helemaal niets aan kunt veranderen,' zei ik, 'dus waarom geniet je er niet gewoon van? Er zijn waarschijnlijk tientallen meisjes bij jou op school die dolgraag zo lang en slank zouden zijn als jij. De mensen zullen je hele leven naar je opkijken, dus maak er het beste van.'

Dat advies nam ze ter harte en ik geloof dat ze vanaf dat moment werkelijk genoot van het overwicht dat ze door haar lengte op andere mensen had. Toen de slungelige fase eenmaal voorbij was en ze helemaal volgroeid was, was ze een statige verschijning van één meter tachtig en genoot ervan daar haar voordeel mee te doen.

Door onze contacten via de meisjesschool breidde onze vriendenkring zich snel uit, en de kinderen werden lid van de kabouters en andere clubs. Ik begeleidde zelf tweemaal per week het peuterklasje in het dorpshuis van Thornton Watlass, bezorgde maaltijden bij bejaarden in de omgeving van Bedale, hielp mee in de kantine van de cricketclub en werd in de plaatselijke kankerbestrijdingsvereniging gekozen. Ik was inmiddels overgestapt van de rooms-katholieke naar de anglicaanse kerk; voor de kinderen was het enige merkbare verschil dat ik van de 'pratende kerk' naar de 'zingende kerk' was gegaan. Kortom, ik deed zo ongeveer wat er van me mocht worden verwacht in de plattelandsgemeenschap waartoe we waren gaan behoren.

In Cowling Hall waren altijd vrienden te gast; vooral in de zomermaanden was het een voortdurend komen en gaan van bezoekers en gasten. Ondanks het vele werk dat dat met zich meebracht vond ik het fijn dat er zoveel mensen kwamen en dat de kinderen volop de ruimte hadden om te spelen. We hadden spelletjes, speelgoed en een verkleedkast met mijn oude kleren die ze mochten aantrekken, waaronder mijn bruidssluier, die Jennie, de eeuwige mannequin, onmiddellijk annexeerde en bij bijna iedere gelegenheid droeg, zelfs naar de kerk.

In de tuin hadden we een wipwap, een zandbak en een prachtige schommel die aan een grote plataan hing en waarop de kinderen griezelig hoog konden gaan. Emma, die altijd iets met schommels had gehad, was speciaal verzot op deze. Er waren fietsen om over de tuinpaden te rijden of rondjes om de tennisbaan te maken, pony's om rustig op te zitten en honden waarmee je door de velden kon rennen. We deden spelletjes met kastanjes, staken vuurwerk af en hielden feestjes met Halloween. We harkten de herfstbladeren bij elkaar en stookten grote vuren, waarvan de lucht nog lange tijd bleef hangen in dikke wollen truien, lang nadat de rookwolken waren opgestegen en hoog in de lucht waren weggedreven tot je ze niet meer zag. Aangezien het huis hoog op de heuvel stond, kon je er prachtig vliegeren als het waaide; vooral Emma was daar erg goed in, net als ikzelf als klein meisje in India. Ik zie nog voor me hoe ze met een verrukt gezicht omhoogkijkt naar de rode vlieger, die ze als een gevangene laat dansen aan het andere eind van haar touw.

Het wonen op een heuvel had ook zo zijn nadelen: de kinderen konden altijd in de verleiding komen om gevaarlijke spelletjes te doen, van de helling af te suizen op fietsen of 's winters op sleetjes, met soms rampzalige gevolgen. Al mijn kinderen hebben littekens die hen herinneren aan die zorgeloze dagen.

Kerstmis was altijd iets bijzonders op Cowling Hall. De rijp kleurde de velden en bomen wit en ijspegels hingen als suikerstokken aan goten en dakranden. Opa – zoals mijn vader inmiddels door iedereen, niet alleen door de kinderen, werd genoemd – uit Schotland kwam logeren, en de kinderen voerden stukjes voor hem op voor de open haard; ze verkleedden zich en dansten en zongen in tutu's en elfenpakjes. Elk jaar op kerstavond kwamen de leden van het kerstkoor uit Bedale langs, stevig ingepakt in dassen en wanten; hun adem wolkte uit hun monden en hun voetstappen kraakten in de sneeuw in het ijskoude maanlicht. Als ze het huis hadden bereikt, stommelden ze op hun handen blazend en met hun voeten stampend naar binnen, gingen rond de kerstboom in onze hal staan en zongen de longen uit hun lijf. Als beloning kregen ze grote glazen sherry en warme pasteitjes, terwijl de gloed van ons haardvuur hun koude vingers deed tintelen en een blos op hun wangen bracht.

En er is nog een reden waarom ik goede herinneringen bewaar aan Cowling Hall: ik kreeg er voor het eerst regelmatig contact met mijn zus Sue. Ze werkte inmiddels als nachtverpleegster in Londen en lag thuis nachtenlang wakker als haar biologische klok weer eens in de war was. Ik nodigde haar uit voor weekendjes op het platteland om bij te komen. Tijdens die dagen in Yorkshire leerden we elkaar voor het eerst echt kennen, al was het aanvankelijk nog wat onwennig, en we kwamen er tot ons beider verbazing achter dat we elkaar best mochten. Er ontstond een vriendschap die in de loop der jaren veel voor me is gaan betekenen, vooral na de dood van onze moeder.

Sue had altijd veel meer contact met mama gehad dan ik. Om de een of andere reden, waarschijnlijk alleen al omdat ze in India langer samen waren geweest, kon zij haar altijd aan; ik denk dat zij emotioneel volwassener was. In de tijd dat ik in Yorkshire kwam wonen, woonden mama en Sue allebei in Londen en zagen ze elkaar regelmatig. In 1973 trouwde Sue in Londen met Martin, een ex-marinier, en wij werden allemaal uitgenodigd; mijn dochters zouden haar bruidsmeisjes zijn en Johnny haar bruidsjonker. Bij die gelegenheid zag ik mijn moeder voor het eerst sinds jaren en stelde ik haar voor aan haar kleinkinderen. Ze leek verrukt dat ze die nu eindelijk leerde kennen, maar ik weet nog dat ik vond dat ze zo weinig was veranderd.

Nog geen jaar later was ze doodziek van de kanker. Sue belde me op een avond aan het eind van de zomer van 1974 om me te vertellen dat ze op sterven lag en vroeg me te komen. Ik reisde naar Londen – de laatste eenzame reis vanwege mijn moeder – om in het Charing Cross Hospital naast haar bed te zitten. Wat ik in die ziekenkamer zag was zo choquerend en beangstigend dat ik de kamer uitrende. Het frêle vrouwtje in dat bed leek in niets op de gevierde en opgewekte Australische actrice die ik mij uit mijn jeugd herinnerde. Sue had me niet duidelijk genoeg gezegd hoe slecht ze eruitzag. In mijn shocktoestand had ik alle spiegels in het ziekenhuis wel aan gruzelementen willen gooien, en ik drukte het verplegend personeel op het hart mama nooit te confronteren met haar eigen spiegelbeeld.

Het was een nutteloos verzoek; binnen een paar dagen was ze er niet meer. Gedurende haar fletse begrafenis, bijgewoond door een handjevol familieleden, vroeg ik me af waar het allemaal mis was gegaan. Ze had er op het laatst zo kwetsbaar, zo weerloos uitgezien. Waar was die boze heks die ik in mijn hoofd had gehad, de vrouw die me zoveel pijn had gedaan, wat ik haar nooit had kunnen vergeven? Ik vond niet haar, maar een moeder die op sterven lag en de liefde en vergeving van haar dochter nodig had. Ik denk dat ik me vooral zo verschrikkelijk verdrietig voelde omdat ik haar nooit echt aardig had gevonden. Na de begrafenis drong het tot me door dat dat gevoel wederzijds was geweest: toen mijn moeders testament werd geopend, bleek ze al haar bezittingen aan Sue te hebben nagelaten. Mijn naam werd zelfs niet eens genoemd; wat haar betrof bestond ik niet.

Op Cowling Hall ging het leven door. De kinderen hadden hun grootmoeder nauwelijks gekend, en haar dood deed ze niets. Emma was zo fijngevoelig om me bij mijn thuiskomst na de begrafenis te vragen of alles goed met me was, maar afgezien daarvan bleef het overlijden van mijn moeder grotendeels onopgemerkt.

Bunny en ik leidden inmiddels ieder ons eigen leven; we waren in een soort beleefde gedoogsituatie verzeild geraakt. Ik besteedde mijn tijd aan het huis en de kinderen en hij aan zijn werk en zijn buitenactiviteiten. Behalve aan tafel zagen we elkaar zelden. Maar Bunny beknibbelde nooit op de tijd en aandacht die hij aan de kinderen besteedde. Hij hield zich vooral bezig met Emma, omdat zij de oudste was, terwijl ik vanzelfsprekend meer tijd stak in de verzorging van Johnny, de benjamin. Hij voegde als jongen een nieuwe dimensie toe aan het gezinsleven, omdat hij zich voor andere dingen interesseerde dan de meisjes. Mijn dochters beschuldigen me er nog steeds van dat ik hem te veel heb verwend omdat hij de enige jongen was, en bovendien het jongste kind. Maar de waarheid is dat ik, met dat groeiende gezin, gewoon geen tijd meer had om zo streng te zijn als in het begin. Ik was aan het eind van de dag zo uitgeput van alle vermoeienissen dat ik na Johnny besloot dat vier kinderen genoeg was; mijn grootse plannen voor zeven kinderen smolten als sneeuw voor de zon.

Emma ging eerst naar de plaatselijke basisschool in Thornton Watlass en daarna naar Polam Hall, een kostschool in Darlington. Het was een gezamenlijke beslissing: zij wilde daar graag heen om bij al haar vriendinnen te zijn en ik wist dat ze op die school een betere opleiding zou krijgen. Ik miste haar erg, maar ze voer er zelf wel bij en was gelukkig elk weekend thuis. Ze werd nog langer en slanker dan ze al was. Ze had een goed stel hersens en bleek goed te kunnen leren; verder was ze goed in sport, vooral in badminton en hockey, maar haar grootste talent lag op het gebied van de kunst. Al op jonge leeftijd schilderde en tekende ze alles wat ze om zich heen zag. Om de haverklap stuurde ze schilderingen op naar kranten en tv-stations die wedstrijden hadden uitgeschreven.

Toen het tv-kinderprogramma *Blue Peter* met Kerstmis inzamelingen begon te houden voor goede doelen zat zij iedereen op de huid – niet alleen haar familie, maar ook vriendinnen en leraren – om sleutels, postzegels of melkdoppen in te leveren. Het vermogen om mensen te motiveren en te stimuleren tot actie zat er al vroeg in en zou haar haar leven lang kenmerken. Ze genoot van het gevoel van gezamenlijke inspanning om een gemeenschappelijk doel te bereiken. Ik geloof niet dat ze ooit genoegen heeft genomen met mislukkingen; en al op heel jonge leeftijd had ze uitgesproken meningen over wat goed en slecht was.

Emma deed alles wat ze deed met veel geestdrift. Ze wilde altijd meedoen, delen, nam nooit genoegen met aan de kant staan en toekijken. Ook had ze de liefde voor de natuur van haar ouders geërfd. Toen ze dan ook voor het eerst zag hoe de West of Yore-jachtstoet op een zaterdag met alle gebruikelijke pracht en praal uitreed – het janken en keffen van de jachthonden, de bezielende roep van de jachthoorn, de rood-met-zwarte jachtkostuums – was ze vastbesloten eraan mee te doen. Van beginnelinge klom ze weldra op tot verkenster; ze zat op en neer te wippen in het zadel van haar Thelwell-pony, maakte af en toe een lelijke tuimeling, wachtte te lang met de jachtroep en haalde zich zo het ongeduld van de ervaren jagers op hun grote, sterke paarden op de hals. Maar ze bewonderden haar moed en verbaasden zich erover wat zij als tienjarige durfde, en nadat zij lid was geworden moest de ponyclub van Bedale een nieuwe regel invoeren die het toekomstige jachtclubleden verbood lid te worden alvorens ze een bepaald ervaringsniveau hadden bereikt.

Ik had nooit van paardrijden gehouden, maar ik begreep dat ik het nu zou moeten leren zodat ik samen met mijn dochter uit rijden kon gaan om haar in het oog te houden. Dat zag ik als mijn ouderlijke plicht. En dus ging ik één keer per week, als alle kinderen in bed lagen, naar de manege in Catterick Garrison om paardrijlessen te nemen. Die avonden in de schijnwerpers van de binnenbaan betekenden een welkome afwisseling van het huishouden, maar ook een persoonlijke uitdaging; de waarheid is dat ik elke week doodsbenauwd was als ik erheen moest.

Door stug vol te houden kwam ik echter zover dat ik met de jachtstoet mee mocht op een mooie hengst, Smokey Joe. Emma en ik gingen samen op jacht in het ruige landschap, sprongen over de stenen muurtjes en de beekjes die kriskras door de hei van Yorkshire lopen en vonden het allebei prachtig. Als ik een gat in een muur kon vinden of met een omweggetje een diepe greppel kon vermijden, was ik enorm opgelucht. Als dat niet kon, zette ik me schrap voor de sprong en hoopte er het beste van. Maar ik deed wel iedere keer mijn ogen dicht. Emma niet; zij ging de moeilijkste sprongen met open ogen en zonder angst tegemoet.

De laatste keer dat ik erbij was, was het een zachte lentedag in maart. Terwijl ik zag hoe Emma lachend haar hoofd achterovergooide, bedacht ik dat ik blij was dat ik had doorgezet. Die dag zal ik nooit vergeten. Terwijl ik met mijn oudste dochter door die schitterende, vredige namiddag reed, hoorde ik voor het eerst die lente de roep van een wulp. Ik ben daarna nooit meer op jacht geweest, maar Emma bleef jagen tot de dag dat we vertrokken uit Cowling Hall.

We beleefden menige gelukkige, onvergetelijke dag tijdens die eerste fase van ons gezinsleven in Yorkshire. Ondanks de slechte voorgevoelens die ik had gehad werd het een plek waar ik me in staat voelde mijn kinderen een traditionele en veilige opvoeding te geven en hun het gevoel te geven dat ze gewaardeerd en bemind werden, ten dele omdat mijn eigen jeugd zo akelig en chaotisch was geweest. Misschien klinkt het nu ouderwets, maar ik wilde Emma, Erica, Jennie en Johnny graag bepaalde waarden meegeven – eerlijkheid, fatsoen en respect voor anderen – een morele code om hen te helpen en te wapenen op hun levensweg. Ze zouden die waarden later nog hard nodig hebben, veel harder dan ik ooit had kunnen vermoeden. Weldra zouden we namelijk worden bezocht door rampspoed en ellende.

5

Toen ik met Bunny trouwde, was ik jong, naïef en onschuldig. Ik had geen enkele kans gekregen om erachter te komen wat voor iemand er schuilging achter zijn façade. Ons leven in India had precies het soort kunstmatige glans waarin hij zo goed gedijde. Hij was altijd zeer onderhoudend gezelschap, een echt lid van de beau monde: charmant, welbespraakt en ogenschijnlijk gematigd, al stond hij erom bekend dat hij zich vaak drukte als het moment was gekomen om de consumpties af te rekenen.

Maar toen we eenmaal met het hele gezin in Yorkshire woonden, had Bunny meer moeite met het verbergen van zijn minder aangename kanten en leerde ik de man met wie ik plechtig had beloofd de rest van mijn leven te delen, steeds beter kennen.

Achteraf besef ik dat er genoeg voortekenen zijn geweest: de obsessie voor zijn ex-vriendinnen die bleek uit zijn wens om zijn kinderen naar hen te noemen; zijn beslissing om met ons in een uiterst onpraktisch huis te gaan wonen, alleen maar omdat hij daar zulke fijne jeugdherinneringen aan had; zijn onverschilligheid over zijn werk, die in een koloniale omgeving niet zo opviel, maar in het strengere Engeland des te meer. En dan die erfenis waarvan ik nooit iets had gezien, zijn afkeer van het betalen van rekeningen en zijn voortdurende verhalen over financiële wondertjes die op het punt stonden te gebeuren.

Bunny was in de verkeerde tijd geboren; hij had de achttiende-eeuwse grootgrondbezitter moeten zijn die hij zo graag speelde. Hij was een dromer die in mooie pakken de genoegens van het landleven najoeg maar weigerde na te denken over de minder prettige kanten van het leven. Hij is nooit echt volwassen geworden; hij leefde in een sprookjeswereld, een luilekkerland waar het geld aan de bomen groeide en niemand ooit over morgen nadacht. De jaren in Yorkshire moeten een grote teleurstelling voor hem zijn geweest. Hoewel hij een vooraanstaande positie innam binnen de plaatselijke afdeling van de conservatieve partij, een gezien lid van de dorpsgemeenschap en de cricketclub was en de jachtvereniging zo ongeveer in zijn eentje draaiende hield, had hij gehoopt in Engeland veel grootser en meeslepender te kunnen leven. Toen zijn populariteit in het plattelandskringetje waarin hij zich bewoog begon te tanen, een populariteit die voorheen onaantastbaar was, werd hij bang voor de leegte en de ouderdom die hem wachtten.

In een wanhopige poging zich groot te houden bleef hij zich afstandelijk, ja haast arrogant gedragen, zozeer dat hij meende boven alles en iedereen verheven te zijn, zelfs boven de wet. Hij schepte er genoegen in 'het systeem te slim af te zijn' en meende er naar believen aan te kunnen ontsnappen, hoewel hem dat in de praktijk zelden zou lukken. Hij probeerde in zijn grootheidswaan voortdurend indruk op mensen te maken, en zijn verhalen over wat hij deed en wat hij bezat werden almaar fantastischer. Hij putte zijn moed uit de drank en maskeerde zo zijn innerlijke onzekerheid.

Op een dag in 1973 hadden we afgesproken samen met Charlie Wyvill, een buurman met wie we bevriend waren, op de hei op korhoenders te gaan jagen. Ik had alles van tevoren geregeld; Tompee zou in mijn afwezigheid voor de kinderen zorgen. Na de jacht ging ik alleen terug naar huis om haar voor een paar uur af te lossen; later zou zij het dan weer van mij overnemen, terwijl ik met het jachtgezelschap ging eten in een plaatselijke pub. In de tussentijd vermaakte Bunny zich met de drijvers en Freddie, de jachtopziener, in een andere herberg een stuk verderop in de Yorkshire Dales. Ik verscheen op de afgesproken tijd voor het eten, maar Bunny kwam niet opdagen.

De maaltijd was bijna voorbij toen er een telefoontje van Freddie kwam, die me vertelde dat Bunny – die hij steevast 'meneer Julian' noemde – was gearresteerd. Hij was met zijn landrover op weg geweest van het ene café naar het andere en was in benevelde toestand tegen de stenen balustrade van Ulshaw Bridge geknald. Hij was niet gewond, maar bleef in elkaar gezakt en bedwelmd over het stuurwiel hangen. Een toevallig passerende priester had hem uit zijn verdoving gewekt, waarop Bunny hem had bedolven onder een stortvloed van scheldwoorden. De priester deed het meest voor de hand liggende: hij maakte zich haastig uit de voeten en belde de politie. Toen de politieauto met gillende sirene en blauw zwaailicht naderde, kwam Bunny weer bij zijn positieven. Hij glipte uit de landrover, liet zich van de rivieroever zakken en waadde in zijn gloednieuwe (en erg dure) tweed pak door het ijskoude water, dat hem tot de knieën kwam, om zich onder het boogbruggetje te verstoppen. De politieauto stopte, en de agenten onderzochten de landrover en keken rond of de bestuurder ergens te bekennen was.

Bunny, onder de brug, was nog steeds aardig beneveld en beging onmiddellijk een volgende stommiteit. Net toen de politie op het punt stond het vruchteloze zoeken op te geven, kwam hij weer te voorschijn; de agenten hadden hem direct in de gaten en arresteerden hem wegens rijden onder invloed. Ik was boos over zijn stomme gedoe en bang voor wat dit voor zijn baan zou betekenen en begaf me met Charlie op weg om hem te gaan zoeken en zijn geweren uit de landrover te halen. Toen we teruggingen naar Charlies huis om koffie te drinken, troffen we Bunny in de badkamer aan; hij probeerde weer nuchter te worden terwijl de twee agenten klaarstonden om hem een paar vragen te stellen. Nadat hij hun had verteld wat ze wilden weten, zeiden ze tegen Bunny dat ze hem de week daarop wel voor de rechtbank zouden terugzien. Net toen ze wilden vertrekken, riep hij uitgelaten: 'Zullen we eerst nog een cognacje drinken?'

Uiteraard werd Bunny beschuldigd van rijden onder invloed, en er werd een datum voor de rechtszaak vastgesteld. Toen de postbode de dagvaarding bezorgde, die per aangetekende brief was verstuurd, vergat hij me te vragen om mijn handtekening te zetten. Toen hij wegliep riep ik hem terug, niet beseffend wat de inhoud van de brief was. Toen Bunny dat hoorde, was hij razend, want, zo zei hij, als ik niet had getekend, had hij kunnen volhouden dat hij die hele brief nooit gekregen had. Ik was geschokt door zijn oneerlijkheid, een eigenschap die mij van nature volkomen vreemd was. Maar oneerlijkheid en misleiding zouden een belangrijke rol blijven spelen bij de neergang van ons huwelijk.

Niet lang na de rechtszaak, waarbij Bunny een hoge boete kreeg opgelegd en zijn rijbewijs voor een jaar kwijtraakte, kreeg ik opnieuw een telefoontje. Het was Peter Russell, Bunny's verre neef van het bedrijf waarvan ik had gedacht dat Bunny er werkte. Hij wond er geen doekjes om:

hij beschuldigde Bunny ervan een aartsluiaard, een profiteur en een leugenaar te zijn. Hij was erg verontwaardigd en boos, want het feit dat hij Bunny die baan überhaupt had gegeven, was al een grote gunst geweest. Peter vertelde me dat hij Bunny al in geen tijden meer gezien of gesproken had, hem allang had afgeschreven en zijn rayon aan iemand anders had gegeven. Hij wenste mij en de kinderen veel sterkte en hing op.

Terwijl ik de hoorn neerlegde, trachtte ik te verwerken wat Peter had gezegd: dat Bunny al meer dan een jaar niet meer voor hem werkte, terwijl hij al die tijd tegenover mij wel gedaan had alsof. Ik wist dat hij op provisiebasis werkte en op ieder uur van de dag afspraken had met klanten, en ik had hem altijd geloofd als hij had gezegd dat hij naar die-en-die toeging of met iemand ging eten. Nu pas begreep ik dat hij me gewiekst om de tuin had geleid. Hij werkte niet, verdiende geen geld, en toch hadden we nog steeds een dak boven ons hoofd en eten in de koelkast... God mocht weten hoe dat kon.

Toen ik Bunny confronteerde met mijn nieuwe kennis, gaf hij alles onmiddellijk toe en wuifde mijn bezorgdheid weg.

'Ontslagen ben ik niet zozeer; het liep gewoon allemaal niet zo. Ik dacht dat ik het je wel verteld had,' zei hij, waarop hij de landrover ging inladen om weer eens op jacht te gaan. Het feit dat hij zijn baan kwijt was, deerde hem totaal niet. Hij zocht zijn toevlucht in vissen en jagen, de enige dingen waar hij echt in uitblonk. Hij had gewoonweg niet genoeg ruggengraat om de verantwoordelijkheid voor zijn gezin onder ogen te zien.

Nu ik al deze dingen wist, begon alles ineens op zijn plaats te vallen: de brieven van de bank, de ongeopende rekeningen; de vreemde telefoontjes van mensen die vroegen waar hij was. Ik heb tot op de dag van vandaag geen idee wat Bunny met al zijn geld deed. Ik weet dat hij een aantal malen onbezonnen financiële beslissingen nam en zo nóg meer geld kwijtraakte. Ik ontdekte later dat hij in Leeds verwikkeld was in een proces over een deel van zijn schulden, en dat hij in de wijde omtrek de reputatie had gekregen een lastpost te zijn omdat hij bij een plaatselijke boerderij belastingvrije diesel achteroverdrukte, machines en gereedschap leende en nooit meer terugbracht en bij de fazantenjacht meer dan zijn eerlijke aandeel van de buit mee naar huis nam.

Onvermijdelijk raakten we langzamerhand door ons geld heen, en ik besefte dat we niet op deze manier konden blijven leven. Terwijl de onbetaalde rekeningen zich opstapelden werd iedere dag voor mij een gevecht. Hoe meer ik probeerde de problemen te lijf te gaan die wij door zijn toedoen hadden, hoe defensiever en vijandiger hij zich opstelde. Hij trachtte mijn argumenten altijd te ontkrachten door te zeggen: 'Ik zie het probleem niet. We hebben toch een goed leven?', waarbij hij brede armgebaren maakte om aan te geven in wat voor een prachtig huis we woonden; maar we waren wel maanden achter met de huur voor dat prachtige huis.

Naarmate de situatie ernstiger werd, begon ik het respect dat ik nog voor hem had te verliezen. Er bleef weinig ruimte over voor de liefde, dus die raakten we ook kwijt. Om de kinderen niet te laten merken hoe verdrietig ik was, hield ik me voor de buitenwereld goed terwijl onze relatie steeds slechter werd. Ik vertelde mijn familie heel weinig en onze vrienden helemaal niets. Aanvankelijk had ik nog de hoop dat we onze moeilijkheden op een of andere manier te boven zouden komen, dat een van Bunny's vrienden wel weer op de proppen zou komen met een mooie baan, zoals Bunny me steeds beloofde. Maar hij bleef de ene leugen op de andere stapelen, tot hijzelf vergat waar de ene leugen ophield en de andere begon. En het zou nog veel erger worden.

Op een zaterdagavond in de nazomer van 1973 was ik zoals gewoonlijk druk in de weer om te zorgen dat de kinderen de volgende ochtend naar school konden: schoenen poetsen, uniformen strijken, controleren of ze allemaal hun huiswerk af hadden. Bunny was de hort op en ik was alleen in Cowling Hall. Ik had eerder die middag brood voor hem klaargemaakt omdat hij cricket ging spelen en sindsdien had ik hem niet meer gezien.

Emma was de hele dag zozeer in beslag genomen door het planten van herfstgroenten in de moestuin – haar vingers waren zwart van de modder en haar haar was verward en verwaaid – dat ze geen tijd had gehad om haar huiswerk te doen. Nu kon ze in opperste paniek het leesboek dat ze nodig had, *Janet and John Ladybird*, niet vinden, en ik doorzocht het hele huis: de zitkamer, de kinderkamer, de keuken, haar slaapkamer. Wanhopig en gehaast doorzocht ik een stapel paperassen die op een grote eikenhouten ladenkast in de hal lag. Daarbij stuitte ik op zes brieven voor Bunny, geadresseerd aan een poste restante-adres, allemaal in hetzelfde handschrift en netjes bijeengehouden door een elastiek. Ik bevroor midden in een beweging.

Met dichtgeknepen keel onderzocht ik de enveloppen. Ik denk dat ik ergens diep vanbinnen wist wat de inhoud ervan was. Ik hield mijn emoties met moeite in bedwang, stopte de brieven terug onder de stapel en nam me voor ze later beter te bekijken. Het was acht uur en er was nog zoveel te doen, om te beginnen het voorlezen van een verhaaltje voor het slapengaan aan de kinderen. Ik weet nog wat het was: *Thumbelina*, een verhaal over een klein meisje dat van een aardedonker huwelijk met een mol wordt gered door een exotische zwaluw, die haar naar Afrika brengt. Het was een van Emma's lievelingsverhaaltjes.

Sprookjes eindigen vaak met 'En ze trouwden en leefden nog lang en gelukkig', en aan die woorden had ik ook gedacht toen ik met Bunny was getrouwd. Maar die avond wist ik dat mijn persoonlijke sprookje aan gruzelementen lag.

Toen het verhaaltje uit was en de kinderen diep in slaap waren, zich niet bewust van het tumult in hun moeders hart, had ik geen excuus meer om de waarheid niet onder ogen te zien. Ik rechtte mijn rug en pakte de brieven. Ik schonk mezelf een stevige borrel in, ging met bezwaard gemoed zitten en maakte met trillende handen het bundeltje brieven open.

'Bunny, mijn allerliefste schat,' was de aanhef, en ik las verder, hevig geschokt en ongelovig. Niet alleen dat het liefdesbrieven waren, ze waren ook nog geschreven door een vrouw die ik kende. Ze woonde in ons dorp, was een paar jaar ouder dan ik, had een man en kinderen, en ik had haar tot dan toe als een vriendin beschouwd. Ik voelde me alsof er een kippenbotje klem zat in mijn keel. Ik werd overspoeld door golven van ellende. Gedurende de lange dagen en nachten die volgden was ik verdoofd van de schok en letterlijk misselijk van het verraad, het stiekeme gedoe en het besef dat de verhouding zich vlak voor mijn neus had afgespeeld. Ik kon drie dagen lang niets eten en brak me er het hoofd over wat ik nu moest doen. Ik was niet in staat geweest de brieven helemaal te lezen, had me er niet toe kunnen zetten alle smerige details van de seksuele relatie van mijn man met die vrouw in me op te nemen, en toch smachtte ik om méér te weten. Waren de gevoelens wederzijds? Had Bunny de liefde van deze vrouw beantwoord? Of zat zij achter hem aan in de onjuiste veronderstelling dat hij ook wat in haar zag? Ik vond immers geen enkele verwijzing naar brieven van hem.

Ik besloot vooralsnog niets tegen Bunny te zeggen in de ijdele hoop dat ons dagelijks leven uiterlijk op de normale manier zou kunnen doorgaan. Ik moest meer te weten zien te komen en besloot te proberen de volgende brieven van de vrouw te onderscheppen om te kijken wat ze van plan was. Het was ongelofelijk moeilijk om te doen alsof er niets aan de hand was, vooral bij de zeldzame gelegenheden dat Bunny thuis was. We sliepen tenslotte nog steeds in hetzelfde bed, al deelden we seksueel niets meer. Het was een worsteling voor mij om mijn gezicht vanwege de kinderen in de plooi te houden, en het lukte me ook niet altijd. Als de meisjes overdag naar school waren, barstte ik vaak los in langdurige huilbuien. Johnny, die nog te jong was om naar school te gaan, trof me soms in tranen aan.

'Waarom huil je, mama?' vroeg hij dan met grote schrikogen.

'O, ik heb mezelf pijn gedaan, ik heb m'n knie gestoten,' loog ik, en ik veegde mijn tranen af. Johnny bukte zich en kuste de pijn in de knie weg.

Ik wist niemand bij wie ik mijn hart kon uitstorten. Ik voelde me schuldig, schaamde me; ik meende dat ik geen goede vrouw voor Bunny was geweest omdat ik altijd te moe was en nooit inging op zijn avances. Op zoek naar de aanbidding en liefde waar hij niet buiten kon en die hij in mij niet had gevonden was hij elders op zoek gegaan en een verhouding begonnen. Ik wist dat althans een deel van de schuld bij mij lag. Later, toen het wanhopige gevoel maar niet overging, vertelde ik mijn dokter alles, maar zijn reactie was typisch mannelijk-gevoelloos. Hij luisterde naar het verhaal van mijn rampspoed en weigerde me medicijnen voor te schrijven. Hij zei dat ik de situatie maar gewoon moest accepteren. Ik zal de zin nooit vergeten waarmee hij het gesprek besloot: 'In Afrika hebben mannen wel méér dan twee vrouwen.' Ik weet nog dat ik het zo'n vreemde opmerking vond, vooral later, toen bleek hoe profetisch die uitspraak was geweest.

Omdat Bunny zijn hoofd diep in het zand bleef steken, liepen onze schulden met een angstwekkende snelheid op. Omdat ik me bezorgd afvroeg of ik in dezen rechten had en zo ja welke, raapte ik mijn moed bij elkaar en maakte ik een afspraak met een advocaat in Leeds. Ik was knap zenuwachtig en vertelde hem met horten en stoten het hele verhaal. Hij hoorde alles zwijgend aan en zette me toen uiteen wat de nuchtere feiten waren. Met twee aparte huizen zouden onze kosten verdubbelen; waarom liet ik alles niet gewoon zoals het was en keek ik het nog even aan? Hij bracht zo weinig constructiefs te berde dat ik er achteraf spijt van had dat ik die afspraak had gemaakt. Ik had op meer steun gehoopt.

Er verstreken weken, er verstreken maanden, en in mijn wanhoop nam ik ten slotte mijn zus Sue in vertrouwen. Ook zij was bezorgd dat ik het me financieel niet zou kunnen permitteren ergens anders te wonen en gaf me de raad in ieder geval bij Bunny te blijven tot de kinderen volwassen waren. Maar dat zou nog jaren duren; ik wist inmiddels niet meer naar wie ik moest luisteren en begon te begrijpen dat ikzelf de enige was die over mijn leven kon beslissen. Intussen kwam er geen eind aan de verhouding van Bunny en die vrouw en bleven de schulden, die afschuwelijke schulden, me dag en nacht achtervolgen.

De daaropvolgende anderhalf jaar ging het van kwaad tot erger. Ik onderschepte een brief van Bunny's minnares waaruit bleek dat zij ervan uitging dat hij van mij zou scheiden en met haar zou trouwen. Zij zou haar toekomst met Bunny delen en wilde in Cowling Hall komen wonen. Uit wat ze schreef bleek ook dat ze er ten onrechte van uitging dat hij een bemiddeld man was. Ik greep woedend de telefoon en draaide haar nummer om haar eens eventjes uit de droom te helpen. Trillend van woede en nervositeit vertelde ik haar dat ze nog stommer was dan ik al had gedacht als ze achter Bunny aanzat vanwege het geld dat hij zogenaamd had. Volgens mij geloofde ze geen woord van wat ik zei. Toen ik een paar dagen later contact opnam met haar man, kwam ik erachter dat hij al de hele tijd van de verhouding had geweten en dat die hem evenveel verdriet deed als mij. Maar we kwamen allebei tot de conclusie dat wij er niet veel aan konden doen.

Bunny kwam die avond onverwacht thuis en daagde me uit. Hij wist dat ik het wist, had gehoord dat ik haar had opgebeld en de brief had onderschept. Hij was razend. Hij toonde geen enkel berouw. Hij zat me door het hele huis achterna om die brief terug te krijgen, totdat ik mezelf huilend in het toilet opsloot. Ik wist niet wat ik moest doen, overwoog de brief door de wc te spoelen of hem op te eten, maar begreep hoe belachelijk dat zou zijn. Ik deed de deur van het slot, gaf hem kalm de brief en liep langs hem heen met de mededeling dat hij voortaan in de logeerkamer zou slapen.

De rekeningen hoopten zich steeds meer op. Ik had geen eigen inkomen en wat ik aan spaargeld had smolt weg als sneeuw voor de zon. Het eten betaalde ik volledig van de kinderbijslag, die ik iedere week stipt op tijd ophaalde bij het plaatselijke postkantoor. Ik overwoog om een volledige baan te nemen om de eindjes aan elkaar te kunnen knopen, maar met vier kinderen van vier tot elf jaar oud zou dat op dat moment onmogelijk zijn geweest; daarom ging ik parttime administratief werk doen voor een boer in de buurt.

De directeur van ons bankfiliaal begon ons te bestoken met brieven en telefoontjes. Nadat ik hem ontelbare malen had afgescheept, ontdekte ik dat Bunny hem ook aan het lijntje hield met verhalen over grote toelagen uit India die binnenkort zouden komen. Het was allemaal gebakken lucht, en op een dag had ik er genoeg van en ging ik naar de bank om open kaart te spelen.

'Die toelagen uit India bestaan alleen in Bunny's fantasie,' bekende ik de directeur en toen barstte ik in tranen uit.

De directeur tastte in zijn zak en reikte me een hagelwitte zakdoek aan. Hij was met stomheid geslagen, had met me te doen en was zo tactvol om me niet de les te lezen over de schulden van mijn man. Vanaf dat moment stak ik snel de straat over om me achter een geparkeerde auto te verstoppen als ik hem in de verte zag aankomen, want ik durfde hem niet meer onder ogen te komen. Mijn kinderen dachten dat ik bezig was gek te worden.

Ik wist dat Bunny geen spaargeld en geen officiële bron van inkomsten had, maar op miraculeuze wijze bleef hij thuiskomen met spullen voor mij en de kinderen, vaak luxeartikelen die we ons eigenlijk niet konden veroorloven en waar we heel goed buiten hadden gekund. Ik begreep niet waar hij het geld vandaan haalde. Tot het me op een kwade dag ineens begon te dagen: Bunny was penningmeester van de plaatselijke afdeling van de conservatieve partij.

Toen ik begon te vermoeden hoe ernstig onze toestand was, was ik ten einde raad. Het had geen enkele zin meer hem dingen op de man af te vragen. Ik verdacht hem ervan dat hij zichzelf klem had gezet door geld te 'lenen' uit de partijkas, waarvan hij zich aanvankelijk nog heilig had voorgenomen het ooit terug te betalen, vóór iemand het zou missen. Uiteindelijk kwam de waarheid aan het licht; er was een tekort van een paar honderd pond en er werd een gerechtelijk onderzoek tegen Bunny gestart. Er werd hem discreet verzocht te bedanken als partijlid, maar het was inmiddels zover met hem gekomen dat hij zelf feit en fictie in zijn leven niet meer uit elkaar kon houden. Ik geloof niet dat hij ooit werkelijk heeft begrepen hoezeer hij mij en anderen heeft gekwetst; en hij bleef zich gedragen als een charmante en gewiekste oplichter, ontliep de politie en iedereen die hem achternazat en was er verantwoordelijk voor dat ik mentaal en emotioneel uitgeput raakte en hem onderwijl ook nog moest dekken.

Hij was steeds minder vaak thuis. Ik was woedend en wanhopig en begon de man die hij was geworden te haten. Keer op keer dacht ik: hoe kun je ons dit alles aandoen? Hoe kun je zeggen dat je van je kinderen houdt en niet voor ze zorgen? Ik had langzamerhand geaccepteerd dat hij niet meer van me hield, en daarom deed ik hem een voorstel: hij zou een jaar weggaan, en daarna kon hij beslissen of hij bij ons wilde wonen of niet. Ik was heimelijk doodsbang dat hij me ertoe trachtte te dwingen zelf te vertrekken, ons huis en onze kinderen in de steek te laten, zodat zijn minnares bij hem kon intrekken. Ik was zo dom om te geloven dat als ik zonder hem in Cowling Hall bleef wonen, de kinderen hun eigen veilige thuis zouden behouden en we het op de een of andere manier wel zouden redden. Maar op alles leek ondertussen een vloek te rusten.

Bunny had een springerspaniëlteef, Sash, die precies in die afschuwelijke periode dat we geen cent hadden drachtig werd. Toen de weeën begonnen ging er iets mis, en ik moest zo snel mogelijk met haar naar de dierenarts. Na een eindeloze lijdensweg wierp ze ten slotte vijftien puppy's. Nadat ik de dierenarts had bekend dat ik hem niet kon betalen, was hij zo vriendelijk me het geld kwijt te schelden. Toen besefte ik dat ik er op dit moment, op het dieptepunt van mijn leven, onmogelijk ook nog vijftien puppy's bij kon hebben, en ik vroeg hem in tranen om ze af te maken. Ik koos er één om te houden, en toen ik thuiskwam met Sash en die ene puppy, voelde ik me een massamoordenares. Ik had me nog nooit zo ellendig gevoeld.

Bunny verwelkomde me thuis opgewekt met het nieuws dat hij ermee had ingestemd dat er een oud renpaard bij ons huis mocht staan. Hij wees me het beest, dat stond te briesen in de wei. Ik sprong uit mijn vel en eiste op hoge toon dat hij het dier meteen zou gaan terugbrengen.

Emma in 1981 in Parijs (foto: Chris Booth)

Mijn ouders in de tijd dat ze in Assam woonden

Met mijn ayah vissen in de Brahmaputra in Assam

Met mijn kleine zusje Sue in Worthing, 1951

Op mijn bruiloft op 10 november 1962 in Doom Dooma, Assam, geflankeerd door bedienden

Met mijn man Bunny en de honden Spark en Kim op een vistochtje

Het paleis van Cooch Behar, waar de maharadja en de maharanee woonden en waar we een aantal avonden in luxe doorbrachten

Emma wilde per se een tochtje maken met deze boot; al op jonge leeftijd was ze gek op hoeden

Ze hield ook al vroeg van kralen, die ze hier met veel gevoel voor effect showt

Terug in Engeland werd ze een echte pony- en paardengek

Gezinsfoto uit onze beginjaren in Cowling Hall; v.l.n.r. Jennie, Bunny, Johnny, Emma, ik en Erica

Cowling Hall, ons thuis in Yorkshire

Emma achter de stuurknuppel van het eenmotorige vliegtuigje waarin ze met Bill Hall naar Australië vloog (foto: W.D. Hall)

Emma en Bill, klaar voor de volgende etappe van hun vlucht (foto: Clive Hyde)

Emma met Willie Knocker op safari in de Keriovallei in Kenia

Emma in een van haar schitterende kleurige jurken te midden van collega's van Street Kids International

Plaatselijke mattenmakerij in Leer, door Emma opnieuw opgestart na een onderbreking door de burgeroorlog

Een luak (huis met bijgebouwen) van de Nuer in Leer, Zuid-Soedan (foto: Peter Moszynski)

Kinderen die zijn gevlucht voor de burgeroorlog; met haar onderwijsprogramma's kon Emma dit soort kinderen helpen (foto: Peter Moszynski)

Kinderen die een spelletje bau spelen (foto: Peter Moszynski)

Dat deed hij inderdaad, met de staart tussen de benen, maar door zulke gebeurtenissen werden mijn pijn en mijn ergernis met de dag groter, terwijl steeds meer vrienden in de gaten kregen wat er mis was. Tegen de tijd dat de deurwaarders voor het eerst kwamen, die algauw dagelijks op de stoep stonden – ik bedoel echt, letterlijk, elke dag – balanceerde ik op de rand van de waanzin. Ze waren altijd beleefd, haast overdreven vleierig, omdat ze ons kenden als leden van de dorpsgemeenschap, maar ze vroegen altijd steevast naar Bunny en lazen dan een paar vorderingen op goederen en geld voor die ze op hem hadden. Ik weet nog dat een van de uitstaande schulden een bedrag van twintig pond was voor de schade aan Ulshaw Bridge, de brug waar hij in een dronken bui met zijn auto tegenaan was geknald.

Op een gegeven moment speelde ineens mijn gevoel voor zelfbehoud op. Beschaamd en vernederd dat ik zoiets illegaals deed, zocht ik in het geheim al mijn sieraden, ons weinige zilverwerk en mijn geweer bij elkaar en vroeg aan vrienden die spullen voor me te bewaren; ik verstopte zelfs dingen in een schuur ergens in de buurt om te voorkomen dat de deurwaarders ze zouden meenemen. Maar ik kon niet alles redden. We hadden een antieke staande klok uit de achttiende eeuw, met een schitterende eikenhouten kast, die in Cowling Hall in de hal stond. Hij was bijzonder omdat hij was ontworpen met een wijzerplaat met maar één wijzer. Toen verder uitstel niet meer mogelijk was, toen de tijd letterlijk om was, kwamen de deurwaarders hem weghalen; ze haalden de slinger eraf en droegen de klok voorzichtig naar buiten. Ze zeiden dat hij ongeveer honderd pond zou opbrengen, waarmee een deel van onze schulden zou worden afbetaald; ik besef nu dat hij veel meer waard was. Ik herinner me hoe de kinderen zwijgend en met hun duimen in de mond in de hal stonden toe te kijken, stomverbaasd dat dit vertrouwde ding zomaar hun huis uit werd gedragen door een paar vreemde mannen.

Zet alle klokken stil, leg de telefoon van de haak
En geef de hond een kluif, dat hij geen leven maakt.

uit 'Funeral Blues' van W.H. Auden

Ik schaamde me kapot toen er in de plaatselijke krant een bericht verscheen over de actie van de deurwaarders en de daaropvolgende verkoop van de klok 'ter afbetaling van schulden'. Het was nu een publiek geheim en ik kon niets doen om te voorkomen dat onze naam nog verder door het slijk werd gehaald. De telefoon was al afgesloten en op een dag in de snikhete zomer van 1975 kwam er een man om de stroom af te sluiten. Johnny, die toen vijf was, was net yorkshirepudding aan het maken in de oven, een liefhebberij van hem op die leeftijd, en voor mij een goedkope manier om de magen van mijn kinderen te vullen. Toen ik de deur opendeed en de meteropnemer me nogal onbeholpen vertelde waarvoor hij was gekomen, smeekte ik hem: 'Zou u alstublieft nog een half uur kunnen wachten, dan ben ik klaar met eten koken.'

Hij trok zich discreet terug en ging een half uur onder een boom langs de oprijlaan zitten, waarna hij terugkwam en plichtsgetrouw de stroom afsloot. Vanaf dat moment kookte ik al onze maaltijden op een kleine primus en moesten we het zonder heet water en elektrisch licht stellen. De laatste druppel kwam op een ochtend in de vorm van een envelop die me persoonlijk werd overhandigd en waar een gerechtelijk ontruimingsbevel in bleek te zitten. Tot mijn verbijstering vertrok Bunny geen spier; hij was totaal niet geschrokken en ging door met zijn bezigheden alsof er niets was gebeurd. Hij weigerde naar de rechtbank te gaan, dus ik moest er alleen heen. Ik had geen keus, ik moest erbij zijn om te pleiten voor de toekomst van mijn kinderen.

Door zijn houding verdween mijn laatste hoop dat ons huwelijk nog te redden viel. Ik wist nu dat het voorgoed voorbij was, en in zekere zin was ik opgelucht. Als we uit ons huis werden gezet, dan had iemand anders de beslissing voor ons genomen; Bunny en ik zouden eindelijk uit elkaar gaan, en misschien kon ik proberen samen met mijn kinderen een nieuwe start te maken. Maar eerst moest ik nog een aantal juridische hobbels nemen. Ik had nog nooit een rechtszaal vanbinnen gezien, was nog nooit in welke zin dan ook in overtreding geweest, en ik zag er ontzettend tegenop. In de weken voor de hoorzitting had ik menige slapeloze nacht en als ik wel sliep had ik vreselijke nachtmerries. Ik kon het nauwelijks meer aan en vroeg mijn dokter om slaappillen. Met tegenzin schreef hij me er een paar voor op voorwaarde dat ik een therapeut zou raadplegen. Ik vond het vreselijk om toe te geven dat ik professionele hulp nodig had, maar ik had geen keus als ik die pillen wilde.

Op de dag dat ik voor de rechtbank moest verschijnen zorgde ik dat de kinderen ofwel op school, ofwel bij vriendjes waren. Ik reed alleen naar de districtsrechtbank in Northallerton, vijftien kilometer bij ons vandaan, te beschaamd om iemand te vragen mee te gaan en biddend dat niemand me daar zou herkennen. De rechter luisterde naar mijn verzoek om ons nog een paar maanden te geven om wat geld bij elkaar te krijgen, maakte zorgvuldig notities van de details van de zaak en stelde de advocaten van de huiseigenaren een aantal vragen over de vele vergeefse pogingen om Bunny tot rede te brengen. Daarna deed hij zijn uitspraak. Hij had geen andere keus, zei hij, dan mijn verzoek niet te honoreren en het ontruimingsbevel te bevestigen. We kregen vier weken om Cowling Hall te verlaten.

Een paar weken om tien jaar van je leven met alles erop en eraan in te pakken! Ik begon te sidderen en vreesde oprecht dat ik zou flauwvallen. Ik bleef doodstil staan, staarde in de volle rechtszaal naar de rechter met zijn pruik en probeerde zijn uitspraak met waardigheid te verwerken; ik hoorde steeds opnieuw zijn laatste woorden en probeerde tot me te laten doordringen wat ze concreet betekenden. Ik was dakloos. De kinderen waren dakloos. Door dit verschrikkelijke besef viel mijn mond wijd open en sprongen de tranen in mijn ogen.

'Hebt u genoeg aan vier weken?' vroeg de rechter iets vriendelijker.

Ik moet een troosteloze en deerniswekkende aanblik hebben geboden. 'Ja,' antwoordde ik; iets anders kon ik niet uitbrengen.

'En waar is uw man op dit moment?' vroeg hij met gefronst voorhoofd en een ijzige ondertoon in zijn stem.

Ik aarzelde. Het was doodstil in de rechtszaal, iedereen wachtte af wat ik zou antwoorden. Na een tijdje slaagde ik erin een paar zinsflarden te stamelen. 'Tja... Ik weet het niet precies, edelachtbare,' begon ik in alle eerlijkheid. 'Ik denk... misschien is hij aan het vissen... op zalm... in de Tweed, denk ik.'

De woorden klonken op die plek volkomen onwerkelijk. Ik had net te horen gekregen dat ik mijn huis uit moest om de eenvoudige reden dat mijn man al tien maanden lang de lachwekkend lage huur van zes pond per week niet meer had betaald, en in plaats van voor de rechter te verschijnen was hij gaan vissen in een van de fraaiste rivieren van de landstreek, alsof er niets aan de hand was. Dieper kon hij me niet kwetsen. Dat dacht ik tenminste.

Ik verliet de rechtszaal ten diepste vernederd, maar tegelijk op een eigenaardige manier vastberaden. Ik wist nu heel zeker dat ik Bunny binnenkort, na dertien jaar huwelijk, vaarwel zou zeggen. Ik zou een manier moeten vinden om het als alleenstaande moeder te redden met Emma, Erica, Jennie en Johnny. Voor hen moest ik sterk zijn. Toen Bunny laat die avond, lang nadat de kinderen naar bed waren, aangeslagen thuiskwam, zat ik hem in de keuken op te wachten. Ik haalde diep adem toen hij binnenkwam.

'Bunny,' begon ik, 'we moeten praten. Het is verschrikkelijk belangrijk. Ik ben bang voor de toekomst en weet niet hoe het met mij en de kinderen verder moet.' Er viel een stilte. Hij zette zijn hengel en zijn vistuig neer en trok zijn gevoerde vissersjas uit. Ik ging behoedzaam verder: 'Ik ben vandaag op de zitting geweest. Het ontruimingsbevel is bevestigd. We hebben vier weken om dit huis te verlaten. Víér wéken, Bunny, heb je het gehoord? Wat moeten we in vredesnaam doen?'

Zijn ogen werden glazig, zoals altijd wanneer ik over geld begon, en hij liep recht op de drankkast af. 'Momentje, ik pak even iets te drinken,' zei hij. 'Wil jij ook iets?'

'Nee, ik wil niet drinken, ik wil praten,' antwoordde ik, trachtend mijn opkomende woede in bedwang te houden.

Staande bij de koelkast schonk hij zichzelf een groot glas whisky in; hij maakte het vriesvak open en deed twee ijsblokjes in het glas. Toen draaide hij zich om en keek me voor het eerst sinds maanden recht aan. Opeens viel het me op hoe oud hij was geworden en hoe dof zijn ogen stonden. Hij was altijd veel ouder geweest dan ik, maar nu zag hij er ook zo uit. De ontspannen uitdrukking die hij vroeger in Assam altijd op zijn gezicht had gehad als hij zijn gasten vermaakte met zijn dwaze verhalen was verdwenen. Voor mij stond een middelbare man die niet in staat was de realiteit onder ogen te zien. Op dat moment had ik bijna medelijden met hem. Hij kon mijn blik niet weerstaan en sloeg zijn ogen neer; zijn gezicht kreeg een beschaamde en schuldbewuste uitdrukking.

'Hoor eens,' zei ik, me vermannend, 'die andere vrouw kan me niks meer schelen. Maar de kinderen kunnen me wel schelen. We raken ons huis kwijt. Wat moeten we nou doen?'

Bunny nam een slok van zijn whisky. 'We... we redden het wel,' begon hij. 'Alles zal op den duur wel goed komen...' Die woorden had ik al ontelbare malen gehoord, maar nu waren ze niet voldoende meer.

'Maar hóé dan, Bunny?' hield ik aan. 'Hoe kan alles goed komen als wij niet iets ondernemen? Wil jij onze kinderen dan niet beschermen? Het schijnt nog steeds niet tot je door te dringen dat we binnenkort op straat staan!'

Bunny nam nog een slok whisky. 'We redden ons wel... Alles zal wel goed komen,' zei hij droevig, zichtbaar vechtend om zich voor de waarheid af te sluiten. Toen klaarde hij plotseling op; hij glimlachte spottend tegen me en deed datgene waar hij het allerbest in was: hij begon over iets anders. 'Trouwens,' zei hij, en ik zag aan zijn ogen dat hij hoopte dat ik het onderwerp verder zou laten rusten, 'had ik je al verteld dat ik vandaag een hele dikke zalm aan de haak had, echt een joekel? Jammer genoeg ontsnapte hij...'

Dit was niet het moment voor koetjes en kalfjes. Bunny maakte zijn verhaal niet af, want ineens zag hij dat ik vlak voor hem stond met een blik in mijn ogen die hij nooit eerder had gezien. Ik ben een goede tennisspeelster, ik heb een uitstekende backhand, ik was veertien jaar jonger dan hij en ik wond mezelf op als een strakke veer. Door de oplawaai die ik hem gaf vloog zijn glas whisky uit zijn hand; het beschreef een fraaie, goudbruine boog door de kamer. Toen verdween ik uit zijn leven; voorgoed.

De eerste tijd daarna was mijn leven een chaos. Een paar dagen lang had ik niet de kracht om door te gaan, de schijn te blijven ophouden, te blijven vechten. Ik begreep niet waaraan ik het had verdiend om zoveel pijn te moeten verduren. Hoewel mijn jeugd niet speciaal gelukkig was geweest, was ik opgevoed met het geloof in sprookjes en happy ends. Ik geloofde dat je, als je maar goed gelovig was en de sterren je gunstig gezind waren, wel een aardige, zorgzame man zou ontmoeten, met hem zou trouwen en kinderen zou krijgen, en dat er dan de rest van je leven voor je zou worden gezorgd. Ik probeerde mijn aangeboren katholieke schuldgevoel te onderdrukken, dat me zei dat ik wel iets zou hebben gedaan om dit lot te verdienen. Ik was een goede echtgenote en moeder geweest, maar had in ruil daarvoor niets anders gekregen dan leugens, leugens en nog eens leugens.

Nu liet mijn goede gesternte me in de steek. Ik stond er alleen voor met vier kinderen, zonder geld of huis en emotioneel verraden, en moest maar zien hoe ik me verder redde. Wat ik toen niet besefte was dat ik me op dat moment bevrijdde van het verleden waarin ik gevangen zat. Ik had een harde les geleerd: dat je ogenschijnlijk alles kunt hebben wat je hartje begeert en dat je het dan toch weer kwijt kunt raken. Ik had alle ellende tot dan toe aardig verborgen weten te houden voor de kinderen. Maar nu ik op zolder en in de kelder druk bezig was onze spullen bij elkaar te zoeken en in grote houten kisten te doen, had het geen zin meer om de waarheid verborgen te houden. Ons kaartenhuis stond op het punt van instorten.

Emma was elf, en met haar scherpe blik en haar heldere verstand ontging haar niets. Zij leerde dezelfde harde les als ik; het was het einde van haar jeugd. Vanaf dat moment was ze mijn medestandster en vertrouwelinge, mijn steun en toeverlaat, hoewel ik aanvoelde dat dat ten koste ging van de band tussen de twee oudste zussen: Erica had in de gaten dat Emma en ik noodgedwongen steeds dichter naar elkaar toe groeiden. We werden door de omstandigheden gedwongen beslissingen te nemen die de rest van onze levens zouden bepalen, als twee samenzweersters, en Yo nam het ons kwalijk dat we haar buitensloten.

Mijn zus Sue liet me niet in de steek. Ze reisde haastig vanuit Londen naar Cowling Hall om me te helpen met pakken. Toen ze binnenkwam en mijn gezicht zag, was het eerste wat ze zei: 'Ik had geen idee dat het zó erg was.' Ze liep met me mee naar de zitkamer, en ik moest haar alles vertellen. Met haar hulp kreeg ik weer een beetje greep op mijn leven en de moed om de verhuizing te regelen.

Nu brak er een periode aan waarin ik voornamelijk was aangewezen op aardige vrienden, familieleden en buren, terwijl ik het slagveld overzag en probeerde alles weer op een rijtje te krijgen. Wanda's moeder, Erica, die dol was op Bunny maar mij en de kinderen eveneens in haar hart had gesloten, was zo vriendelijk geweest een onderkomen voor ons te regelen in een huisje naast de stallen van Aysgarth, de basisschool waar Bunny vroeger op had gezeten. Als alleenstaande moeder van vier kinderen die geen inkomen had was ik nu niet bepaald de ideale huurster, maar dat leek de directie van de school niet te deren. Ik wist dat ik me in dat huisje benauwd zou voelen na dat grote huis met zes slaapkamers –

we zouden genoegen moeten nemen met een woonkamer, een miniem keukentje en twee kamers boven – maar ik had geen keus. De school bood me tevens een betrekking aan als assistent-beheerster, zij het een beheerster met een beperkt takenpakket, dat uitsluitend bleek te bestaan uit het stoppen van sokken. Dat was nu niet bepaald de flitsende loopbaan waarvan ik had gedroomd, maar ik nam het aanbod dankbaar aan, wetende dat ik met het loon althans een deel van de huur zou kunnen betalen. Nu hoefden we alleen nog maar onze spullen uit Cowling Hall te halen.

We hadden tien jaar in dat huis gewoond en ik wist niet waar ik moest beginnen met het onttakelen van ons leven. Tegelijkertijd wilde ik dat alles vanwege de kinderen zo normaal mogelijk zou verlopen. Het was inmiddels midden in de zomervakantie, dus de kinderen hoefden niet naar school. Ik wilde niet dat ze zich deze zomer altijd zouden herinneren als de vakantie waarin we uit ons huis moesten. Jack, de plaatselijke jachtopziener en een huisvriend, verraste ons met een zwart-witte cockerspaniël-puppy; we noemden hem Toto, ter herinnering aan Emma's en Erica's ayah in Assam. Het hondje bood een welkome afleiding tijdens het pakken van onze spullen: het rende rond, scheurde kranten aan stukken en rolde kluwens touw uit, zodat we ondanks alle beroering ook nog af en toe in de lach schoten.

De kippen, de ezelin en de twee pony's moesten allemaal elders worden ondergebracht, en ik probeerde de kinderen duidelijk te maken dat dat maar tijdelijk was en dat ze de dieren nog steeds zouden kunnen opzoeken. Ik vond Johnny hartstochtelijk huilend in Nellies stal, niet in staat te begrijpen waarom de ezelin weg moest; en Jennie omklemde met een vastberaden blik in haar ogen haar lievelingskip Henny-Penny. Een paar dagen later werden de dieren stilletjes weggehaald, terwijl Sue de kinderen afleidde.

Een deel van de grotere meubels sloeg ik op in de schuur van een buurman, maar ik moest ook veel verkopen om aan het geld te komen dat we zo hard nodig hadden. Bunny's bezittingen deden we in een paar grote koffers, die we in zijn slaapkamer lieten staan; sinds het whisky-incident had ik hem nauwelijks meer gezien. Het duurde niet lang of de verhuiswagens verschenen en begonnen met het inladen van de kisten met ons leven erin. Toen ze de lange oprijlaan waren uitgereden, op weg naar Aysgarth, bleven wij achter met een leeg huis waarin onze stemmen hol weerklonken. Toen ik op die verzengende augustusdag in 1975 de grote voordeur achter ons dichtdeed, de sleutel omdraaide en naar mijn kleine Renault 4 liep, stonden de tranen me in de ogen. Toen ik voor het laatst wegreed van Cowling Hall en de kinderen door de achterruit nog één keer verbijsterd naar het huis keken, vroeg ik me af of Bunny nog wel wist dat het vandaag de laatste dag was.

Uiteindelijk bleek dat hij later die avond nog op Cowling Hall was geweest om zijn laatste schamele bezittingen mee te nemen. Hij werkte inmiddels als boerenknecht en pakte alle klusjes aan die hij kon krijgen; dankzij een vriend mocht hij zonder huur te betalen in een klein pachtershuisje ergens in de Dales wonen, verstoken van alle comfort en hoop. Toen ik het huisje ging bekijken na de tragedie die spoedig zou volgen, was het koud en vochtig; het stond vol smerige potten en pannen en lege wodkaflessen. De restanten van een vereenzaamd vrijgezellenbestaan. Het was weinig meer dan een krot.

Wat waren we veel kwijtgeraakt; voorbij was de tijd van de paardenrennen in Jorhat, het geelgeblokte vest, de ruime koloniale bungalow en het personeel dat ons op onze wenken bediende. Maar onze lijdensweg was nog niet ten einde; we zouden nog veel meer verliezen.

6

We bleven drie maanden in het huisje op het terrein van de Aysgarth-school wonen. Ik had zo weinig geld dat we ons bijna alles moesten ontzeggen. We hadden geen koelkast en geen verwarming. De kinderen slopen 's avonds geregeld de enorme ommuurde tuin bij de schoolkeuken binnen, meestal onder leiding van Emma, en kwamen dan thuis met handenvol groente en fruit uit die overvloedig gevulde tuin. Onze eerste grote troost was dat de boilers van de school zich in ons huisje bevonden, waardoor we geen gebrek hadden aan heet water om te baden, te douchen en te wassen. Soms ging ik, alleen maar om mijn wanhoop de baas te blijven, driemaal per dag in bad; dan zat ik als een hoopje ellende in het gloeiend hete water terwijl mijn tranen zich vermengden met de zeepbellen.

Onze andere troost was het weer; die lange, hete zomer hielp ons de dramatische verslechtering van onze omstandigheden te accepteren, al wist ik dat de kinderen hun balletles, hun ponyclub en al die andere luxedingen die vroeger vanzelfsprekend waren geweest, vreselijk misten. Voorlopig veranderde er in ieder geval wat de school betreft niets. Emma en Erica zaten allebei op de Assumption School, een kloosterschool in Richmond, en de directrice, die op de hoogte was van onze moeilijkheden, was bijzonder vriendelijk en hulpvaardig. Ik kon het schoolgeld met moeite bij elkaar krijgen, voor een deel door spullen te verkopen, voor een ander deel met hulp van familie en vrienden en door een beroep te doen op diverse onderwijsfondsen. Ik gooide al mijn vindingrijkheid in de strijd om de kinderen op die school te houden en slaagde daar na enige tijd in, zij het op het nippertje. Het was iets waar ik me aan vastklampte: als zij maar op dezelfde school bij hun oude vriendjes konden blijven, dan zou alles op de een of andere manier wel goed komen.

En met een goede schoolopleiding hadden ze in ieder geval een toekomst.

Hoewel Bunny en ik niet meer met elkaar praatten, had hij wel vrij regelmatig contact met de kinderen, vooral met Emma. Zij was één dag in de week bij hem, en hij nam haar in vertrouwen en vertelde haar van alees. Het arme kind werd verscheurd tussen haar vader en haar moeder, was voor allebei een vriendin en vertrouwelinge, steun en toeverlaat; een enorme verantwoordelijkheid voor een meisje van twaalf. Ze verloor er haar onschuld door. In de loop van dat jaar veranderde ze van een kind in een jonge vrouw, met zorgen waar ze eigenlijk nog veel te jong voor was.

In november 1975 konden we niet langer in het huisje op het schoolterrein blijven wonen; het was gewoon te klein. Bovendien waren er juridische complicaties; als we langer bleven, zouden we de officiële huurders worden, wat allerlei problemen gaf. Opnieuw kwam Sue uit Londen om ons te helpen pakken. Ons volgende huis was Burtree Cottage in Little Crakehall, een dorpje drie kilometer verderop, waar Jennie en Johnny naar de basisschool gingen. Vroeger had er een boerenknecht gewoond, maar het stond nu leeg en werd 's zomers aan vakantiegangers verhuurd; de eigenaars stemden ermee in dat we het voor het winterseizoen voor een symbolisch bedrag huurden.

Dit huis was iets ruimer, we hadden er wat meer privacy en we voelden ons er best op ons gemak, ook al wist ik dat we er in het voorjaar alweer uit moesten. Maar zover wilde ik niet vooruitdenken; we hadden nu in ieder geval vijf maanden een dak boven ons hoofd en konden een beetje tot rust komen. We vierden Kerstmis samen met mijn vader bij Wendy en Bill Burton in Cambridgeshire en deden ons uiterste best om ons over ons verdriet heen te zetten; het was onze eerste kerst als onvolledig gezin en zonder alle feestelijke rituelen van Cowling Hall.

Nu Bunny en ik van tafel en bed gescheiden waren, had het weinig zin om op papier getrouwd te blijven, dus vroeg ik echtscheiding aan op grond van zijn echtbreuk, waarbij ik zijn maîtresse eveneens voor de rechtbank daagde. Ik kreeg financiële steun om de proceskosten te kunnen betalen en moest de slotzitting in Harrogate bijwonen. Toen ik bedremmeld de rechtszaal betrad, geneerde ik me dood toen ik ontdekte dat ik met sommige van de aanwezige advocaten vroeger regelmatig had gedineerd. Het voorlopige vonnis van echtscheiding werd uitgesproken op 20 januari 1976. Het huwelijk was voorbij, en ik voelde alleen maar een soort kille verdoving.

Bunny leidde een zwervend bestaan, woonde nu eens hier, dan weer daar, bij iedereen die hem eten en een dak boven zijn hoofd aanbood. De vrouw met wie hij een verhouding had gehad, liet hem als een baksteen vallen toen ze merkte dat hij geen cent bezat. Toen ik dat nieuws hoorde, stond ik in de tuin van de Aysgarth-school, vlak na de verhuizing uit Cowling Hall; via een boodschapper liet ze mij weten dat ik hem van haar 'terugkreeg'. Ik begon met woeste gebaren een struik te snoeien en antwoordde de boodschapper op ijzige toon: 'Tja, daar is het nu toch een beetje te laat voor.'

Bunny hield zich schuil in zijn nietige hutje of sloop stiekem rond om niet ongewild de aandacht op zichzelf te vestigen. Hij moest nu dan toch eindelijk de realiteit onder ogen zien; zijn sprookje was uit. Nu hij zijn vrouw, zijn kinderen, zijn huis, zijn baan, zijn minnares en al het geld dat hij ooit had bezeten kwijt was, viel hij ten prooi aan een diepe wanhoop en begon te drinken. De politie zat nog steeds achter hem aan, er waren talloze schuldeisers en er hingen hem allerlei rechtszaken boven het hoofd. Hij had nog een paar vrienden in de streek, mensen die hem zijn vele zwakheden vergaven, hem trouw bleven en van alles voor hem deden, en via hen hoorde ik af en toe wat nieuws.

Na een tijdje begonnen er in de buurt geruchten de ronde te doen dat Bunny dreigde zelfmoord te plegen. Een van de onderwijzersvrouwen op school was de eerste van wie ik het hoorde, en daarna volgden er anderen. Ik wuifde die geruchten lachend weg; ik kende Bunny, het was gewoon zwelgen in zelfmedelijden en dramatiek. Ik hield vol dat hij veel te egoïstisch was om zoiets te doen. Maar ik was nog lang niet van hem af. Hij was ten langen leste officieel aangeklaagd wegens verduistering van de partijgelden die hij had achterovergedrukt, en uiteraard kon hij niets terugbetalen. Tijdens de rechtszaak vroeg hij om clementie omdat hij naar zijn zeggen wel gedwongen was geweest geld te verduisteren om de 'extravagante leefstijl van zijn vrouw' te kunnen bekostigen. In de plaatselijke pers werd dat allemaal breed uitgemeten en iedereen sprak kwaad van mij. Ik vond het zo walgelijk en gênant dat ik me oprecht afvroeg hoe ik me ooit nog zou kunnen vertonen in de kleine en uiterst fatsoenlijke gemeenschap waarin we leefden.

Zodra ik van zijn lasterpraatjes hoorde, beende ik hevig ontzet naar de telefooncel – we hadden zelf geen telefoon – om de politie te bellen. Inwendig kokend van woede vroeg ik wat ik moest doen om de kranten aan te klagen, alles te ontzenuwen wat ze over mij hadden geschreven en de ware toedracht bekend te maken. De arme agent die dienst had, vertelde me dat de rechtbankverslaggevers onschendbaar waren en dat er geen simpele manier was om genoegdoening te krijgen. Daarop strompelde ik naar het huis van een paar buren en huilde op hun binnenplaats hartstochtelijk van schaamte en ellende. Vreemd genoeg gaf ik Bunny nooit de schuld van het gebeurde. Ik wist dat hij er miserabel aan toe was en vermoedde, terecht, dat hij door zijn advocaat was opgestookt om met een of andere verklaring voor zijn handelwijze te komen. Daarna hadden Bunny en ik geen contact meer met elkaar; ik had schoon genoeg van het verleden en wilde mijn toekomst zeker stellen. Maar die toekomst had iets verschrikkelijks in petto.

Het was februari 1976 en de sombere, vaalgrijze dagen regen zich aaneen; de duisternis viel vroeg en het stormde en regende. Alles voelde klam en koud aan door de mist die vanuit de Dales kwam aandrijven en in ons haar en onze kleren ging zitten. Iedereen liep met gebogen hoofd tegen de wind, en de doorweekte grond drong door de gaten in onze rubberlaarzen en maakte moddervlekken in de gang. Om de meisjes iets te geven om naar uit te kijken had ik afgesproken dat Emma en Erica in de aanstaande voorjaarsvakantie een paar dagen bij vrienden in de historische stad York zouden gaan logeren. Toen ik ze naar het station van Northallerton bracht, was ik hoopvol gestemd. Ze verheugden zich op het uitstapje en we stonden te giechelen op het perron omdat Toto iedere keer angstig tussen onze benen wegkroop als er een fluitende locomotief voorbijging. Hun trein kwam en ik hielp ze naar binnen en zwaaide ze uit.

Op de terugweg naar huis besloot ik om even in Bedale te stoppen om een paar dingen te regelen. Ik sloot achteraan in een rij natte wachtenden in het postkantoor die allemaal in een plasje regenwater stonden. Ik zag dat Freddie de jachtopziener er ook was; hij zette zijn capuchon af, zei goedemorgen en wendde toen zijn blik af. Ik had haast en bleef niet hangen om een praatje met hem aan te knopen. Daar was Freddie waarschijnlijk uitermate dankbaar voor, want hij wist iets wat ik nog niet wist, al zou ik het binnen enkele minuten horen. Toen ik terugkwam bij Burtree Cottage, zag ik dat er een Volvo-sedan voor het huis stond. Ik herkende de auto en de twee mensen die ernaast stonden: Wanda en Marion, een gemeenschappelijke vriendin, beiden tot hun kin ingepakt tegen het slechte weer. Nog voor ik de motor afzette, wist ik dat er iets ergs was.

De vorige avond was er iets vreemds en duisters gebeurd dat me een onbehaaglijk gevoel had gegeven. De kinderen waren thuisgekomen van school en de oudsten zaten hun huiswerk te maken. Het kolenvuur brandde en we zaten knus bij elkaar voor een gezellige lange winteravond. Toen werd er plotseling op de deur geklopt. Ik deed open en zag twee politieagenten in uniform met ernstige gezichten voor de deur staan. Ik vroeg ze binnen te komen, dankbaar dat de jongste twee al in bed lagen.

De agenten deden hun jassen uit en vertelden dat ze waren gekomen om te horen of ik ook wist waar Bunny zich ophield. Ik kromp een beetje in elkaar toen ik zijn naam hoorde; wat zou hij nu weer uitgehaald hebben? Nee, het had niets te maken met geld of verduistering. Het was helaas iets ergers. Zijn ex-vriendin, degene van wie ik de brieven had gevonden, had de politie gebeld omdat de leidingen die van haar olietank naar haar huis liepen opzettelijk waren beschadigd met een mes, zodat er een heleboel olie over de oprijlaan en de openbare weg was gelopen. Ze zei dat Bunny haar de hele dag had opgebeld, maar dat zij steeds de hoorn op de haak had gegooid. En nu verdacht de politie hem uiteraard van de vernieling.

'Denkt u dat meneer McCune zoiets zou kunnen doen?' vroeg een van de agenten mij twijfelend. Het waren jongens uit de streek; ze wisten dat Bunny een rare snuiter was, maar vandalisme, dat was niks voor hem.

'Het ligt zeker niet in zijn aard om zoiets te doen,' antwoordde ik naar waarheid, maar ik voelde een vreemde, onbehaaglijke tinteling binnen in me. 'Maar als hij het wel gedaan heeft, moet hij echt wanhopig zijn.'

Om hem te beschermen zei ik ook nog dat ik dacht dat Bunny voor het weekend weg was gegaan. Ik wist dat hij door vrienden was uitgenodigd om ergens in Zuid-Engeland naar de paardenrennen te gaan, omdat hij Emma had meegevraagd. Ze had die uitnodiging afgeslagen omdat ze naar York wilde.

Ze bedankten me, verdwenen in de koude, mistige nacht en lieten mij met hevige gewetenswroeging achter. Ik voelde een ijzige kou in mijn hart. Er was iets heel onheilspellends aan het bezoek van die agenten. Ik zag er een soort duister voorteken in. Ik overwoog de ijskoude nacht in te gaan om Bunny te zoeken en hem te waarschuwen dat de politie hem zocht. Maar als ik hem al vond, zou hij waarschijnlijk dronken zijn, en wat moest ik dan? Hem naar vrienden brengen, of naar het ziekenhuis? Ik kon niet tot een besluit komen.

Zoals altijd bij Bunny koos ik uiteindelijk de weg van de minste weerstand, waarmee ik mijn handen feitelijk voor de laatste keer van mijn echtgenoot aftrok. Ik stopte Emma en Erica in bed, stookte het vuur op, deed de deuren op slot en keek naar een thriller op de tv om mijn warrige gedachten tot zwijgen te brengen.

Elkeen doodt dat waarvan hij houdt,
Dat ligt in 's mensen aard.
De een doet het verbitterd,
De ander onbezwaard.
De lafaard doet het met een zoen,
De dapp're met zijn zwaard!

uit 'The Ballad of Reading Goal' van Oscar Wilde

Terwijl ik de motor afzette, uit de auto stapte en naar mijn twee vriendinnen Marion en Wanda toe liep die bij de voordeur van het huis stonden, voelde ik dat er iets verschrikkelijks was gebeurd. De gebeurtenissen van de vorige avond flitsten door mijn hoofd en lieten me niet meer met rust... ze zouden me nooit meer met rust laten.

Ze zagen allebei bleek. Zonder iets te zeggen deed ik de deur open, en zij liepen achter mij aan naar binnen. Eenmaal binnen draaide ik me naar hen om.

'Wat is er aan de hand?' vroeg ik; ik werd steeds banger dat er iets met een van de kinderen was gebeurd. 'Wat is er dan toch? Vertel het me alsjeblieft!'

'Maggie, je kunt beter even gaan zitten,' zei Marion, en ze duwde me met zachte drang in een leunstoel. 'Er is iets vreselijks... iets afschuwelijks gebeurd met Bunny.' Ze haalde diep adem. 'Ze hebben hem vanochtend gevonden... Het lijkt erop dat hij zelfmoord heeft gepleegd.'

Ik verstarde en moest mezelf geweld aandoen om te geloven dat het waar was. Toen voelde ik ineens, als een dier dat in ernstig gevaar verkeert, de neiging om heel hard weg te rennen. Ik rukte me los van Marion, vloog de trap op en liet me op mijn bed vallen met mijn hoofd in de kussens. Mijn hele lijf verkrampte en schokte van het plotselinge verdriet.

'Nee!' jammerde ik in mijn verbijstering. 'Waarom, waarom, waarom? Hoe kun je je leven zomaar weggooien? Hij was zo zelfverzekerd, hij kon zoveel. Hij was zoveel begaafder dan ik. Waarom, waarom, waaróm?'

Ik was ontroostbaar. Al die maanden en jaren van opgekropte emoties, mijn hele overtuiging dat ik beter af was zonder hem, het verdampte allemaal. Hij was mijn echtgenoot en hij was dood, en ik was op mijn vierendertigste weduwe. Hij had zijn vier kinderen definitief in de steek gelaten. Het was meer dan ik kon verdragen.

Ik ben de felle zon, maar jij ziet me niet.
Ik ben je echtvriend, maar jij kijkt gekweld.
Ik ben gevangen, maar jij bevrijdt me niet.
Ik ben de kapitein, maar jij hoort geen bevel.

uit 'I am the Great Sun' van Charles Causley

In de gruwelijke uren die volgden hoorde ik het droevige verhaal van de laatste uren van Bunny's leven. Als puzzelstukjes vielen de ooggetuigenverslagen van zijn laatste daden in elkaar tot er een samenhangend beeld ontstond. De vorige avond was hij nog in diverse pubs in Bedale gesignaleerd; hij gedroeg zich vreemd en was niet zijn gewone gezellige zelf. Verder had hij zijn twee geliefde springerspaniëls naar Freddie de jachtopziener gebracht en gevraagd of hij een tijdje voor ze wilde zorgen. Daarna was hij, laat op de avond, voor het laatst in zijn treurige hutje geweest en vervolgens was hij in zijn aftandse oude bestelwagentje – het enige vervoermiddel dat hij nog bezat – naar een modderig veldje bij Manor Farm in de buurt van het dorpje Masham gereden, een stuk grond dat van Marion en haar man Richard was. De boer die dat land bewerkte, was daar de volgende ochtend vroeg langsgekomen om naar zijn vee te gaan kijken. Hij liep langs de auto die aan de rand van een veld stond geparkeerd en zag dat er een man in zat die leek te slapen. Toen hij een uur later van zijn ronde terugkwam, stond de wagen er nog en zat de man er ook nog steeds in. Hij vond dit vreemd en had het aan Richard gemeld.

Ze gingen er samen naartoe om de zaak te onderzoeken, en pas toen zagen ze de slang die van de uitlaat naar het interieur van de auto liep. In het eerste daglicht van de februariochtend wrikte Richard de deur open en zag tot zijn ontzetting dat de man in de auto Bunny was. Hij wilde kijken of hij nog iets kon doen, maar één blik op Bunny's gezicht en één hand op de koude motorkap vertelden hem dat zijn vriend in een eeuwigdurende slaap was gevallen. Op de passagiersstoel lagen zes handgeschreven brieven in witte enveloppen, vier gericht aan vrouwen van wie Bunny had gehouden en twee aan mannen. Een van de brieven was voor mij.

De dagen die volgden waren één groot waas waarin ik als een verdwaald kind rondtastte. Marion pakte inderhaast een paar spullen in, zodat ik die nacht bij haar kon slapen, en bracht me samen met Toto naar haar huis. We moesten een plan de campagne maken, werd me verteld, terwijl ik de ene na de andere mok zoete, hete thee dronk en probeerde op te houden met trillen. Mijn vrienden waren geweldig; ze regelden het hele gedoe rond de begrafenis voor me. Maar om te beginnen waren er de kinderen.

Marion belde de basisschool in Crakehall om de onderwijzers op de hoogte te stellen en reed toen weg om Jennie en Johnny op te halen, terwijl ik onze vrienden in York opbelde om het nieuws te vertellen. We hadden besloten de vakantie van Erica en Emma niet te bederven en hen nog één dag in onwetendheid te laten.

'Zorg dat ze geen nieuwsuitzendingen van de lokale tv en geen plaatselijke kranten te zien krijgen,' vroeg ik mijn vrienden met hese stem. 'Ik wil niet dat ze van hun vaders dood horen voordat ikzelf de kans heb gehad het hun te vertellen.'

Toen ik Marions auto op de oprit hoorde, rechtte ik mijn rug voor de confrontatie met Jennie en Johnny, wie ik zou moeten vertellen dat hun papa dood was. Marion dirigeerde hen naar de zitkamer, en op haar aanwijzingen gingen we allemaal op het kleed zitten om een bordspelletje te doen; het heette, met passende ironie, Sorry. De kinderen waren een beetje onthutst door het geforceerde spijbelen van school en begonnen vragen te stellen. Na een paar minuten wierp Marion mij een veelbetekenende blik toe, waarna ze de kamer uit glipte en de deur zachtjes achter zich dichtdeed. Jennie was nog maar zes jaar en Johnny vijf.

Ik begon hun te vertellen wat er was gebeurd, zo voorzichtig en tactvol mogelijk, zonder alle details te vertellen, maar ik maakte wel goed duidelijk dat ze hun papa nooit weer zouden zien. Ik zei dat hij nu gelukkig en veilig in de hemel was. Ze keken eerst mij aan en toen elkaar en begonnen te huilen. Ik nam ze in mijn armen en wiegde ze heen en weer; zelf kon ik mijn tranen nu ook niet meer bedwingen. Ze waren zo jong en konden nog nauwelijks bevatten wat ik hun probeerde te zeggen. Pas als we volwassen zijn geworden, kunnen we in volle omvang begrijpen wat de reikwijdte van rouwen en verdrietig zijn is.

Die avond kwam mijn vader over uit Dumfriesshire om bij ons te zijn. Hij had vanaf het begin, tijdens die jachtpartijen in Assam, altijd goed met Bunny kunnen opschieten en was zeer aangedaan toen hij het nieuws hoorde. Het was fijn dat hij er was, zowel voor mij als voor de kinderen, ook al wisten Emma en Yo voorlopig nog niets van het gebeurde. De volgende dag werden alle formaliteiten in gang gezet. Ik werd ondervraagd door de plaatselijke politie, die me erg vriendelijk behandelde. Ze lichtten me nader in over de zes afscheidsbrieven en de personen aan wie ze waren gericht. Een ervan was voor mij bestemd, maar ik kon het nog niet aan om die te openen. Ik stopte hem in een van mijn zakken om hem later alleen te lezen en strompelde de kamer uit. De dagen gingen als in een trance voorbij.

Het leek een eeuwigheid te duren voor het moment aanbrak dat ik naar het station van Northallerton moest rijden om Emma en Erica op te halen en nogmaals de beproeving te doorstaan twee kinderen te moeten vertellen dat ze hun vader hadden verloren. Zij waren veel ouder; ze zouden het beter begrijpen, ze hoorden op school verhalen, lazen dingen in de krant. Ik vond dat het mijn plicht was hun naar waarheid te vertellen wat er was gebeurd, en ik wilde dat ze dat van mij en van niemand anders zouden horen. Ik verkeerde inmiddels in een shocktoestand. Ik kan me met geen mogelijkheid meer herinneren wat ik precies zei, of waar en wanneer het was, maar ik zie de met stomheid geslagen gezichten van de meisjes nog voor me, en de tranen die over hun wangen rolden. Emma snikte: 'Maar mammie, ik heb niet eens de kans gehad om afscheid te nemen.'

Evenmin kan ik me nog helder voor de geest halen wanneer het was of waar ik me bevond toen ik de brief van twee kantjes las die Bunny me had geschreven. Ik zal de inhoud ervan nooit aan iemand onthullen. Maar ik weet nog wel dat ik na het lezen van die brief bedacht dat dit vermoedelijk de eerste keer was dat Bunny volstrekt openhartig en eerlijk tegen me was geweest, en dat maakte alles nog zwaarder voor me. Het grootste deel van mijn getrouwde leven had ik voor mijn gevoel niet geweten wie Bunny diep vanbinnen was. Ik had nooit één werkelijk diepgaand gesprek met hem gehad. Hij had besloten zich voorgoed in raadselen te hullen. Er waren te veel duistere zaken en handelingen die verborgen moesten blijven, deels al van lang voordat wij elkaar kenden. Het leek erop dat hij alleen in de dood eerlijk kon zijn, maar niet bij zijn leven. Nu er intussen bijna een kwarteeuw is verstreken, is de bitterheid jegens hem uit mijn hart verdwenen. Hij had vele kwaliteiten, maar werd het slachtoffer van zijn eigen zwakheden, die hem stukje bij beetje klemzetten, tot hij in de val zat en geen andere uitweg meer zag.

Ik verkeerde in de gelukkige omstandigheid dat ik vrienden had die de gruwelijkste aspecten van de tragedie zoveel mogelijk voor me afschermden. Ik wilde niet naar het mortuarium om het lijk te identificeren, en daarom ging Richard om mij die beproeving te besparen. Evenmin was ik aanwezig bij de lijkschouwing waarbij officieel werd vastgesteld dat het zelfmoord was. Het was raar, maar vanaf het moment dat ik van Bunny's dood had gehoord, had ik me afgevraagd of zijn laatste vriendinnetje het al wist en hoe zij eronder was. Hoewel ik inmiddels van hem gescheiden was, nam ik de verantwoordelijkheid op me voor alles wat er geregeld moest worden. Bunny stierf op een maandag en ik regelde een besloten crematie op de daaropvolgende vrijdag, aangekondigd door een kleine advertentie in de plaatselijke krant.

Toen de bewuste vrijdag was aangebroken reed ik door de mistige ochtend naar Bedale. Het was *Wuthering Heights*-weer: dichte mist, natte wegen en een ijzige kilte in de lucht. Ik vluchtte de plaatselijke bloemenwinkel binnen, waarvan alle ramen beslagen waren. De vrouwen waren druk bezig met het nauwgezet afwerken van rouwkransen, en het drong ineens tot me door dat die voor Bunny's uitvaart bestemd waren. Ik had een nijpend gebrek aan geld, maar kocht voor de paar munten die ik nog had vijf narcissen en een paar takjes groene liguster. Bedremmeld en verward, alsof dit alles een bizarre droom was, liep ik de winkel uit met mijn nederige boeket in de hand.

Onze dominee, Frank Ledgard, een goede vriend die destijds ook mijn overgang naar de anglicaanse kerk had begeleid, zou mij en mijn vader met zijn auto naar het crematorium brengen. Ondertussen paste zijn vrouw Cicely thuis in de pastorie op Emma en Erica. We waren van plan het weekend na de uitvaart bij vrienden in Sheffield door te brengen en de voogden van de kinderen, goede vrienden van de familie, gingen daar alvast met Jennie en Johnny heen.

De rouwdienst zelf had op mijn verzoek een besloten karakter en de meeste mensen respecteerden die wens. In het crematorium was alles zo klinisch, zo somber, zo totaal niet passend bij wie Bunny was geweest: een geestige charmeur, voor wie ik tijdens een shikar als een baksteen was gevallen. Ik kon me geen dure uitvaart veroorloven; ik had financiële steun van de gemeente moeten aanvragen om alles te kunnen betalen. Zijn eenvoudige vurenhouten kist werd op de smalle transportband voor mij neergezet; mijn miniruikertje lag verloren tussen de andere boeketten. Ik duwde mijn handen zo stevig tegen elkaar dat mijn knokkels wit werden en hield mijn tranen in toen de gordijnen langzaam opengingen en hij aan het vuur werd toevertrouwd.

Hij was mijn noord en zuid, mijn west en oost,
Mijn werklust en mijn rust, mijn moed en troost,
Mijn dag, mijn nacht, mijn spreken en mijn lied;
Ik achtte deze liefde eeuwig, maar ze was het niet.

uit 'Funeral Blues' van W.H. Auden

Buiten had zich een klein groepje mensen verzameld om hem de laatste eer te bewijzen. Ik liep de aula uit, diep in gedachten, in een soort half verdoofde toestand, en werd met zachte drang naar de auto geduwd die me thuis zou brengen. Ik voelde dat iemand zachtjes op mijn schouder tikte. Ik draaide me om en zag een lange, broodmagere vrouw die ik niet kende.

'Ik wil me niet opdringen,' zei ze zachtjes, 'maar ik wilde u toch even de hand schudden.'

Ze sprak met warmte over Bunny, en ik begreep dat zij degene was die zich in zijn laatste, duistere dagen over hem had ontfermd. Ze sprak met oprechte genegenheid over hem; en uiteraard was ook zij aangedaan door wat er was gebeurd. Ons gesprek duurde niet lang en ik bekeek haar gezicht maar oppervlakkig, maar ik ben het nooit vergeten, al heb ik haar niet meer teruggezien. Een paar jaar later hoorde ik dat ook zij zelfmoord had gepleegd.

Frank bracht mijn vader en mij terug naar de pastorie in Bedale. Gedurende de hele autorit van dertig kilometer werd er nauwelijks iets gezegd; iedereen was met zijn eigen gedachten bezig. Emma, Yo en Cicely zaten ons bleek en bekommerd op te wachten. Niemand zei veel; iedereen wilde deze dag zo snel mogelijk achter zich laten. We reden zoals gepland naar Sheffield en kwamen na een lang weekend terug om de draad van onze levens weer op te pakken.

Ik heb er tot op de dag van vandaag spijt van dat ik de kinderen niet meer heb betrokken bij de uitvaart van hun vader. Mijn moederinstinct zei me dat ik hen moest beschermen tegen de pijn. Maar achteraf geloof ik dat we die dag beter samen als gezin hadden kunnen beleven omdat dat hen had kunnen helpen die eerste tragedie van hun leven goed te verwerken, hoe jong ze ook waren.

Bunny's dood was een enorm verlies voor ons allemaal, niet alleen voor mij. Hij markeerde het einde van een periode waarnaar we nooit meer zouden kunnen terugkeren. Er ging haast ongemerkt een hele wereld mee ten onder. Ik weet dat Emma het er vreselijk moeilijk mee had dat ze niet met hem naar de paardenrennen was gegaan en meende dat het op een of andere manier allemaal haar schuld was. Met mij heeft ze het er nooit over gehad – dat was te dichtbij, te pijnlijk voor haar – maar jaren later hoorde ik van een ex-vriendje van Emma, haar eerste liefde, dat ze haar hart bij hem had uitgestort over die verschrikkelijke gebeurtenissen die haar zozeer hadden aangegrepen.

Toen we eenmaal terug waren in Burtree Cottage moest ik alle losse eindjes weer oppakken, en de politie wilde nog van alles van me weten in verband met Bunny's leven en dood. Behoedzaam, haast bedremmeld, benaderden degenen die tot het laatst met Bunny bevriend waren gebleven me om me te polsen over een eventuele herdenkingsdienst voor hem. Ze waren geschokt en verdrietig over de manier waarop zijn leven was geëindigd en wilden op een passender manier afscheid van hem nemen. Ik gaf, hoewel nog totaal ontredderd, mijn zegen aan het plan en Charlie Wyvill bereidde samen met een paar anderen een dienst voor in een Normandisch kerkje midden in een veld op Charlies land. Ditmaal waren Emma en Yo er ook bij, maar Jennie en Johnny bleven thuis. We zegden gebeden en zongen liederen. Een plaatselijke parochiane speelde op een antiek orgel, terwijl haar bolronde zoon trapte en pompte om de blaasbalgen van lucht te voorzien.

Alle spanningen en vermoeienissen eisten ten slotte hun tol van mij, zowel mentaal als fysiek. Een paar dagen na de dienst lag ik in bed met een zware griep. Twee weken lang sloot ik me af voor de wereld en de werkelijkheid, verstopte me, liet het leven om me heen slechts in vlagen toe, schrok soms wakker en hoorde dan Bunny's stem in mijn hoofd. In mijn koortsdromen reisde ik terug naar India en alle plekken waar we waren geweest. Het zonlicht op het water van de Brahmaputra, het paleis van Cooch Behar, de tijd dat we samen waren.

We zouden niet veel langer in Burtree Cottage kunnen blijven. Het werd voorjaar en van de eigenaars van het huis hoorde ik dat de eerste vakantiegangers al voor het paasweekend hadden geboekt. We moesten ergens anders heen. Omdat we geen ander toevluchtsoord meer hadden, was ik wel gedwongen om een aanvraag in te dienen voor een gemeentewoning; ik ging naar Thirsk voor een gesprek met een norse, knorrige medewerker van de gemeentelijke sociale dienst. Ik had de grootste moeite hem ervan te overtuigen dat ik nergens anders heen kon.

'Waar hebt u een gemeentewoning voor nodig? U woont in een prima huis met drie slaapkamers en twee badkamers,' zei hij. Hij vond dat ik maar gewoon voor onbepaalde tijd in Burtree Cottage moest blijven wonen en wachten tot ik eruit zou worden gezet, ongeacht wat ik de eigenaars had beloofd.

'Belofte maakt schuld,' zei ik kortaf. 'Die mensen zijn erg aardig voor me geweest en zijn mijn vrienden geworden. Ik kan het niet maken om ineens iets anders te doen dan ik heb beloofd.'

Hij trok stug zijn wenkbrauwen op en stelde alles in het werk om mijn aanvraag tegen te werken. Na een paar bezoeken aan zijn schemerige, rokerige kantoor was mijn mentale veerkracht gebroken. De andere aanvragers waren al jaren thuis in deze wereld: ze waren sjofel gekleed, hadden soms smerige kinderen die voortdurend over de stoelen en hun ouders heen klauterden en wachtten geduldig op hun beurt.

Maar ik vond het vreselijk demoraliserend om zo van al mijn waardigheid, zelfstandigheid en privacy te worden beroofd. Ik vond het afschuwelijk om al onze spaarcentjes te moeten opgeven, tot en met de postspaarrekeningen van de kinderen met alle bedragen die ze in de loop der jaren voor hun verjaardag en voor kerst hadden gekregen. Het was het vernederendste wat ik ooit heb meegemaakt, maar de ambtenaar met wie ik te maken had bleef er onbewogen onder.

Ik vermoed dat hij uiteindelijk alleen maar toestemde omdat hij de radeloosheid in mijn ogen zag. Ik had gedreigd een oude woonwagen te huren en gaten in het dak te boren zodat het zou lekken op mij en de kinderen. 'Krijg ik dán eindelijk genoeg punten voor een woning?' vroeg ik bitter.

Hij gaf toe en bood me een nogal smerig huis in een slecht bekendstaande buurt in Bedale aan, waar we, zo vreesde ik, alleen al vanwege ons accent zouden worden uitgelachen. Ik was tot alles bereid als we maar een huis hadden, maar een goede vriend met contacten bij de gemeente wist gelukkig iets beters voor me te regelen, en na die valse start kregen we uiteindelijk een huis in het veel fraaier gelegen Thornton Watlass, op vijf kilometer van Cowling Hall, in de plattelandsgemeenschap waar iedereen ons al kende. We trokken er in april 1976 in.

Het moderne, halfvrijstaande, grindstenen huis was in bijna alle opzichten geknipt voor ons. We hadden genoeg ruimte en er was een zeer goed onderhouden tuin die vol stond met bloemkolen; Emma was verrukt. Het huis had drie slaapkamers, een badkamer, een kolenkachel, een keuken en een kleine zitkamer. De buren waren aardig en onze vrienden bleven vriendelijk en hulpvaardig en nodigden ons regelmatig uit in hun statige herenhuizen. Maar ik voelde me na alles wat er was voorgevallen zo ellendig en mismoedig dat ik vanaf het allereerste begin een hekel had aan dat huis. Het was een enorme klap voor me dat ik afhankelijk was van de staat. Ik deed weinig moeite om het huis gezellig te maken en besloot me tot het strikt noodzakelijke te beperken: gordijnen, bedden, onze ouwe trouwe wasmachine en een paar potten en pannen.

Als ik maar enigszins de kans zag, nam ik de kinderen mee naar Schotland om bij opa te logeren, in zijn leuke kleine huisje met het beekje achter in de tuin. Als ik na zo'n vakantie of weekend in Dumfriesshire weer terugkwam in onze gemeentewoning werd ik alleen maar nog neerslachtiger. Mijn grote angst was dat we op een dag zomaar uit het huis zouden worden gezet en dan dakloos waren. Op de een of andere manier, ik weet nog steeds niet hoe, slaagde ik erin Emma en Erica op de kloosterschool in Richmond te houden en Jennie en Johnny op de basisschool in Crakehall. Ik was afhankelijk van de welwillendheid van vrienden en andere ouders die de kinderen brachten en haalden en aan het schoolgeld bijdroegen. Ik probeerde op alle mogelijke manieren aan geld te komen en ging zelfs twee dagen in de week in Crakehall als pompbediende werken, waarmee ik het vorstelijke bedrag van een half pond per uur verdiende, in een vergeefse poging me aan de liefdadigheid van de staat te onttrekken.

Toen ik op een winteravond thuiskwam, zag ik dat Toto, de hond, een biljet van één pond had stukgeknaagd dat ik buiten had klaargelegd voor de kolenman omdat we dringend een zak kolen nodig hadden. Ik barstte in tranen uit en zocht net zo lang snippers van het biljet bij elkaar tot ik het gedeelte met het serienummer kon reconstrueren, dat ik vervolgens braaf naar de bank opstuurde met het verzoek om een nieuw biljet.

Iedere avond wanneer ik terugkeerde in die door mij als deprimerend ervaren omgeving om ons karige avondmaal te bereiden – bloemkool met kaas, quiche of risotto met spek – zonk de moed me in de schoenen. Ik voelde me verpletterd door mijn ervaringen. Ik had voor de rest van mijn leven genoeg medelijden en sociale uitsluiting meegemaakt; ik had zowat al mijn energie en vindingrijkheid opgebruikt om ervoor te zorgen dat mijn kinderen naar behoren werden bemind, gekleed, gevoed en onderwezen; ik was aan het eind van mijn Latijn. Ik was neerslachtig en had met mezelf te doen. Als er vrienden of familieleden op bezoek kwamen, vluchtte ik of verstopte ik me; alles liever dan hen in de ogen kijken. Ik was mijn eigen ergste vijand, want degenen die nog steeds op bezoek kwamen, waren echte vrienden, die er geen probleem mee hadden in een arme huurwijk te worden gezien. Maar ik was zeer zwartgallig geworden en zonk steeds dieper weg in mijn eigen zieligheid.

Het keerpunt kwam op een warme, benauwde avond in de zomer van 1976. Ik kwam een keer 's avonds thuis van mijn werk, sleepte me zonder de kinderen een blik waardig te keuren de trap op, liet me uitgeput op bed vallen en sloot de wereld buiten. Mijn haar zag er onverzorgd uit, mijn kleren waren verkreukeld en ik begon te huilen. Na een tijdje werd de deur van de slaapkamer zachtjes opengedaan en kwam Emma binnen; ze was twaalf jaar, maar al rijzig en zelfverzekerd, haar donkere haar glansde en haar ogen straalden. Ze duwde de deur rustig achter zich dicht en bleef strak naar me staan kijken. Er flakkerde iets op in haar ogen. Angst misschien, of boosheid.

'Mam, waarom verwaarloos je jezelf zo?' vroeg ze kalm. Ik hoorde iets in haar stem wat ik niet van haar kende. Ik lag futloos op bed, aanvankelijk niet in staat iets terug te zeggen.

'Nou, ik eh... Dat doe ik helemaal niet. Wat bedoel je?' vroeg ik terwijl ik overeind kwam en mijn ogen afveegde.

Ze liet zich niet van de wijs brengen. 'Kijk naar jezelf, mama,' zei ze met vaste stem. 'Je verwaarloost jezelf.' Ineens herkende ik de manier waarop ze sprak: het was dezelfde toon die ikzelf talloze malen had aangeslagen als ik Bunny vermanend toesprak. Ik had moeite om mijn ogen niet neer te slaan. Ik deed mijn mond open om iets te zeggen, om haar een aannemelijk klinkend excuus voor mijn gedrag te geven, maar in plaats daarvan barstte ik los in een jammerklacht.

'Emma, ik heb me erg ongelukkig gevoeld,' begon ik. 'Ik voel me nu nóg ongelukkig.' Ik liet me terugvallen in het kussen, wendde mijn gezicht van haar af en snikte. 'Wat heeft het allemaal voor zin? Ik verafschuw mijn leven, ik verafschuw dit huis.'

Ze stond vastberaden voor me; haar hele lichaam straalde strengheid en orde uit. 'Dat is nog lang geen reden om jezelf te verwaarlozen,' zei ze afkeurend. Haar stem trilde een beetje omdat ze vocht tegen de neiging naar me toe te komen om me te troosten. Met zachtere stem hield ze aan: 'Je moet volhouden; dat móét.'

Ik kwam snotterend overeind en keek haar met mijn roodbehuilde ogen verdrietig aan. 'Dat... dat weet ik,' hakkelde ik. 'Maar het is soms zo moeilijk...'

Emma schudde langzaam haar hoofd. 'Nee,' zei ze stellig. 'Niet als je het echt wilt... En dat móét.'

Ik keek haar verbaasd aan. Haar onverzettelijke blik was op de een of andere manier tegelijkertijd kritisch en meevoelend. Een ogenblik vroeg ik me af wie dit zelfverzekerde meisje was dat hier voor me stond.

'Mama, ga je haar wassen,' zei ze gedecideerd toen ze zag dat het ergste voorbij was. Ze pakte een handdoek en gaf me die. 'Neem een bad, trek mooie kleren aan en kom dan beneden, bij ons.' Ze keek me smekend aan. Ze had nu al haar kruit verschoten en hoopte dat het genoeg was geweest.

Ik stond langzaam van het bed op, ademde diep in en glimlachte. Ik voelde hoezeer mijn mondhoeken die ongewone spierbeweging ontwend waren. 'Goed,' zei ik, en ik liep gehoorzaam in de richting van de badkamer. Emma knikte opgelucht en goedkeurend, draaide zich om en verdween; bij mij kwamen herinneringen boven aan de tijd dat ik mijn eigen moeder zo had toegesproken. Ik besefte dat mijn eigen kind geen kind meer was; dat ze me uit handen was geglipt en ik haar kwijt was. Dit was dat moment voor mijn dochter en mij. Er was geen weg terug.

Mijn grootste droom was een eigen huis te kopen, maar ik had geen idee hoe ik die wens ooit zou moeten realiseren. Het was het verstandigst als we gewoon in die gemeentewoning bleven wonen, want dan hield ik wat over om eens extra spullen voor de kinderen te kopen of met vakantie te gaan. Maar ik voelde instinctief aan dat we van de sociale dienst af moesten en helemaal op eigen benen moesten staan voordat we een punt konden zetten achter het verleden en ik de spoken kon afschudden die me nog steeds achtervolgden.

Ik besloot familieberaad te houden en nodigde al mijn kinderen uit om in de in felle kleuren geverfde keuken om de tafel te komen zitten en over onze toekomst te praten. Emma was inmiddels dertien, Erica elf, Jennie zeven en Johnny zes.

'Ik denk dat ik wel kan zeggen dat we niet armer kunnen worden dan we nu zijn,' zei ik met een blik op het gebarsten linoleum en het zwarte kacheltje. 'Het goede nieuws is dat het hierna alleen maar beter kan gaan. Maar ik moet een paar knopen doorhakken en daar moeten jullie me bij helpen. Wil iedereen zijn hand opsteken die ervoor is om weg te gaan uit dit huis en een nieuw plekje te zoeken dat helemaal van onszelf is.' Vier kindergezichten klaarden op bij het horen van dit idee. Vier paar handen schoten de lucht in en begonnen vrolijk te zwaaien. Ze hadden hun eerste gezamenlijke beslissing genomen.

Ik had al een huis op het oog: Alverton House, een tweehonderd jaar oud, sterk verwaarloosd halfvrijstaand huis van grijze steen dat te koop stond in het dorpje Little Crakehall. Het was erg goedkoop, en ik had serieus overwogen of het de moeite waard zou zijn om het te kopen en op te knappen, al besefte ik dat we er niet zouden kunnen wonen tijdens de renovatiewerkzaamheden. In een opwelling deed ik een bod dat een heel stuk onder de vraagprijs lag en ik was dan ook niet verbaasd toen ik hoorde dat iemand anders meer had geboden. Maakt niet uit, dacht ik. Het was waarschijnlijk sowieso een idioot idee.

Op een avond niet lang daarna was ik Toto aan het uitlaten toen er een auto naast me stopte. Het waren meneer en mevrouw Hudson, de eigenaars van Alverton House. Ze vertelden me dat de verkoop niet was doorgegaan en wilden weten of ik nog steeds geïnteresseerd was. Ik wilde dolgraag een eigen huis hebben, maar het leek een luchtkasteel met het weinige geld dat ik bezat. Maar nu ik zomaar ineens opnieuw een kans kreeg, besloot ik de mogelijkheid nog even open te houden, en ik vroeg wat tijd om na te denken over hun aanbod.

Toen ik die avond naar huis liep, gingen de vlinders in mijn buik hevig tekeer. Hoe moest ik in vredesnaam aan genoeg geld komen? Wat haalde ik in mijn hoofd? Ik had al voor mezelf besloten het echtpaar de volgende dag te bellen en te zeggen dat het me speet maar dat ik een rekenfout had gemaakt, toen mijn zus Sue opbelde.

'Ik heb vandaag iets heel stoms uitgehaald,' vertelde ik lachend. 'Ik had bijna een huis gekocht.' Ik vertelde haar het verhaal en maakte grapjes over mijn lichtzinnigheid, maar zij lachte niet mee.

'Vertel me alles,' zei ze, en ze vroeg me tot in de kleinste details uit over Alverton House. Ik vertelde haar hoe het eruitzag en hoeveel het kostte, en dat ik me er al van had verzekerd dat ik in aanmerking kwam voor subsidie van de gemeente voor een groot deel van de verbouwing, maar dat het een enorm project zou zijn. Ze luisterde aandachtig en zei toen opeens: 'En als ik jou nou eens een deel van het geld geef dat ik van mama heb geërfd? Het komt jou immers net zo goed toe.'

Ik was sprakeloos. Haar aanbod was zo ruimhartig dat het me de adem benam. Ik wist zeker dat zijzelf, als onbemiddeld verpleegster met een klein kind thuis, het geld ook hard nodig had. En nu kwam ze me niet alleen op een ontzettend aardige en onverwachte manier te hulp, maar ze deed dat ook nog met mama's geld. Ik had geen andere keus dan het aanbod aannemen.

En zij was niet de enige die aardig voor me was. Tante Margot, mijn goede fee, en haar man George boden aan de kosten van de verbouwing te betalen die niet door de gemeente werden vergoed. Van een taxateur begreep ik dat het casco van het huis goed was, en ik vond uiteindelijk een aannemer die het wilde renoveren (nadat twee andere hadden gezegd dat ze het met geen tang wilden aanraken) en een bank die het project wilde financieren als ik de rest zelf betaalde. En zo lukte het me, met de hulp van mijn fantastische familie en vrienden en met hevige hartkloppingen, uiteindelijk om het huis in handen te krijgen voor vierduizend pond. Alverton House zou een thuis worden; óns thuis. Het eerste huis in vijfendertig jaar dat echt van mij was. Ik kon het haast niet geloven.

De verbouwing was een zware klus die meer dan een jaar zou duren, maar ik wist dat het wachten de moeite waard zou zijn. Eindelijk had ik iets om naar uit te kijken, eindelijk was er een lichtje aan het eind van de tunnel, die me soms eindeloos lang had geleken. Ik kreeg weer wat zelfvertrouwen en begon erover te denken om in het onderwijs te gaan werken. Ik vond het al sinds de geboorte van Emma leuk om met kinderen om te gaan; ik had destijds genoten van dat speelgroepje in Assam, en hoewel ik geen echte onderwijservaring had, wist ik zeker dat ik er goed in zou zijn.

Ik vroeg een studieplaats aan op een lerarenopleiding aan St. John's College in Ripon, na me er eerst van te hebben verzekerd dat ik een studiebeurs kon krijgen. Maar toen ik bericht kreeg dat ik was aangenomen, raakte ik in paniek omdat ik besefte dat dit geen goed moment was om aan een studie te beginnen, ook al zou ik daar op den duur iets mee kunnen. Nog afgezien van de extra financiële last die de studie met zich meebracht wist ik dat ik het in mijn labiele emotionele toestand niet aan zou kunnen als het me niet zou lukken die studie af te maken. Daarom schoof ik mijn ambities ter zijde en ging ik werken als secretaresse van de directeur van een van de grote basisscholen van de staat, in Catterick Garrison. Dat was maar vijftien kilometer van ons huis, en de werktijden en vakanties pasten veel beter bij het opvoeden van vier jonge kinderen. Ik begon er te werken in september 1976 en zou er zes jaar blijven; dankzij dit werk hadden we nu veel meer financiële armslag.

Er waren nog enkele grote hindernissen te nemen en ik deed het niet altijd zo goed als ik graag had gewild. Ik wist dat we in de gemeentewoning moesten blijven wonen totdat Alverton House klaar was, maar had van tevoren niet beseft hoe ontmoedigend dat zou zijn, vooral nadat in het voorjaar van 1977 een stel rouwdouwers van elektriciens op last van de gemeente de bedrading kwamen vernieuwen en een enorme puinhoop achterlieten: opengebroken vloeren, het hele huis onder het stof en de pleisterkalk.

Ik holde hevig huilend naar de telefooncel in het dorp om me bij de gemeente te beklagen, maar daar hield men zich doof voor mijn klachten. Ik was nog nooit zo dicht bij een zenuwinzinking geweest als die dag. Toen ik terugliep naar het huis was ik nauwelijks in staat de rommel onder ogen te zien die ik zou moeten opruimen; daarom besloot ik eerst een paar dagen met de kinderen naar Schotland te gaan en weer een beetje bij te komen. Opa heette ons zoals gewoonlijk hartelijk welkom en uit zijn kalme geruststellingen dat alles wel goed zou komen putte ik nieuwe moed. Toen we bij de gemeentewoning terugkwamen, vonden we een briefje van een vriend die langs was geweest en door het raam had gezien wat een troep het was. Het luidde: 'Jullie kunnen hier nu niet wonen, kom bij ons logeren.'

Zo redden we het opnieuw dankzij de vriendelijkheid en het medeleven van vrienden.

In de zomer van 1977, meer dan een jaar na Bunny's dood, daagde er hoop: de werkzaamheden aan Alverton House waren bijna klaar en we konden er in augustus intrekken; het was onze vijfde verhuizing binnen twee jaar. Eindelijk hadden we een stevige bodem gevonden om onze toekomst op te bouwen. Het was het jaar van het regeringsjubileum van de koningin en het grasveldje in ons dorp was het toneel van klederdrachtwedstrijden, picknicks, sportevenementen, dansfeesten en grote vreugdevuren. Er waren overal officiële festiviteiten en wij hadden privé ook iets te vieren.

Ik zag weer een toekomst en begon vol goede moed het huis in te richten, geholpen door vrienden, familie en de kinderen. Emma, die erg van natuurlijk hout hield, hielp me de plafondbalken te ontdoen van dikke lagen kalk en verf; een echt liefdewerk. Yo, die erg precies en systematisch was, hielp me bij het aanleggen van een terras in de achtertuin. Er kwamen vrienden langs om te helpen met schilderen en behangen. We slaagden erin alles af te krijgen voor de winter inviel. Zo hadden we dan eindelijk ons eigen huis, een plek om samen het kerstfeest te vieren. Het was het begin van tien rustige jaren.

7

De grootste uitdaging van de volgende tien jaar was voor mij om eraan te wennen dat ik een alleenstaande moeder was. Het was al moeilijk genoeg om de eindjes aan elkaar te knopen, maar met vier woelwaters van kinderen bleef er weinig tijd over voor andere dingen dan de zaak draaiende houden. Maar ondanks alle moeilijkheden vonden we als gezin snel onze draai in Alverton House: het was er warm en droog, er was ruimte genoeg voor ons allemaal en – het allerbelangrijkste – het was van ons.

Om geld te besparen overnachtten Emma en Yo niet meer op de kloosterschool, wat betekende dat ik hen elke dag moest brengen en halen, twintig kilometer heen en twintig kilometer terug. Jennie en Johnny zaten nog steeds op de plaatselijke basisschool en moesten al vroeg hun eigen gang leren gaan: 's middags zelf met de sleutel naar binnen gaan, iets te eten maken en huiswerk doen totdat ik thuiskwam. Alle kinderen werden gedurende die eerste paar jaar in Alverton zelfstandiger en leerden zichzelf te vermaken met eenvoudige activiteiten als rolschaatsen, fietsen en hinkelen. Johnny knutselde een kleine houten skelter in elkaar en wist mij er op de een of andere manier toe te bewegen het ding met alle kinderen erin met mijn Renault 4 voort te trekken; ze gilden het uit van plezier.

In de gouden zomermaanden werden er geheime hutten gebouwd van stro, de kinderen ravotten met Toto in de korenvelden en de struiken, we speelden het Poeh-stokkenspel in het riviertje dat door het dorp stroomde en visten met wormen. Er werd een dorpsfeest gehouden, het rook naar versgemaaid gras en in onze tuin moesten de rozen, de bloemperken en de groenten worden verzorgd. Emma kon een paard lenen waar ze op mocht rijden en rukte zich los van haar geliefde planten om zich met hart en ziel te storten op de bezigheid die ze het meest had gemist.

Het grootste deel van de zomervakantie brachten we door bij mijn vader in zijn fantastische huis in Duncow in Dumfriesshire. De kinderen konden er naar hartenlust rondstruinen en spelen in de dennenbossen of in het beekje, vissen, kamperen, picknicken aan zee of wandelingen maken over de uitgestrekte modderige platen van het estuarium van de Solway. We zochten mosselen en wilde bloemen langs de kust, maakten kampvuren om warm te blijven en kookten worstjes voor tussen de middag. Onvermijdelijk deden deze vakanties ons ook altijd weemoedig terugdenken aan de keren dat we daar in gelukkiger jaren met Bunny waren geweest, maar ik vond het belangrijk dat de kinderen zagen dat het leven doorging, dat hun grootvader als enige volwassen man nog steeds een actieve rol kon spelen in hun leven en dat ze met warmte aan hun vader konden terugdenken.

In Alverton speelden de kinderen 's avonds en gedurende de wintermaanden eindeloos kaart en monopoly, spelletjes die vaak dagenlang duurden, tot een van hen zoveel onroerend goed bezat of zoveel schulden had dat het wel móést uitlopen op ruzie. Natuurlijk waren er de onvermijdelijke kibbelpartijen die ieder gezin kent als de kinderen opgroeien en steeds meer individuen worden; ik probeerde de orde te handhaven zonder hun enthousiasme te beknotten.

Vooral Emma was een vrije geest, en ik zag met genoegen hoeveel energie ze in haar hobby's stak. Ze droogde wilde bloemen en plakte ze in herbaria, wat me deed denken aan mijn eigen jeugd. Ze kweekte planten in de tuin, waarbij ze het zaad in het wilde weg over de grond strooide zodat het één onoverzichtelijk oerwoud werd, wat schilderachtiger stond dan welk ontwerp dan ook. Telkens wanneer er een komkommer, pompoen of courgette rijp was, moesten we allemaal plechtig bij elkaar gaan zitten om hem op te eten. De andere kinderen protesteerden luidkeels als Emma hun borden versierde met felrode en oranje bloesems van de Oost-Indische kers (die ze ook kweekte), maar zij hield vol dat die eetbaar waren en wilde niets horen van hun klachten.

Ze verzamelde driftig schelpen als we aan het strand waren en werkte met een hamer en een beitel voorzichtig fossielen los uit de rotsen. Als iemand die wij kenden op het punt stond naar een of ander ver land te reizen, smeekte zij die persoon om de mooiste exemplaren mee te nemen voor haar verzameling. Ze hield van gezelschap, zocht zelden de eenzaamheid op en bracht altijd vrienden mee naar huis. Ons huis was knus en gezellig en de ontspannen sfeer verschilde sterk van de soberheid van de meeste andere grote huizen in Noord-Yorkshire. Wanneer ik thuiskwam trof ik in de kleine zitkamer een troep slungelige, limonade drinkende en kletsende tieners aan. En ik betreurde de dag dat ik dan eindelijk een telefoonaansluiting had genomen, want die ging daarna voortdurend; de meeste bellers waren vriendjes van Emma en Yo.

Weldra werd het huis overstroomd door jongens. Door haar hese stem en haar lengte leek Emma veel ouder dan ze was, en zij en Erica genoten volop van alle aandacht. Ze vonden het heerlijk een beetje van de een naar de ander te fladderen zonder zich nog aan iemand te binden. Ze bleven tot laat op in de zitkamer, deden spelletjes, lachten en praatten, en ik ging naar bed en deed watjes in mijn oren om nog wat slaap te krijgen voor ik de volgende dag weer moest werken.

Ik kreeg alleen even rust als ze een bepaald tv-programma graag wilden zien. Dan gingen ze namelijk ergens anders heen om het in kleur te zien, want mijn oude zwartwit-tv was hun te min. Afgezien van zijn ouderdom had dit apparaat de gekmakende gewoonte er midden in een spannende film of detective plotseling mee op te houden als er geen geld meer in de meter zat. Er brak dan een koortsachtige activiteit los: we doorzochten met zaklampen alle kamers naar een vijftigpencestuk om weer stroom te krijgen voordat de film helemaal zou zijn afgelopen.

Haar hele leven was Emma dol op feestjes. Ze had nooit enige last van de aanvallen van verlegenheid waardoor de meeste mensen, onder wie ook ik, in hun jeugd worden geteisterd. Ondanks het feit dat wij het niet breed hadden, bleven onze kinderen bevriend met veel van de rijkere kinderen uit de buurt, en toen ze in de puberteit kwamen, werden ze af en toe uitgenodigd op nogal overdadige feestjes. In onze kennissenkring bestond de neiging feestjes zo chic mogelijk te maken. Zelfs nadat ze al uit Yorkshire was weggegaan, deed Emma haar best om thuis te zijn voor dergelijke gelegenheden, want ze meende dat dat soort feestjes tot uitsterven gedoemd was.

Wanneer Emma thuiskwam, dacht ik vaak terug aan de eenvoudige genoegens van haar kindertijd. De herinneringen kwamen weer boven:

schaatspartijen in de winterkou, als de ondergelopen velden op vorstdagen waren omgetoverd in ijsbanen. Onze adem die tot grote dampwolken condenseerde. Soms speelden we 's avonds ijshockey onder de koude winterhemel vol heldere sterren.

Emma vond het als volwassen vrouw heerlijk om gasten te ontvangen en was daar ook erg goed in; ze had vaak mensen te eten. Zij en Yo zetten Jennie in als keukenhulpje en serveerster en Johnny als barkeeper, doften zich helemaal op en hielden hun 'jour'. Ik kreeg strenge instructies om na het hoofdgerecht met de jongste twee kinderen naar de bioscoop of ergens anders heen te gaan. Een etentje kan nooit wat worden als de moeder of de jongere broertjes en zusjes van de gastvrouw er rond blijven hangen net als het interessant wordt.

Een van de opvallendste eigenschappen van Emma was haar goede smaak op het gebied van kleren, die ten dele uit nood geboren was. Vanaf haar vroegste jeugd, toen ze in Assam met de kralen van haar ayah speelde, had ze oog voor exotische dingen gehad, en omdat we geen geld hadden om dure zijden japonnen of baljurken voor haar te kopen, werd ze creatief in het optimaal gebruiken van wat er was of wat ze kon vinden. Ze werd het nooit moe nieuwe combinaties te verzinnen, waarbij ze de prachtigste resultaten bereikte met stoffen, patronen, sieraden en hoeden. Een van haar feestjurken was vervaardigd van zwarte vuilniszakken die ze droeg in combinatie met mijn langste avondhandschoenen en parels, en een andere opvallende jurk, die half wit, half zwart was, had ze gemaakt van goedkope coupons. Ze had er oog voor en neusde altijd rond op rommelmarkten en bazaars, om triomfantelijk thuis te komen met gebroken kralen, oude zijden sjaals of wat voor interessants ze ook maar van haar zakgeld had kunnen kopen. Die spullen vermaakte ze dan tot iets heel persoonlijks, stijlvols en bijzonders, waarin ze er altijd elegant uitzag. Dit was typerend voor haar, en ze zou het de rest van haar leven blijven doen.

Wat haar schoolwerk betreft: ze was ijverig en vastbesloten om het goed te doen. Ze was ook echt een goede leerlinge en haalde in 1981 acht vakken op havo-niveau. Daarna vroeg ze mijn raad over wat ze verder zou gaan doen. Kunst was nog steeds haar beste vak, en ze wilde de vakken kunst en geschiedenis graag op vwo-niveau halen. Maar waar? Hoe graag ik haar ook om me heen had, ik wist dat het haar goed zou doen een tijdje van huis te zijn, een ander deel van het land te zien, nieuwe ervaringen op te doen en nieuwe vrienden te maken. Ze werd toegelaten tot het Godalming Sixth Form College en mijn zus Sue stemde erin toe dat Emma bij haar, Martin en de kinderen in Surrey zou komen wonen. Dus toen was het zover: ze ging, op haar zeventiende, uit huis.

In het begin leed ik er vreselijk onder dat ik haar niet meer bij me had. In de voorgaande jaren – waarschijnlijk de moeilijkste van mijn leven – was ze mijn houvast, mijn medesamenzweerster en, misschien nog wel het belangrijkste, mijn beste vriendin geworden. Maar ik hechtte nog steeds veel belang aan een goede opleiding en ik wist dat ze met een diploma van de school in Surrey meer mogelijkheden had. Ook leek het me goed dat ze een poosje weg was uit Yorkshire. Hoewel ik mijn uiterste best had gedaan de pijn van de laatste jaren te verzachten, zou dit district altijd een plek van verdriet blijven waar iedereen haar voorgeschiedenis kende, wist van Bunny's dood en haar daarom misschien, heel misschien, wel anders behandelde.

Hoe moeilijk de beslissing ook was geweest om haar te laten gaan, binnen een paar weken wist ik dat ik gelijk had gehad. Het leven in het zuiden was net iets voor haar. Als om het traject voor de rest van haar leven uit te zetten begon ze zich op Godalming College te omringen met interessante, eigengereide mensen. In hun gezelschap kwam haar persoonlijkheid tot bloei; ze was nooit bang haar mening uit te spreken over zaken die haar bezighielden, maar was desondanks in staat bevriend te blijven met degenen wier ideeën ze afkeurde. Al op jonge leeftijd waren haar meningen goed onderbouwd en doordacht; de mensen praatten graag met haar. Met name haar oom Martin – de eerste vaderfiguur in haar leven sinds lange tijd – had een sterke invloed op haar en moedigde haar aan discussies en gedachtewisselingen aan te gaan, ook al verschilden ze uiteindelijk vaak van mening. Ze kon zelfs charmant en ontwapenend zijn als ze het oneens was met een ouder iemand.

In Surrey begon voor haar een zorgeloze, avontuurlijke periode. Ze choqueerde nog steeds graag met haar zotte kleren en haalde gekke stunts uit; zo stapten zij en drie medestudenten een keer in Milford als cowboys verkleed in een trein om geld op te halen voor een goed doel. Ze beenden door de wagons, bedreigden mensen met neppistolen en vroegen geld voor de kas van Godalming College. Ze handelden uit jeugdige ijver en bravoure en hadden geen kwade bedoelingen, maar een oudere dame was zo geschokt dat ze het incident op het station meldde. De politie kwam de volgende ochtend aan de deur en Emma en haar vrienden kregen een officiële waarschuwing.

Een tijdje later verruimde Emma haar horizon nog meer door voor het eerst zelfstandig op een buitenlandse vakantie te gaan: ze reisde met drie studievriendinnen een zomer door Italië met een EuroRail-pas. Ze had totaal geen last van verlegenheid en trok op elk strand haar kleren uit om topless of naakt te zonnebaden, genietend van een vrijheid die ze sinds haar jeugd in Assam niet meer had gekend. Ze sliepen op stranden en in jeugdherbergen, en ook een paar prachtige dagen in een schitterend kasteel dat eigendom was van Luigi, een knappe jonge Italiaan die ze hadden ontmoet. Emma was weg van Italië en dacht nog vele jaren lang met weemoed terug aan de reis; ze bewaarde brieven en foto's als aandenken aan een tijd dat ze zich voor haar gevoel nog nergens zorgen over hoefde te maken. Emma kwam nu in een periode waarin ze, met haar zwierige jurken en haar bohémienachtige kralen, de ene reis na de andere maakte; die reislust zou ze best eens van Bunny geërfd kunnen hebben.

Al een paar maanden na haar terugkeer uit Italië maakte ze plannen voor de volgende reis. De zomer daarna liftte ze met een vriend, Henry Leveson-Gower, via Joegoslavië naar Griekenland; ze wist van haar gecharmeerde vrachtwagenchauffeurs zonder veel moeite over te halen haar in het bed in de cabine te laten slapen, een luxe die ze helemaal niet nodig had, want ze had al van jongs af aan het vermogen om altijd en overal te slapen. Aan de arme Henry de taak om, terwijl Emma in dromenland was, zo goed en zo kwaad als het ging met de chauffeurs te converseren in de een of andere vreemde taal.

Toen bleek dat mijn beslissing om Emma naar Surrey te sturen goed had uitgepakt, schreef ik Erica een jaar later eveneens in op Godalming Sixth Form College; Jennie bleef op de plaatselijke kostschool en Johnny op een kostschool in Aysgarth. Alverton House leek onvoorstelbaar stil en leeg nadat Erica was vertrokken. Ik merkte dat ik de permanente stroom bezoekers en telefoontjes miste, en hoewel ik soms met vrienden uitging en heel af en toe ook met een man, voelde ik me in deze periode, waarin ik me voorbereidde op het leven na de kinderen, toch vooral eenzaam. Heel anders dan ik me had voorgesteld toen ik met Bunny trouwde. Geen zeven kinderen, geen kast van een huis in de koloniën, weinig geld. De gouden tijd dat ik in de theetuin in Assam leefde, leek heel ver weg.

In 1982 nam ik met angst en beven de beslissing mijn baan bij de school in Catterick Garrison op te zeggen. Ik was van plan een tijdje in Londen te gaan wonen en werken. Zo zou ik dichter bij Emma en Erica zijn, en de andere kinderen zouden de kans krijgen Londen te leren kennen als ze in de schoolvakanties thuis waren. De eerste tijd logeerde ik afwisselend bij een aantal vrienden en kennissen in de hoofdstad; soms sliep ik op een matras op de vloer. Ik schreef me in op een avondcursus voor secretaresses om me te laten omscholen van de mechanische naar de elektrische schrijfmachine, en zocht verwoed naar een tijdelijk baantje om het hoofd boven water te kunnen houden.

Het was destijds in Londen vreselijk moeilijk om werk te vinden. Ik sjokte de hele stad door met stapels kopieën van mijn cv in de hand, klopte onaangekondigd aan bij tientallen bedrijven om te vragen of er vacatures waren, om steeds weer te worden afgewezen omdat ik nog twee minderjarige kinderen had. Op een middag na weer zo'n zware dag vol afwijzingen en onbeleefdheden bleef ik op Piccadilly Circus midden op het trottoir stokstijf staan, ongevoelig voor de blikken van de voorbijgangers; ik deed mijn ogen dicht en schreeuwde in gedachten tegen Bunny: 'Hoe heb je mij dit aan kunnen doen?' Terwijl het verkeer voorbijraasde, schoot me een andere dag in Londen te binnen, jaren geleden, toen ik met plannen rondliep om me voor een bus te gooien. Maar mijn vasthoudendheid en vastberadenheid hadden uiteindelijk succes, want ik kreeg een tijdelijke baan bij de boekwinkel Hatchard's in Piccadilly, waar ik in de drie maanden tot Kerstmis hulpkracht werd op de afdeling biologie. Ik had er een leuke tijd en ontmoette er interessante mensen.

De dag voor Kerstmis ging ik met de trein terug naar Yorkshire, waar de kinderen al thuis waren gekomen en op me zaten te wachten. Het huis, dat wekenlang leeg had gestaan, ging geheel schuil achter een hulststruik en een boom, en alle voorbereidingen voor een echt kerstmaal met kalkoen waren getroffen; het hoefde alleen nog maar bereid te worden. Ze waren erg trots op wat ik in Londen had bereikt, zeiden ze, maar ze hadden me in de weekends gemist en wilden me laten weten hoeveel. Het was een geweldig gebaar en het voelde echt alsof ik thuiskwam.

In het nieuwe jaar, 1983, ging ik weer op zoek naar een baan in Yorkshire, me pijnlijk bewust van mijn slechte vooruitzichten in Londen. De zoektocht duurde zes weken en was wederom zeer ontmoedigend. Ik werd steeds wanhopiger en was bereid om alles aan te pakken als ik er maar geld voor kreeg. Ik probeerde zelfs een baan in een vleesfabriek te krijgen, maar werd afgewezen. Toen werd ik door vrienden attent gemaakt op een interessante betrekking bij Tennants Fine Art, een veilingbedrijf in het marktstadje Leyburn. Dankzij hun voorspraak en mijn eigen koppigheid wist ik de baan te bemachtigen; ik zou er drie jaar blijven en het werd mijn interessantste betrekking. Alle plannen voor een verhuizing naar het zuiden gingen weer even in de ijskast.

Nadat ze haar beide vakken op vwo-niveau had gehaald, moest Emma beslissen wat ze nu verder wilde. Ze kon aan de universiteit van Newcastle kunstgeschiedenis studeren, maar ook aan de hogeschool in Oxford. Ik was blij en opgelucht toen ze voor Oxford koos. Ik wist dat ze meer kansen zou hebben als ze in de wereldberoemde universiteitsstad zou gaan wonen en studeren. Ik kreeg opnieuw gelijk. Tijdens haar drie jaar in Oxford kwam Emma's persoonlijkheid tot volle wasdom en dankzij haar onverschrokkenheid begon ze aan de eerste van een reeks zeer bijzondere ervaringen. De navelstreng was nu echt definitief doorgesneden.

Ze vond een studentenhuis, dat ze ging delen met Anna Baldock, Jo Mostyn en nog een vriendin. Jo's moeder en ik hielpen met de verhuizing; we reden in onze autootjes, mudvol gepakt met de have en goed van onze dochters, zuidwaarts om deze belangrijke nieuwe fase in hun levens in te luiden. Jennie en Johnny gingen mee, en op een klamme zaterdagmiddag in september 1984 troffen we elkaar allemaal bij het huis. Het was ruim maar naargeestig kaal en leeg. Na de reis smachtten we allemaal naar een kop hete thee, maar er was geen stroom en het was te laat om die dag de elektriciteitsmeter nog te laten aansluiten; daarom verkasten we naar een café in de buurt voor een gezellige avond.

Toen we voldaan, warm en gelukkig weer de straat op stapten, botsten we – letterlijk – op tegen een groepje jongens die slaags met elkaar raakten. Het gebeurde binnen een paar seconden, zonder waarschuwing vooraf. Zware vuisten flitsten langs mijn hoofd en ik greep de meisjes en trok ze weg. De knullen rolden knokkend het parkeerterrein op en mijn arme Renaultje 4 – met een woedend blaffende Toto erin – liep een paar onherstelbare deuken op. De akelige scène was even snel voorbij als ze was begonnen; de jongens verdwenen in de nacht en wij bleven een beetje trillerig achter. Ik maakte me zorgen over Emma's veiligheid in de wereld die ze nog moest gaan ontdekken.

We slopen terug naar het huis en iedereen vond een slaapplekje op de grond. De volgende ochtend stonden we vroeg op om de handen uit de mouwen te steken. We hingen schilderijen en gordijnen op (overschotten uit Cowling Hall), pakten dozen uit, maakten de keuken schoon en gebruikten een uitgebreide brunch voordat we de meisjes alleen lieten. Bij het afscheid omhelsde ik Emma stevig en drukte ik haar een biljet van twintig pond in de hand; meer kon ik niet missen. Gelukkig ging kort daarna haar beurs in, en met de twintig pond per maand die ik haar bleef sturen en door haar inkomen aan te vullen met een avondbaantje als serveerster redde ze het net, al eindigden haar brieven naar huis steevast met: 'Stuur s.v.p. kleren enz.'

Emma stortte zich met de voor haar kenmerkende energie op haar studie; al haar projecten waren interessant, afwisselend en hadden vaak te maken met maatschappelijk achtergestelde mensen. Voor een van die projecten fotografeerde ze een zwerver, een non en een zakenman als drie contrasterende figuren voor 'een dag in het leven'. Een van de weinige keren dat ze een weekend in Yorkshire was zaten we om de keukentafel; ik bekeek haar sfeervolle zwartwitfoto's die voor me lagen terwijl zij haar ideeën uiteenzette. De vrijgevochten sfeer in Oxford prikkelde haar verbeelding en gaf ruim baan aan haar voorkeur voor het ongewone. Men zag haar op een gewone druilerige ochtend door de straten van de stad fietsen met kleren aan die niet zouden misstaan op een cocktailparty. De mensen vergeleken haar, met haar kleurige, zwierige jurken en japonnen, haar opbollende sjaals en haar breedgerande hoeden, weleens met een personage uit een stuk van Noel Coward, maar zeiden er dan bij dat ze ook de lef en het air had om dat waar te maken.

Een paar maanden droeg ze een lange paarse fluwelen jas, een afdankertje van een vriendin van de familie. Met haar rijzige gestalte, haar hoge jukbeenderen en haar donkere haar zag ze er erg mooi en elegant uit, en ze genoot van de aandacht die ze kreeg. Volgens haar vrienden kon ze in Oxford soms niet besluiten of ze Europees of exotisch was; ze leek te worden verscheurd tussen die twee polen, geboren in India en opgegroeid op het Engelse platteland met kolonialen als ouders.

Haar opvallende en enigszins bohémienachtige verschijning was het eerste wat de aandacht van Sally Dudmesh trok, een aantrekkelijke blonde studente antropologie; ze ontmoetten elkaar voor een mededelingenbord van de universiteit. Het klikte meteen en Sally en Emma werden al snel dikke vriendinnen en bleven dat ook. Sally zei later dat het was alsof ze haar eigen zus had ontmoet. Zij was in Afrika geboren en opgevoed, maar met een Brits paspoort, en ze was de eerste en misschien wel de belangrijkste persoon in Emma's leven die bij haar belangstelling wekte voor Afrika en de derde wereld. Sally was ook degene die Emma voorstelde aan iemand die eveneens belangrijk voor haar zou worden: Willie Knocker, een blonde, enigszins gezette blanke Keniaan, die zelf student en enthousiast amateur-bioloog was; hij was destijds Sally's vriendje. Hij was ex-militair en Emma vond hem autoritair, bits en eigenwijs, maar ze vond het altijd leuk om de degens met hem te kruisen. Hij noemde haar op zijn beurt 'lady Cruella de Ville' vanwege haar scherpe tong. Vanaf dat moment was hun vriendschap bezegeld.

Annabel, de mooie en intelligente dochter van onze dominee en huisvriend Frank Ledgard, verhuisde eveneens naar Oxford voor haar eerste baan na haar afstuderen. Toen Annabel een huis vond waar ze met haar jaargenoten ging wonen, trok Emma bij haar in. Ik was daar aanvankelijk niet zo enthousiast over; ik vond dat Emma het studentenleven te snel achter zich liet om te gaan samenwonen met mensen die ouder waren, met andere dingen bezig waren en meer geld hadden dan zij. Ieder van hen blonk op zijn of haar eigen manier ergens in uit. Ze vormden een soort mini-Bloomsbury-groep van kunstenaars, beeldhouwers, wetenschappers en tuinarchitecten. Maar Emma paste zich zoals altijd aan en het huis dat ze met elkaar deelden, het oude postkantoor in Littlemore, een leuk huis met een ruime maar verwilderde tuin, zou de komende drie jaar haar onderkomen worden.

Ze verruilde haar fiets voor een bromfiets en kocht een paar krielkippen in de hoop dat de verkoop van de eieren zou bijdragen aan het huishoudgeld, een opzet die ook slaagde totdat iemand het hek open liet staan en de kippen allemaal wegliepen. Ze plantte groenten en lathyrus in de tuin en beschreef in een brief in extatische termen hoe het vroeger zo verwaarloosde grasveld door haar goede zorgen was omgetoverd in een zachtblauw ereprijstapijt. Jaren later kwam ik toevallig langs een veld vol ereprijs en barstte ik in tranen uit, wensend dat zij erbij was geweest om het te zien.

Emma kon altijd goed opschieten met mensen die ouder waren dan zij en werd goede maatjes met het verhuurdersechtpaar, Teddy en Jeffie Hall, en op den duur ook met hun zoons Bill en Martin. Bill, een energieke jongen van zesentwintig, was afgestudeerd aan de universiteit van Exeter en werkte nu voor het familiebedrijf, dat gespecialiseerd was in techniek en informatica. Vliegen was zijn grote passie; hij had al op zijn negentiende zijn brevet gehaald en drie jaar voordat hij Emma ontmoette had hij zijn eerste eenmotorige vliegtuigje gekocht, een Robin Aiglon, een toestel voor maximaal vier personen.

Ik ontmoette Bill voor het eerst op een winterse zondag, volkomen onverwacht. Johnny en Jennie waren al de hele morgen samenzweerderig aan het giechelen over het een of andere grote geheim en toen ging de telefoon. Het was Emma.

'Hoi mam, ik ben in Bedale,' zei ze. 'Ik kom lunchen.'

Ik was verrast en verbaasd, en helemaal toen ik ontdekte dat Bill Annabel en Emma 'even' vanuit Oxford had overgevlogen. Het was een gezellige, spontane familiebijeenkomst, waarna ik Bill en de twee meisjes met de auto terugbracht naar het kleine vliegveldje, niet meer dan een strook gras, bij Thirsk. Bill leek me aardig, hoewel hij met zijn sportjasje en zijn ribfluwelen broek het absolute tegendeel was van mijn slordige, chaotische dochter; 'uit de betere kringen', zei Emma, en zo was het precies. Toen ik terugreed naar huis, vroeg ik me verstrooid af of dit nu een voorbeeld was van tegenpolen die elkaar aantrekken.

Bill had een voorliefde voor het maken van lange vliegreizen in zijn eentje; hij was al naar Kathmandu gevlogen, en via IJsland en Groenland naar Amerika, maar zijn grote droom was om ooit nog eens naar Darwin in Australië te vliegen, waar zijn overgrootvader de basis had gelegd voor het familiefortuin. Het was een reis van bijna vijfentwintigduizend kilometer die honderdtwintig dagen zou vergen, en Bill wist dat hij dat nooit in zijn eentje zou kunnen.

Emma bood aan zijn reisgezel en gids te zijn. 'Ik ben ervoor in als jij het goedvindt,' zei ze. Bill kon geen weerstand bieden aan deze sprankelende jonge vrouw die, zelfs als ze verder niets zou kunnen, zeer aangenaam reisgezelschap zou zijn. Emma moest toen alleen nog een paar kleine probleempjes oplossen: ze moest mij winnen voor het idee, en, een nog veel grotere uitdaging, haar docenten ervan zien te overtuigen dat ze best kon slagen voor haar studie, ook al miste ze drie maanden. Die winter kwam ze op een keer thuis voor het weekend met een speciaal lichtje in haar ogen. Ik dacht eerst dat ze verliefd was, ik bedoel verliefd op een man. Bills naam viel om de andere zin. Maar na een tijdje, toen ik het hele verhaal te horen kreeg, begreep ik dat het geen gewone verliefdheid was. Het was een hang naar avontuur.

Aanvankelijk had ik een hevige weerzin tegen het idee. Niet eens zozeer vanwege de voor de hand liggende gevaren van een reis om de halve aardbol in een eenmotorig vliegtuigje met iemand die ze nauwelijks kende. Mijn weerzin had te maken met het feit dat ze überhaupt overwoog om haar studie op zo'n kritiek moment te onderbreken.

'Het kán gewoon niet, Emma,' hield ik aan, onderwijl verwoed in de jus voor over de gebraden kip roerend. 'Zo'n lange onderbreking van je colleges kun je je simpelweg niet veroorloven. Wees verstandig.'

De blik die ze me toewierp wees me mijn plaats. Ik voelde me een vervelende ouwe zeur en fronste mijn voorhoofd toen ik terugdacht aan mijn eigen jeugd, waarin mijn moeder altijd alles had afgekeurd wat ik deed.

Emma rook mijn besluiteloosheid en greep haar kans. 'Hè toe mam, alsjeblíéft?' smeekte ze. 'Zo'n kans krijg ik nooit weer. Het is zoiets als een vliegend tapijt dat me naar plaatsen brengt waarvan ik tot nu toe alleen maar kon dromen.'

Toen ik opkeek, wist ze dat ze het pleit had gewonnen. Ik wees met mijn pollepel in haar richting en knikte langzaam.

'Goed Emma, maar op één voorwaarde...' begon ik.

Ze sloeg haar armen om mijn hals en drukte me tegen zich aan. Ik duwde haar van me af, keek recht in haar heldergroene ogen en sprak haar streng toe.

'Van mij mag je gaan, mits... luister je?... míts je docenten het goedvinden dat je zo lang weg bent.' Ze knikte en glimlachte, en ik zag dat ze in gedachten al aan het pakken was. Ze wist dat haar docenten na een beetje vriendelijk aandringen nog veel makkelijker overstag zouden gaan dan ik.

En inderdaad bedacht Emma in een geïnspireerd moment iets wat de mensen van de hogeschool over de streep trok. Ze beweerde dat ze, door de wereld in vogelperspectief te bekijken, een schat aan nieuwe ideeën voor haar beeldende kunst zou opdoen. Ze kon een camera meenemen en de voortdurend veranderende kleuren, landschappen, zeeën, woestijnen, oerwouden en bergen fotograferen waar ze overheen vlogen; op die dia's zou ze, weer thuisgekomen, al haar toekomstige projecten kunnen baseren. Met haar karakteristieke doortastendheid kostte het haar niet veel tijd hen te overtuigen; ze wist ook nog een half jaar extra studietijd los te krijgen. Toen begonnen Bill en zij serieus aan de voorbereidingen voor hun reis. Emma wierp zich met volle ijver op de publiciteit, belde kranten en radiostations in de hele wereld en beloofde hun gedetailleerde verslagen van alle etappes van hun reis. Het was een zeer nuttige ervaring, waarvan ze jaren later nog de vruchten zou plukken. Ze was nooit teruggedeinsd voor publiciteit, hield al vanaf haar jeugd van de camera en wist hoe ze die voor haar eigen voordeel kon gebruiken.

Bill hield zich bezig met het plannen van hun brandstofstops en het bijeenbrengen van het geld voor hun hotelovernachtingen. Ik had het volste vertrouwen in hem. Hij was een serieuze, begaafde jongeman die zelf had onderhandeld over zijn lange afwezigheid van zijn werk en de route zeer nauwkeurig had gepland. Terwijl hij en Emma in de weer waren met kaarten en koersen en hun reis stap voor stap uitzetten, groeide zowel hun als mijn opwinding.

'Ik heb twee belangrijke voorwaarden,' zei Bill bedachtzaam tegen Emma. 'Ik denk niet dat het verstandig is als jij op reis van die hippiekleren draagt. Hoe verder we naar het oosten gaan, hoe meer problemen dat geeft. Iedere keer dat we ergens landen, zullen ze denken dat we een lading drugs aan boord hebben.'

Tot zijn en mijn verbazing knikte Emma instemmend. Hij was tenslotte de gezagvoerder. Bill had nu genoeg moed verzameld voor het vervolg. 'De tweede voorwaarde is dat je absoluut geen exotische sieraden mag dragen. Van al dat metaal raakt de navigatieapparatuur volledig de kluts kwijt.' Emma trok een pruillip en haar hand ging beschermend naar haar pols. Het was alsof hij haar had gevraagd om naakt te reizen. Ze stemde echter morrend toe en deed haar sieraden over aan een opgetogen Jennie.

Zo waren ze het dus eens over de voorwaarden, en nadat de koffers waren gepakt stond niets de reis meer in de weg. Op zaterdag 11 januari 1985 begaven Jennie, Johnny en ik ons samen met Bills familie naar het vliegveldje High Wycombe Park in Buckinghamshire, vlak bij Oxford, om de twee jonge reizigers in hun onaanzienlijke vliegtuigje uit te zwaaien op hun reis naar de andere kant van de wereld. Ik had behoorlijk de zenuwen toen ik het besneeuwde vliegveldje bereikte, maar toen ik het vliegtuigje – dat de bijnaam 'Birt' had – uit de hangar zag rijden en opmerkte dat het nauwelijks groter was dan mijn Renaultje en een stuk fragieler, voelde ik mijn hart samentrekken van angst. Hun onderneming leek tot mislukken gedoemd door de enormiteit ervan, maar Emma was zo opgewonden dat ik me zoals altijd liet meeslepen door haar uitbundigheid.

Bill bleef kalm terwijl de laatste controles werden uitgevoerd, maar was bang dat ze niet op tijd zouden kunnen vertrekken om op schema te blijven, want Emma bleef maar bezig al hun spullen in de nauwe cabine te stouwen, die zo vol was dat zij er nauwelijks meer bij konden. Het vliegtuigje puilde uit van de kaarten van alle werelddelen, overlevingspakketten, reddingsvlotten en -vesten, rekenlinialen en -machines, een paar repen chocola en een tank met reservebrandstof. Gelukkig hadden we – op aanraden van Bills vader – Emma's enorme oude koffer ingeruild voor een kleine weekendtas, waarin ze maar vijftien kilo aan persoonlijke spullen kwijt kon.

Bill startte de motoren en na een emotioneel afscheid vertrokken ze; vanaf de grond zwaaiden we tot ze in de dikke sneeuwwolken verdwenen waren. Ik bleef op de startbaan staan luisteren tot het gezoem van het toestelletje in de verte was weggestorven. Eén kort moment wilde ik alles afblazen, mijn dochter terugroepen, haar zeggen dat ik me vergist had. De avond tevoren had ik het woord *adventure* opgezocht in het *Oxford English Dictionary*; tot mijn ontsteltenis stond daar het volgende: 'Kans op gevaar of verlies; gevaar, risico; gevaarlijke onderneming, gevaarlijk karwei.' Ik putte weer moed uit een snelle blik in het *Chambers Dictionary*, waar de definitie luidde: 'Opmerkelijk incident; zakelijk of financieel waagstuk; opwindende ervaring; ondernemingslust.'

Emma en Bill kregen vrijwel onmiddellijk na hun vertrek problemen. Er heerste een bittere kou in Europa en ze dreigden door ijzel ernstige vertraging op te lopen. Bill besloot tijdens de vlucht om de route aan te passen en in een boog om Frankrijk heen te vliegen. Toen hij zijn nieuwe route bekend wilde maken aan de Franse luchtverkeersleiders, kreeg hij te kampen met zijn eerste ernstige taalbarrière. Slecht weer en gebrekkige communicatie bleven hen achtervolgen. Op het traject van Athene naar Kreta moest Emma met een zaklantaarn naar buiten schijnen om te controleren of er geen sprake was van te sterke ijsafzetting op de vleugels, een gevaar dat het vliegtuig bedreigt bij temperaturen onder nul; ijsafzetting kan het toestel zo zwaar maken dat het neerstort. Tot overmaat van ramp werd het vliegtuigje geteisterd door zware zijwinden en was er net een staking van de Griekse verkeersleiders gaande, zodat ze zonder enige hulp vanaf de grond een noodlanding op Korfoe moesten maken. Emma vertelde me later dat haar angst tijdens dat deel van de reis haast tastbaar was geweest.

De Aiglon kon zes à acht uur achter elkaar met een snelheid van ruim tweehonderd kilometer per uur op een hoogte van drie kilometer vliegen voordat er moest worden bijgetankt, dus ze moesten in heel wat onbekende streken landen. Hun route liep via Frankrijk, Italië, Griekenland, Egypte, Saoedi-Arabië, Bahrein en Pakistan naar India. Daar wilden ze een toeristische stop van drie weken maken en vervolgens verder vliegen naar Birma, Thailand, Singapore en Maleisië, waarna ze op Bali ('op 29 maart om twee uur') Annabel zouden ontmoeten, die dan op de helft van een negen maanden durende rondreis door het Verre Oosten was. Ik verbaasde me over hun vertrouwen dat ze er op tijd zouden zijn.

Daarna zouden ze doorvliegen naar Australië, met stops in Darwin, Tennant Creek, Alice Springs, Ayers Rock, Broken Hill, Melbourne, Sydney en ten slotte Rockhampton, in de buurt van Mount Morgan in Queensland, om de goudmijn te bezoeken die aan het eind van de negentiende eeuw van Bills overgrootvader was geweest. Daarna zouden ze de terugreis aanvaarden. Het was een heroïsche reis in zo'n klein en kwetsbaar vliegtuigje, over zo'n enorme afstand en door zoveel verschillende klimaatzones. Een groot deel van de tijd zouden ze boven zee vliegen, of over ruig terrein waarin ze met geen mogelijkheid zouden kunnen landen als er iets misging, en het mag dan ook een wonder heten dat ze naar verhouding zo weinig problemen hadden.

Bills grootste zorg na Frankrijk was het kompas waarvan ze zozeer afhankelijk waren. Er was een luchtbel in gekomen, waardoor de nauwkeurigheid sterk was afgenomen en er variaties van wel vijftien graden konden optreden. Bill boog zich naar Emma toe en schreeuwde boven het lawaai van de motor uit dat ze de kaarten heel nauwkeurig moest bestuderen en hem opvallende herkenningspunten – wegen, spoorlijnen, rivieren – moest opnoemen waarop ze zich bij gebrek aan een goed kompas konden oriënteren. Het was met recht een avontuurlijke manier van reizen. Bills vliegtuigje had een vleugelnivelleerder, een soort automatische piloot, die hem in staat stelde af en toe even zelf op de kaart te kijken, maar Emma droeg als copiloot toch de hoofdverantwoordelijkheid voor de navigatie.

Toen ze de woestijnen van het Midden-Oosten bereikten, werd hun vliegtuigje plotseling opgestuwd door heftige thermiekbellen, die hen dreigden te destabiliseren en hen mogelijk zelfs gevaarlijk dicht in de buurt van de grote jumbojets zouden kunnen brengen die boven hun hoofden af en aan vlogen. Er waren verblindende stofstormen, waar ze zo bang voor waren dat ze op winderige dagen liever niet vlogen. Nog verder naar het oosten trotseerden ze geselende slagregens die op hun vliegtuigje neerstriemden en hun het zicht benamen terwijl de kakofonie van donder en bliksem om hen heen tekeerging. Boven Karachi in Pakistan viel de ontstekingsinrichting van de motor opeens uit, waardoor ze een paar bloedstollende ogenblikken doormaakten. Bill was gelukkig zo technisch aangelegd dat het hem lukte het euvel met een kleine schroevendraaier te verhelpen vlak voor ze ter aarde zouden storten; hij trok het bedieningspaneel er in volle vlucht uit en plakte een paar draden provisorisch met plakband vast. Ook lieten de wisselstroomdynamo's het diverse keren afweten en moest een lek in een verwarmingsbuis inderhaast met stopverf worden gedicht.

Ze hadden ook moeilijkheden die niets met het vliegtuig te maken hadden. Het was Emma's taak geweest om de visa te regelen voor alle landen die ze volgens hun planning zouden aandoen, waaronder Saoedi-Arabië, dat berucht is om zijn bureaucratie, maar zij wist de papieren met charme en vriendelijkheid zonder veel omslag los te krijgen. Om zo weinig mogelijk verdenking te wekken bij de officiële functionarissen met wie ze te maken zouden krijgen – vooral in het Midden-Oosten, waar een ongetrouwd stel niet samen mocht reizen behalve in het kader van werk – droeg Bill al zijn vliegersinsignes en leende Emma een outfit die veel leek op een stewardessenuniform, compleet met twee onverdiende gouden strepen. Maar in de nauwe, rommelige cabine van het vliegtuigje verloor ze weldra een van haar strepen, wat onvermijdelijk de aandacht vestigde op haar fictieve status, zodat zij en Bill meer dan eens vertraging opliepen wegens indringende ondervragingen door strenge ambtenaren. Ze moesten dan bewijzen dat ze geen drugs smokkelden of geheime politieke motieven koesterden. Het was soms heel moeilijk om achterdochtige immigratieambtenaren ervan te overtuigen dat ze gewoon twee onverschrokken reizigers waren.

Bill had er nog bij Emma op aangedrongen te breken met een oude gewoonte van haar en een bh te dragen; hij zag de opgetrokken wenkbrauwen al voor zich in landen waar een blote enkel al genoeg is voor hevige opwinding, laat staan een duidelijk zichtbare tepel. Emma had inderdaad een bh aangetrokken toen ze vertrokken, maar deed hem binnen een paar uur weer uit omdat ze hem te ongemakkelijk vond zitten. Bill zuchtte en constateerde opgelucht dat haar uniformblouse in ieder geval twee borstzakken had.

In Delhi hadden ze opnieuw een benauwd moment toen ze ontdekten dat ze theoretisch gesproken niet meer terug konden naar hun vliegtuig omdat ze noch tickets, noch officiële bemanningspassen hadden. Door te bluffen en met veel vertoon te zwaaien met hun internationale rijbewijzen kwamen ze ongedeerd door de veiligheidscontroles. Maar in Jeddah lieten de beambten zich niet zo makkelijk om de tuin leiden. Emma werd bij haar armen en benen gepakt en in een kamertje opgesloten totdat Bill het vliegtuig had volgetankt, want het was daar voor vrouwen verboden om zomaar op eigen houtje rond te lopen.

De tarieven voor de landingsrechten verschilden enorm, van driehonderd dollar voor slechts twee uur in Jeddah (het jumbojettarief) tot twee dollar per nacht in Rangoon. Toen ze het Verre Oosten hadden bereikt waren ze blij dat ze een tank met reservebrandstof bij zich hadden. Op een aantal van de meer afgelegen vliegvelden was geen Avgas (de lichte vliegtuigbrandstof) beschikbaar, en ze moesten de brandstof die ze bij zich hadden zelf in de vleugels overhevelen en -pompen, een omslachtig karwei. Iedere avond namen ze hun intrek in een plaatselijk hotel en de volgende ochtend vroeg vertrokken ze weer. Ze beweerden dat ze vliegtuigpersoneel waren en wisten zo vijftig procent korting te krijgen in luxehotels als het Raffles in Singapore, en ik was verrukt toen ik hoorde dat Emma een kamer had bemachtigd in de Tollygunge Club in Calcutta, waar ik vierentwintig jaar eerder zoveel gelukkige uren had doorgebracht.

Als ze in landen waren die berucht waren om het slechte eten, was hun voornaamste zorg dat ze in volle vlucht naar de wc zouden moeten, en ze letten erop niets te eten waarvan hun maag van streek zou kunnen raken. Ze hadden urinalen bij zich voor noodgevallen, maar slaagden er wonderwel in hun blazen en darmen zo te trainen dat hun wc-bezoek samenviel met de tankstops. In India bezochten Emma en Bill Patiala, een klein vorstendom in een voorgebergte van de Himalaya. Emma, die vlak bij dat imposante gebergte geboren was, bracht haar eenentwintigste verjaardag door in de schaduw van dezelfde besneeuwde toppen die ik op mijn eenentwintigste verjaardag had gezien. Bovendien was ze niet ver van Dehra Dun, de plaats waar mijn ouders waren getrouwd. Ik dacht de hele dag aan haar, gloeiend van trots dat ze op zo'n belangrijke dag in haar leven zoiets bevrijdends deed.

In een brief die ze vanuit Patiala naar huis stuurde, waar ze logeerden bij Uvi, een vriend van Bill, een voormalige maharadja, schreef Emma:

> *We wisten (uitsluitend dankzij Uvi) visa te bemachtigen. We waren waarschijnlijk de enige westerlingen in het hele gebied, want iedereen gaapte ons aan alsof we net van Mars kwamen. We brachten drie dagen door in de Himalaya, in de buurt van Simla, de oude zomerhoofdstad van Delhi. Ik vierde mijn eenentwintigste verjaardag in dat magnifieke gebergte; is er een betere plek denkbaar? De zonsondergangen waren schitterend en het gebied als geheel is adembenemend. Uvi had vroeger een prachtig zomerpaleis dat Chial heet, iets hoger in de bergen, maar helaas heeft de regering dat gebouw zoals zovele andere geconfisqueerd, en het is nu een deprimerend, vervallen hotel. Het is*

hartverscheurend om al die oude gebouwen te zien die nu van de regering zijn, zoals het oude fort in Patiala. Ze raken allemaal in verval, want de regering heeft, na zich alles te hebben toegeëigend, niet het geld of de wil om ze te onderhouden.

Emma en Bill maakten een niet-gepland uitstapje naar Kathmandu omdat ze maar gedurende maximaal twee weken op Indiase bodem mochten landen, en omdat Emma erheen wilde. Bill was verrukt dat hij samen met Emma op deze prachtige afgelegen plek op het dak van de wereld was; hij was haar als een goede en dierbare vriendin gaan beschouwen, maar niet meer dan dat. Toen ze uit Kathmandu vertrokken en door een tussen bergen ingesloten dal vlogen, waren ze sprakeloos van verrukking over een tapijt van weelderige rode rododendrons, een magnifiek gezicht. 'Birt' had net genoeg kracht om hen over de bergketen heen te tillen, richting Varanasi.

Toen ze landden op het vliegveld Dum Dum in Calcutta, werden ze verwelkomd door de plaatselijke pers, die door Emma vooraf was ingelicht. Toen haar foto in het plaatselijke dagblad verscheen, verslikte dokter Rhakal Chowdhury, die aan zijn ontbijt zat, zich in zijn koffie. Hij greep naar de telefoon om een voormalige collega te bellen die nu in Engeland woonde en vroeg: 'Is dit werkelijk ónze Emma?' Hij was de dokter die Bill en Wendy Burton eenentwintig jaar eerder had geassisteerd bij de geboorte van Emma, in het ziekenhuisje in de theetuin in Assam.

Bill en Emma bereikten Bali en ontmoetten Annabel, exact op de dag en de tijd die ze hadden afgesproken. Ze hadden een heerlijke tijd samen. Tot dan toe hadden ze meestal in veilige, officieel erkende hotels overnacht, vanwege de kosten op één kamer, maar eenmaal op Bali stónd Emma erop naar plekken ver buiten de gebaande paden te gaan. Bill vond het goed en moest later toegeven dat het vaak leuker was als Emma de overnachtingsplek had gekozen; een van die plekken op Bali vond hij zo mooi dat hij er drie jaar later op zijn huwelijksreis naar zou terugkeren.

Ik hoorde tijdens de reis sporadisch van Emma, afhankelijk van de posterijen van het land waar ze was; ik bewaarde alle kaarten en luchtpostbrieven vol nieuwtjes zorgvuldig. Haar reis werd door de plaatselijke kranten verslagen, zowel in Yorkshire als in Oxford, en zij hield zich trouw aan haar belofte om contact te houden. Tijdens een interview met Radio Oxford zei ze op kalme toon dat als ze een noodlanding op zee zouden moeten maken, ze een rots zou omklemmen en een beschrijving zou geven van de golven tot er hulp kwam opdagen. Typerend. Maar halverwege haar reis, de dag na mijn drieënveertigste verjaardag, ging rond negen uur 's avonds de telefoon bij mij thuis; toen ik hem oppakte, hoorde ik haar hese stem.

'Hoi mam,' riep ze vrolijk in de telefoon, 'even een live-bericht van mijn vliegende tapijt. We zijn in Australië, de zon is hier net op en Bill en ik hebben Ayers Rock beklommen.' Ze zweeg even en zuchtte tevreden. 'En mama, het is hier zo onmetelijk groot... adembenemend.'

De tranen sprongen in mijn ogen. Het was fantastisch om haar stem te horen en ik was vereerd dat ze een van de bijzonderste momenten van haar leven met mij wilde delen.

Hoewel Bill en Emma zeer verschillend waren – hij academicus en wetenschapper, zij artistiek en flamboyant – vormden ze op reis een prima team, en hun onvergetelijke avontuur liep zonder ongelukken af. Toen ze op een mistige ochtend vroeg weer het Kanaal overstaken, zagen ze de witte krijtrotsen van Dover.

'Zo, we zijn er weer,' grijnsde Bill. De reis was voorbij, de droom van zijn leven was in vervulling gegaan.

Emma kon geen woord uitbrengen. Het ogenblik was te gewichtig. Maar voor haar was het niet het einde, maar het begin van een reis.

Ik was een reiziger, gast slechts voor een week;
Maar, gewezen op de krijtrotsen van Dover,
Weende ik verwonderd, waren mijn wangen bleek.

uit 'The White Cliffs' van Alice Duer Miller

Ze landden op 1 mei weer in Engeland; ze hadden in totaal bijna vijftigduizend kilometer gevlogen. Emma had Bills 'noodpotje' uitgegeven aan een heel assortiment buitenlandse kleren en sieraden voor zichzelf, maar de meest extravagante aankoop van de hele reis was een stuk ruwe turkooisblauwe zijde, dat ze mij gaf om er iets heel bijzonders van te maken. Ik was ontroerd.

De weken na haar thuiskomst was ze druk in de weer; ze popelde om alle luchtfoto's te bekijken van de tientallen filmpjes die ze per post naar huis had gestuurd. Ik had nooit veel wijs kunnen worden uit al die dia's, maar zij ging op de grond liggen, bekeek ze stuk voor stuk en had binnen de kortste keren de mooiste eruit gezocht. Ze sprak met ontzag over de verbijsterende variëteit aan beelden die ze op het aardoppervlak beneden zich had zien voorbijtrekken: de door mensenhand gemaakte patronen en de geheimzinnige abstracten van ongevormde landschappen. Tot groot genoegen van haar docenten had ze binnen twee weken na haar thuiskomst een tentoonstelling klaar van de foto's die ze door de vaak half beslagen ramen van de kleine cockpit had genomen, zoals ze had beloofd. De titel ervan was 'De aarde van bovenaf'; de foto's zouden vanaf oktober te zien zijn in de Poster Gallery in Oxford. Haar reis was een groot succes geweest.

Ze was verrukt over de reacties die ze kreeg als mensen van haar reis hoorden, helemaal als ze haar vroegen of ze een paar van haar foto's konden kopen. Het nieuwtje verspreidde zich snel, en na een tijdje werd haar gevraagd haar ervaringen te beschrijven in een artikel van twee pagina's in *Harpers & Queen* dat als titel 'Australische odyssee' meekreeg. Het was haar eerste echte ervaring met de wereld van de pers en het bracht haar in een roes. Ze genoot van het gevoel van macht dat schrijven haar gaf, ze flirtte met haar roem, en ik voelde instinctief aan dat ze deze ervaring ergens veilig zou wegbergen om die later tot haar eigen voordeel te benutten. Het artikel werd gepubliceerd samen met twaalf van haar foto's, waarop onder andere velden in Frankrijk, de woestijn in de buurt van Luxor, wegen in Jeddah, verdroogde rijstvelden in India, een terraslandschap in de Himalaya in Nepal, een open plek in het oerwoud in Maleisië en een Australisch zoutmeer te zien waren. Aan het eind van het artikel schreef ze:

> *Al die verschillende geuren, spijzen, culturen en religies waren heel fascinerend, maar voor mij was het interessantste van deze reis dat ik de kans kreeg de aarde te bekijken vanuit vogelperspectief. Omdat we laag vlogen, konden we de landschappen onder ons bijna altijd heel duidelijk zien. Er waren ook dagen, vooral in Europa, dat het vliegtuig was gehuld in een sluier van wolken, of*

dat we boven de wolken uitstegen en die surrealistische wereld vol plukken watten binnengingen... maar meestentijds zagen we beneden ons rechthoekige velden, dorre woestijnen, glinsterende moerassen, meanderende rivieren en besneeuwde bergtoppen. Wegen leken stroompjes die zich over het aardoppervlak slingerden.

Het artikel werd erg goed ontvangen en ik vroeg me af of dit misschien haar voorland was. Ze was altijd erg goed in taal geweest en ze leek de smaak van de roem te pakken te hebben. Met haar opvallende uiterlijk en haar flamboyante kleren kon ik me haar moeiteloos voorstellen als medewerkster van een chic Londens tijdschrift, bezig met het ontwerpen van de lay-out en het organiseren van fotosessies. Het was een carrière die heel goed bij haar zou passen, dat wist ik. Ik vroeg me af of dit dan het terrein was waarop ze uiteindelijk beroemd zou worden, want, zoals iemand eens had gezegd: of je Emma nu aardig vindt of niet, ze weet in ieder geval wel hoe ze moet opvallen.

Maar wat de toekomst ook voor mijn oudste dochter in petto mocht hebben, ik vond het fijn om te zien dat de media-aandacht haar niet naar het hoofd steeg. Ze had nooit kapsones; toen ik haar vroeg later dat jaar naar Yorkshire te komen en een lezing te houden in het dorpshuis om geld voor een goed doel in te zamelen, zegde ze meteen toe. De zaal was afgeladen, iedereen brandde van nieuwsgierigheid om Emma's ervaringen te horen; ze vertoonde dia's met een stokoude projector die ik van een buurman had geleend en sprak over haar reis met een flair alsof ze jaren ervaring had met spreken in het openbaar. De mensen in Crakehall waren verbluft en de lezing was nog maanden onderwerp van gesprek. Emma had voortaan de bijnaam 'de nieuwe Amy Johnson', naar de Britse pilote die in 1930 als eerste vrouw in haar eentje van Engeland naar Australië vloog; tijdens de Tweede Wereldoorlog was ze verdronken toen ze een noodlanding op het water moest maken. Ik wist dat Emma heimelijk genoot van die eretitel.

8

De terugkeer naar Oxford na haar grote avontuur viel Emma zwaar. Hoewel ze er beslist intellectueel en emotioneel werd gestimuleerd en dat naar waarde wist te schatten, maakte haar recente ontdekking dat ze smachtte naar een leven dat uitsteeg boven het alledaagse haar pijnlijk bewust van de beperkingen van Oxford. Ik merkte dat ze rusteloos was en wist dat ze haar studie dodelijk saai vond. Ze kon het, ondanks al haar beloften aan mij en haar docenten, niet opbrengen om haar afstudeerscriptie over de kunstenaar Leon Underwood op tijd af te maken en moest een extra studiejaar aanvragen. Ze moest voortdurend achter de vodden worden gezeten door Annabel en mij, stelde het geduld van haar docent zwaar op de proef en mijmerde ondertussen almaar over haar reis en wat die voor haar had betekend, hevig terugverlangend naar die sensatie.

Haar concentratie werd er niet beter op toen Sally Dudmesh en Willie Knocker naar Kenia waren vertrokken, een vakantiereis die ze allebei al lang hadden willen maken; Emma had niets liever gewild dan meegaan, maar wist dat daarvan op dit moment geen sprake kon zijn. In een brief naar huis schreef ze: 'Ik zit eigenlijk in een afschuwelijke situatie: ik zie allerlei mogelijkheden, maar kan niets ondernemen omdat ik te veel verantwoordelijkheden heb.' Het was een nuttige levensles voor haar.

Afrika was haar nieuwste hartstocht. Het zwarte werelddeel sprak haar aan vanwege het exotische. Ze ging in Oxford om met een paar mensen die het vaak over Afrika hadden, naar Afrikaanse muziek luisterden en de politieke toestand daar bespraken. De koloniale leefstijl in Kenia waar zij en Willie en Sally het over hadden, deed haar denken aan haar jeugd in Assam: een warm klimaat, wilde dieren en natuurschoon, bedienden en dromerige dagen. Daarbij vergeleken leek Engeland maar benauwd en bezadigd en Oxford verstikkend en saai. In Yorkshire voelde ze zich niet meer thuis en Surrey was te kleinburgerlijk. Ze wilde naar vreemde streken vliegen en zoveel mogelijk nieuwe dingen ontdekken en meemaken. In het voorjaar van 1985 kon ze de verleiding niet meer weerstaan. Ze deelde mee dat ze niet langer kon wachten en in juli een grote reis zou gaan maken met Willie en Sally, van Zanzibar naar Kameroen.

Ze spaarde verwoed voor haar vliegticket en ploeterde om haar scriptie af te krijgen; om haar beurs aan te vullen deed ze van alles en nog wat, van naakt poseren voor tekenaars tot parttime werken als schoonmaakster en serveerster in een hotel. In de zomer van 1985 kreeg ze een baantje in een Indonesisch restaurant dat Munchy Munchys heette; de eigenaars, Tony en Ethel Ow, meenden dat ze met haar uiterlijk en haar stem klanten zou aantrekken. Daar hadden ze gelijk in. Maar met mijn dochter als personeelslid verliep niet alles even vlekkeloos. Ze droeg enorme houten armbanden om haar hele onderarm, van haar polsen tot aan haar ellebogen, maar toen ze haar vroegen die vanwege de veiligheid en de hygiëne af te doen, weigerde ze. De allereerste dag dat ze daar werkte, wilde ze een leeg glas van een tafeltje pakken; haar armbanden gleden omlaag en het glas viel in scherven op de grond. Pas toen voldeed ze aan hun verzoek.

Later, toen ze haar draai had gevonden in het baantje, verscheen ze geregeld bedekt met verfvlekken op haar werk, omdat ze een paar vrienden in Londen had geholpen met het opknappen van hun flat om een zakcentje bij te verdienen. Ethel en Tony hadden het dagelijks met haar aan de stok over haar uiterlijk en haar instelling. Minstens één keer werd ze, luid protesterend, naar huis teruggestuurd om zich te wassen voordat ze gasten mocht bedienen. Maar ze schikte zich spoedig, en door het restaurantwerk leerde ze discipline en maakte ze iets van het gewone leven mee. En, wat ik als moeder nog belangrijker vond: ze kreeg gedurende het jaar dat ze er werkte één keer per dag een goede warme maaltijd.

Munchy Munchys was een van de plekken waar jonge studenten vaak afspraken om bij flessen wijn die ze zelf hadden meegebracht te praten over de dingen die hen bezighielden. Het restaurant was eenvoudig en niet duur en werd ook gefrequenteerd door de personeelsleden van de universiteit, de rijken en buitenissigen en een aantal tijdelijke beroemdheden. Door de jongere clientèle kreeg Emma nog meer contacten met Afrikaanse studenten, welbespraakte jongelui die door hun familie naar Oxford waren gestuurd voor een Engelse opleiding. Emma, opgegroeid in een gezin zonder vooroordelen waar iedereen ongeacht zijn huidskleur als individu werd beschouwd, merkte dat ze zwarte mannen seksueel aantrekkelijk vond; ze zei schertsend dat blanke mannen haar altijd aan aardwormen deden denken.

De Soedanezen waren veruit haar favorieten: lange, zachtaardige mensen, met wie ze onmiddellijk affiniteit voelde, en niet alleen omdat ze even lang waren als zij. Ze raakte gefascineerd door wat ze haar over de cultuur en de politiek van hun land vertelden, vooral van de streken die leden onder oorlog, hongersnood en ziekte. Toen ze probeerde meer te weten te komen over het land waarnaar heel haar hart uitging, ontdekte ze dat het een van de meest afgelegen, ontoegankelijke en onontwikkelde gebieden ter wereld was, wat tot haar verbeelding sprak. Ze besloot dat ze er meer van wilde weten.

De naam Soedan betekent letterlijk 'land der zwarten'. Het land beslaat een oppervlakte van ongeveer tweeënhalf miljoen vierkante kilometer, tienmaal zoveel als het Verenigd Koninkrijk. Zestig procent van de bevolking is moslim, vijftien procent christelijk en de rest bestaat uit aanhangers van andere godsdiensten. Er leven bijna zeshonderd stammen of etnische groepen, die meer dan honderd verschillende talen spreken; tweederde van de bevolking bestaat uit rondtrekkende veefokkers die hun kudden weiden en een karig bestaan leiden in de ruige natuur. Het noorden van het land bestaat uit dorre woestijnen, het centrale gedeelte uit savannen en het zuiden uit tropisch regenwoud en moerassen.

Al vanaf 1955, het jaar voorafgaand aan het einde van de Brits-Egyptische overheersing, woedde er oorlog in Soedan. In 1983 werd het Soedanese volksbevrijdingsleger (Sudan People's Liberation Army and Movement, SPLA/M) gevormd onder leiding van John Garang, lid van de Dinka-stam, met steun van het Mengistu-regime in het naburige Ethiopië. De SPLA kreeg langzamerhand een steeds groter gedeelte van Zuid-Soedan in handen en er werden vele veldslagen met de moslimstrijdkrachten uit het noorden uitgevochten. Na dertig jaar oorlog was het rijk bedeelde, vruchtbare land totaal verwoest. Door het grote aantal vluchtelingen in combinatie met de droogte van 1984 en 1985 stierven er in de Hoorn van Afrika driehonderdduizend mensen als gevolg van hongersnood of watergebrek, waarna de Verenigde Naties de operatie 'Lifeline Sudan' opzetten. Beelden van uitgehongerde kinderen wier monden en ogen onder de vliegen zaten, gingen de hele wereld over. Soedan stond korte tijd in het brandpunt van de aandacht, maar toen de televisieploegen hun camera's hadden ingepakt en weer waren vertrokken, werd het lijden van het Soedanese volk weer snel vergeten, net zoals eerder met Ethiopië, Somalië en talloze andere derdewereldlanden was gebeurd.

Door de oorlog was de infrastructuur van het Soedanese dorpsleven vrijwel geheel weggevaagd. Oorlog voeren was de enige activiteit die nog werd bedreven. Kinderen die op school hadden moeten zitten, liepen rond met kalasjnikovs en marcheerden vele kilometers door stinkende moerassen. Kinderhanden die hadden kunnen planten, oogsten of vissen hielden handgranaten vast en haalden wapens te voorschijn. Miljoenen vrouwen, kinderen en ouderen moesten en masse hun velden en huizen in de steek laten om het vege lijf te redden.

In het politiek explosieve klimaat dat medio jaren tachtig in Oxford heerste werd Emma omringd door jonge mannen en vrouwen die hartstochtelijk campagne voerden voor de vrijlating van Nelson Mandela, voor het eind van de apartheid in Zuid-Afrika of om steun te verwerven voor de sandinisten in Nicaragua. Het was kenmerkend voor Emma dat ze alle modieuze politieke onderwerpen negeerde en besloot zich in te zetten voor dat ene land ter wereld waar nog bijna niemand van had gehoord. Die keuze zou haar leven voorgoed veranderen, omdat ze steeds meer bij de Soedanese zaak betrokken raakte. Haar metamorfose van een slimme en geïnteresseerde studente kunstgeschiedenis tot een voornamelijk politiek dier dat zich uitsluitend bezighield met diegenen die minder fortuinlijk waren dan zijzelf, voltrok zich niet van de ene dag op de andere. Het duurde een aantal maanden van nachtenlange discussies, vele uren lezen en weken uiterst nauwgezet onderzoek waarin ze zich van alle feiten op de hoogte stelde. Maar het was een ervaring die haar ten diepste aangreep. Ze zei haar vrienden die niet dezelfde hartstocht hadden vaarwel en werd steeds humeuriger en grilliger naarmate ze ging flirten met de gevaren en avonturen van de Soedanese politiek.

Ze begon tamelijk geheimzinnig te doen, bleef hele nachten weg en wilde haar huisgenotes niet vertellen waar of bij wie ze was geweest. In de woorden van een van haar vriendinnen uit die tijd was Emma 'voortdurend bezig haar grenzen te verleggen, steeds verder te gaan en te experimenteren met het leven'. Ze had eerst een zwarte vriend die Jude heette, en daarna een andere, Louis. Haar kamer slibde dicht met rommel: kunstprojecten, politieke pamfletten, geschiedenisboeken en talloze lege koffiekoppen. Ze slaagde uiteindelijk begin 1986 voor haar studie; ze was op dat moment al volkomen geobsedeerd door de problemen van Soedan en werkte als vrijwilligster bij het centrum voor vluchtelingenstudies in Oxford. Ze liet alle gedachten aan een carrière in de kunstwereld of haar geplande reis naar Afrika varen en verhuisde medio juli naar Londen, waar ze introk bij Sally op haar flat aan Barons Court, West-Londen, en ging als assistente werken bij het Soedanees cultureel centrum in Rutland Gate in Kensington; ze hielp nieuwe studenten bij het vinden van huisvesting en maakte hen wegwijs in Londen.

Emma zei altijd dat de term 'cultureel centrum' een verkeerd idee gaf van de diensten die de instelling studenten bood. Het centrum – een dependance van de Soedanese ambassade – was gevestigd in een hoog, smal, elegant gebouw, dat vanbinnen chaotisch en verwaarloosd was. De conciërge was een zekere meneer Robinson, die al zestien jaar voor het centrum werkte. Hij had jicht en was niet meer in staat de trap te beklimmen om de voor het oude, vervallen gebouw noodzakelijke reparaties te verrichten. Het dak lekte, elektriciteitsdraden hingen uit de plafonds en de wc's spoelden niet meer door. Op de begane grond was een bibliotheek, maar het archiveringssysteem was zo ondoorzichtig dat het onmogelijk was om welk boek dan ook te vinden.

Desondanks kwam Emma in Londen nog veel meer over Soedan te weten. Haar taak was het verwerken van studentenbeurzen, en ze wist al spoedig aan welke kant ze stond. De meeste studenten en diplomaten waren Arabieren uit het noorden, en de weinige Zuid-Soedanese studenten hadden allemaal te lijden onder hun vreselijke vooroordelen. Emma klaagde dat ze als derderangsburgers werden behandeld, nog één trapje lager dan moslimvrouwen. Door haar plaatsvervangende verontwaardiging en de invloed van bepaalde kennissen begaf ze zich weldra op gevaarlijk terrein door zich openlijk afkeurend uit te laten over de nieuwe hongersnood in het zuiden en er op alle mogelijke manieren tegen te protesteren. Ik maakte me niet alleen zorgen om haar vanwege haar politieke radicalisering. Tot mijn afgrijzen marcheerde ze dwars door Londen naar Marble Arch in een anti-apartheidsdemonstratie, al zei ze later dat ze dat vanwege de blaren nooit meer zou doen. Ze bezocht de kermis in Notting Hill, had opnieuw een relatie, ditmaal met een charmante Nigeriaan, Eddie, en deelde ons mee dat ze van plan was zo spoedig mogelijk naar Afrika te gaan. Ik was verbijsterd en van mijn stuk gebracht door haar activiteiten. Ik weigerde de slechte voortekenen te zien, wist weinig of niets van de zaken waarmee zij zich zo hartstochtelijk bezighield en hoopte waarschijnlijk stiekem dat het een fase was waar ze wel overheen zou groeien.

Gesterkt door de nieuwe mogelijkheden die ze had ontdekt om te choqueren kwam ze naar Yorkshire voor een groot bal ter ere van iemands eenentwintigste verjaardag, een galaparty in een van de statige herenhuizen, met Eddie aan haar zijde. Nog jaren later vertelde ze gnuivend hoe de gastvrouw, een adellijke dame, halverwege de avond naar hem toe was gekomen en hem een welgemeend compliment had gegeven vanwege zijn vakkundige gebruik van zwarte verf. Ze greep iedere gelegenheid aan om de goede zaken waarvoor ze streed – en waaronder bijna de gehele derde wereld viel – te bevorderen, en zo raakte ze ook betrokken bij Band Aid, het grootschalige liefdadigheidsproject waarmee door popbands vele miljoenen werden ingezameld voor behoeftige Afrikaanse kindertjes; ze zegde tijdelijk haar baan op om zich in te zetten voor de publieke bewustwording van dit probleem en zoveel mogelijk fondsen voor Soedan te werven, die dringend nodig waren. Ze zat midden in een intensief leerproces en voelde zich, omringd als ze was door mensen die veel meer wisten dan zij, vaak slecht op haar gemak. Ze besefte dat ze niet hier actief moest zijn maar zelf naar Afrika moest gaan, en ze nam contact op met de Verenigde Naties en de VSO, een organisatie die vrijwilligers uitzond naar het buitenland, om te informeren of ze een tijdje in Soedan kon werken. Ze had een missie. In een brief die ze me die zomer vanuit Londen stuurde, schreef ze:

Ik ben van plan over een jaar naar Afrika te gaan. Ik hoop dat de vluchtelingenorganisatie van de Verenigde Naties me financieel steunt. Mijn kennis van Afrika is minimaal, ik ploeg nu allemaal dikke boeken over de situatie van de vluchtelingen door. Tot gauw, Emma

Ze kon haar plan eerder verwezenlijken dan ze had gehoopt. In het voorjaar van 1986 had ze de toezegging dat ze een reis naar Khartoem kon maken; haar eerste bezoek aan Soedan. Ze stapte in het vliegtuig zonder me de kans te geven afscheid van haar te nemen, maar schreef me veel brieven vanuit die bruisende hoofdstad, met zijn stratenplan dat door de Britten in de vorm van de Britse vlag was aangelegd. In Chartoem heerste een erg Arabische sfeer, schreef ze; een wereld van woestijnen en tentenkampen, oude beschavingen en eeuwenoude gebruiken. Op straat liepen dichte drommen mensen, de mannen met verblindend witte tulbanden en djellaba's, lange gewaden met een soort capuchons, en de vrouwen gehuld in felgekleurde, meterslange stukken stof. De wind was altijd warm en geurde naar kruiden. Ze was in haar element.

In een brief vanuit Showak, waar ze aanvankelijk logeerde bij een assistent-leider van een vluchtelingenproject, waar ze een eigen kamer en een eigen tuin had, schreef ze me:

Je zult je wel zorgen maken als ik je vertel dat ik hier als een koningin word behandeld. De Soedanese gastvrijheid en vriendelijkheid zijn overweldigend, het is iets wat wij in Engeland helemaal niet kennen. Als gast mag ik niet koken, wassen, strijken, mijn eigen bed opmaken of zelfs zonder begeleiding uitgaan. Dat laatste is een zegen, want in Khartoem zijn er geen straatnaambordjes of huisnummers en niemand kent de weg. Je krijgt waardering voor de kennis van de Londense taxichauffeurs.

Een maand later schreef ze me vanuit de stad Falasha dat ze had besloten haar verblijf in Khartoem te verlengen; ze had voor drie maanden een baan gekregen als lerares Engelse literatuur en kunst aan een school die door Italiaanse nonnen werd geleid, onder auspiciën van de VSO. Daarna hoopte ze opnieuw een verlenging te krijgen, zodat ze Arabisch zou kunnen leren en wat onderwijservaring kon opdoen. Dat verraste me, want nadat haar eerste verrukking over Soedan was weggeëbd, had ze in haar eerste brieven naar huis geschreven over haar problemen om zich aan te passen aan de hitte, de vliegen, de muggen, het ontbreken van alcohol en de strikte scheiding tussen mannen en vrouwen; de meesten van haar vrienden waren mannen en haar voornaamste ondeugden waren drinken, roken en kaarten, activiteiten die de wet alleen aan mannen toestond.

Het leven in Khartoem had echter ook voordelen. Ze woonde inmiddels in een gastenverblijf van het cultureel centrum, aan een grote binnenplaats en had vaak het hele gebouw voor zichzelf. Ze schreef:

> *Deze manier van leven is heel heilzaam. Je kunt op ieder gewenst moment op bed gaan liggen om wat te slapen zonder dat iemand je lui noemt, je kunt te laat komen zonder dat je iets wordt verweten, zoveel eten als je wilt zonder een schrokop te worden genoemd en zo dik worden als je wilt zonder daarop te worden aangekeken. De vrouwen hier zijn tonrond. Ik geld hier als een magere lat; weer eens wat anders.*

Ze reisde naar het oasestadje Kassala, een plaats waar vluchtelingen uit Eritrea werden opgevangen. Ze maakte er kennis met een nomadische stam waarvan de vrouwen zich niet mogen vertonen tenzij hun hoofd geheel bedekt is. Emma was gefascineerd door hun manier van leven en hoopte dat ze foto's mocht nemen van de ogen van de vrouwen voor een later te organiseren tentoonstelling. Tot haar taken behoorde het onderwijzen van Engels aan veertig kinderen, vier dagen per week van halfacht 's morgens tot halfeen 's middags, waarbij ze gebruikmaakte van de boeken *Jane Eyre* en *Cry, the Beloved Country*; de middagen waren vrij om te schilderen, te lezen of te slapen. Tot grote hilariteit van de kinderen verzamelde ze op straat metaalafval om dat in de lessen beeldhouwkunst te gebruiken; ze maakten er het grapje over dat ze bezig was met een campagne 'Hou Soedan schoon'. In haar vrije tijd zwom ze elke dag in de Nijl om fit te blijven en af te koelen, en ze leefde hoofdzakelijk van bonen, brood en een licht soort pannenkoekje dat *kisra* heette. Haar grootste zorg waren de muggen, die haar, zoals ze schreef, levend verslonden.

In maart wilde ze dolgraag naar huis. Ze werd niet goed betaald, de leefomstandigheden deprimeerden haar en de andere gasten, allemaal mannen, behandelden haar alsof ze het dienstmeisje was. En ze had nog meer zorgen. Ze schreef:

Ik heb de hele afgelopen week geprobeerd de Eritrese huisknecht van het gastenverblijf uit de gevangenis te krijgen. De Soedanese regering zit de vluchtelingen in de stad dicht op de huid, er worden er geregeld opgepakt. Als ze, zoals de meesten, geen identiteitsbewijs bij zich hebben, gaan ze de gevangenis in. De boete is tweehonderd Soedanese ponden (ongeveer één Brits pond), en dat is meer dan een vluchteling kan betalen. Het gevolg is dat de gevangenissen stampvol zitten met vluchtelingen die voor onbepaalde tijd worden vastgehouden. Je kunt je de toestanden in die gevangenissen voorstellen. Er is geen eten, geen wasgelegenheid, enzovoort. Velen sterven aan ziekten en uithongering. De UNHCR, *de instelling van de Verenigde Naties die moet opkomen voor de vluchtelingen, negeert het hele probleem en zegt dat er geen vluchtelingen zijn in Khartoem. Aangezien er in de kampen zelf nauwelijks werk te krijgen is, is het logisch dat de mensen naar de steden komen op zoek naar betere kansen. Mijn dag in de gevangenis – en dan was ik alleen nog maar op bezoek – was uiterst onaangenaam; afranselen en slaan zijn er gebruikelijke straffen. Zelfs zwangere vrouwen worden op die manier vernederd. De rechter stonk om tien uur 's ochtends al naar alcohol en gebruikte alle boetes die hij oplegde overduidelijk om het er flink van te nemen.*

Ze was van plan terug te keren naar Engeland en daar met steun van de VSO een nieuwsbrief voor Soedanese vluchtelingen op poten te zetten. Ze vroeg mij haar terugvlucht te boeken.

De hitte is benauwend, ik baad voortdurend in het zweet. Mijn gezicht glimt en is zo rood als een rijpe tomaat. De elektriciteitsvoorziening is onbetrouwbaar, vaak moeten we het dagenlang zonder water, stroom en ventilatoren doen, en dit is nog maar het begin: als het waterpeil in de Nijl verder zakt, vallen de krachtcentrales uit... De hitte maakt me kapot; ik slaap nu maar buiten en houd de muggen van me af, het minste van twee kwaden. Als de wind opsteekt, drijft hij wolken stof voor zich uit; de zon wordt verduisterd en de lucht is verzadigd van stof. Dan zitten we in de val: we móéten wel binnen blijven en ons kapot zweten. De vliegen kruipen over je gezicht, maar het heeft geen zin ze weg te vegen. Het zijn, net als de muggen, volhoudertjes. De vreemdste herinneringen komen bij me boven nu ik zover van Engeland ben. Scènes uit mijn kindertijd staan me heel helder voor de geest. Zelfs mijn dromen zijn bizar en gaan over mensen en plaatsen die ik bewust allang vergeten was. Ik heb zin om het allemaal op te schrijven. Freud zou er zijn vingers bij aflikken.

In het voorjaar van 1986 kreeg ik zelf weer eens een aanval van rusteloosheid en niet zonder weemoed besloot ik te proberen Alverton House te verhuren en zelf naar het zuiden te verhuizen op zoek naar nieuwe impulsen. Hoewel ik in Yorkshire vele vrienden voor het leven had gekregen, woonden mijn oudste twee dochters allebei in het zuiden: Erica werkte als juridisch secretaresse en woonde in Londen en voor Emma was de hoofdstad de thuisbasis waar ze spaarde voor haar volgende uitstapje naar Afrika. Johnny zat op een kostschool in Derbyshire en wilde carrière maken bij de televisie, en Jennie volgde een cursus catering in Zuid-Engeland en was van plan de wereld te gaan rondtrekken met een rugzakje en in haar levensonderhoud te voorzien als kokkin, een plan waarvan de vrijgevochtenheid me beangstigde.

Voor mij was het tijd om ergens anders aan een nieuw leven te beginnen. Alverton was een goede en trouwe vriend geweest en had ons met zijn dikke, droge stenen muren beschermd. Toen ik de voordeur achter me dichtdeed, voelde ik me angstig omdat ik nu weer alleen, zonder beschutting, de wereld in stapte. Ik werd naar het station van Darlington gebracht, vanwaar Sue, een goede vriendin, samen met mij naar King's Cross zou reizen. Zij en haar man Robert woonden door de week in een flat van de zaak in het centrum van Londen en in het weekend in hun huis in Yorkshire. Ze boden me aan gedurende de twee weken dat zij op vakantie waren van hun flat gebruik te maken, en ze hadden me een lijst met bedrijven gegeven waar ik kon gaan solliciteren.

Sue voelde aan hoe onzeker ik was nu ik Yorkshire voorgoed verliet en trakteerde me op een grote gin-tonic. 'Drink op,' zei ze, 'daar ben je wel aan toe.'

Algauw voelde ik me veel beter.

Ik gebruikte hun flat als uitvalsbasis en reisde met het openbaar vervoer de hele stad door om werk te zoeken. Bij sommige uitzendbureaus voelde ik een zekere aarzeling om een vierenveertigjarige weduwe en moeder van vier kinderen met beperkte ervaring in Londen aan te nemen, maar uiteindelijk werd ik aangenomen door een bureau waarvan het personeel voldoende vertrouwen in me had.

'Maggie, niet moeilijk doen en hard werken!' was het advies, en daar hield ik me aan. In de vijftien maanden die volgden werkte ik zonder één enkele onderbreking in de kunst- en uitgeverswereld, aanvankelijk verblijvend in flats van vrienden, tot ik ten slotte een eigen flatje in Battersea in Zuidwest-Londen kon huren.

Ik was het uitzendbureau erg dankbaar dat ze me hadden aangenomen, maar na zo lang fulltime te hebben gewerkt kon ik moeilijk wennen aan de spanningen van het uitzendwerk: nooit weten waar je de volgende week zult werken, geen aansluiting vinden bij collega's omdat ze weten dat je toch binnenkort weer weg bent. Het leven als alleenstaande in Londen is eenzaam en duur, en ik was eraan gewend te zijn omringd door vrienden en familie.

Emma was op dat moment net voor korte tijd terug uit Khartoem en werkte weer voor het Soedanees cultureel centrum terwijl ze haar volgende reis naar Afrika aan het voorbereiden was. Ze belde me vrij regelmatig en we gingen vaak samen uit eten, hoewel zij haar eigen leven en vrienden had. Maar ze was altijd bezorgd om me en las me soms de les over mijn roekeloze gedrag.

'Je moet 's avonds laat altijd een taxi nemen, mam,' zei ze dan. 'Als je overvallen wordt, bekommert niemand zich om je, hoor.'

Niet ik, maar Sue en Martin kwamen er als eersten achter dat ze een nieuw vriendje had. Mijn zus en zwager, die zo aardig voor haar waren geweest toen ze studeerde, hadden haar al in geen twee jaar meer gezien en waren dan ook aangenaam verrast toen ze opeens opbelde en vroeg of ze bij hen in Surrey langs kon komen. Met name Sue was erg gesteld geraakt op haar oudste nichtje en verheugde zich erop een paar dagen met haar op te trekken en alle nieuwtjes te horen. Ze vroegen Emma vroeg te komen, zodat ze haar nog zouden ontmoeten voordat ze die vrijdagavond bij mensen gingen eten. Emma deelde echter mee dat ze pas laat zou arriveren en uiteindelijk moesten ze midden in het etentje weg om haar van het station te halen. Tot hun verbazing en ergernis bleek ze niet alleen te zijn. Ze had een man bij zich die ze hun voorstelde als Belay, een Ethiopische vluchteling die voor Band Aid werkte.

Voor hij en Sue naar bed gingen, bracht Martin hun beider teleurstelling aan Emma over en veegde hij haar de mantel uit over haar gedrag. De volgende ochtend was Belay weg, evenals de speciale band die er tussen hen en Emma had bestaan. Ze bleven wel vrienden, maar na dat incident was de oude vertrouwelijkheid weg. Sue en Martin waren ineens geen gelijken meer maar een soort ouders en Emma was in die tijd overgevoelig voor dit soort dingen. Toen ik van de ruzie hoorde, zei ik tegen Sue dat het helemaal Emma's schuld was. Ze had er een handje van om te choqueren en mensen onverhoeds met dingen te confronteren, zoals die keer dat ze een etentje van mij had bedorven door zeer realistisch te vertellen over de gruwelen van de vrouwenbesnijdenis in Soedan. Ze stelde ons op de proef; zelf had ze kennelijk haar westerse remmingen afgelegd en ze stond er niet bij stil – of wílde er niet bij stilstaan – dat anderen die remmingen nog wel hadden.

Emma begon al spoedig een innige relatie met Belay en trok bij hem in op zijn gemeenteflatje in Oost-Londen. Vrienden die haar daar opzochten, merkten meteen dat er iets aan haar was veranderd. Ze zag er afgetobd en broodmager uit, droeg haar elegante kleren niet meer en maakte een vermoeide indruk. Ze sprak veel ernstiger over de politieke kwesties die haar zo sterk bezighielden en vertelde iedereen dat ze eindelijk een doel in haar leven had gevonden. Ze kwam Belay aan mij voorstellen, en ik vond hem aardig. Hij was rustig en vriendelijk maar toch heel sterk, al wist ik nooit zeker wie nu van wie profiteerde in die relatie: gebruikte Emma hem als opstapje naar hulpwerk in Afrika, of gebruikte hij haar om voet aan de grond te krijgen in Engeland? Het was moeilijk uit te maken.

Pas veel later hoorde ik, niet van Emma zelf, dat ze onbedoeld zwanger was geworden van Belay en vervolgens een miskraam had gekregen, en dat ze had geprobeerd te doen alsof er niets was gebeurd. Maar ze werd flink ziek en ging naar haar pleegmoeder Wendy Burton en haar man Bill in Cambridgeshire om weer op krachten te komen. Maar haar relatie met Belay was gedoemd te mislukken en maakte in de periode daarna een zware fase door. Emma was inmiddels tweeëntwintig en experimenteerde met alles wat het leven te bieden had. Het lukte haar niet om opnieuw als lerares naar Khartoem te worden uitgezonden, wat haar gefrustreerd en boos maakte, en ze raakte een poosje de kluts kwijt. Ze kreeg op de een of andere manier contact met een groep mensen die drugs gebruikten en te veel dronken en begon mee te doen. Kalid, een goede vriend en een van haar ex-minnaars, die ze op haar eerste reis naar Khartoem had leren kennen, zag dat het de verkeerde kant op ging en besloot haar te redden.

Hij haalde Emma uit het Londense wereldje en nam haar mee naar een oude vriendin van hem, Liz Hodgkin, die samen met haar moeder Dorothy in Crab Mill woonde, een huis in de buurt van Ilmington in de Cotswolds. Hij vroeg hen een half jaar voor haar te zorgen en erop te letten dat ze niet terugging naar Londen. Dorothy Hodgkin, moleculair biologe en Nobelprijswinnares, had goede connecties met Soedan. In het huis van de Hodgkins kwamen veel Soedanezen over de vloer in de tijd dat Emma er woonde. Liz zat vlak voor haar eigen promotie, en Emma maakte zich snel bij iedereen geliefd door voor het huishouden en het eten te gaan zorgen; ze kookte enorme hoeveelheden gehakt met komijn en worteltjes voor de bezoekers die eventueel langs konden komen, zodat Liz de handen vrij had voor haar wetenschappelijke werk.

Door de aandacht en gastvrijheid die ze ontving werd Emma met zachte hand weer op het rechte pad gebracht. Ze paste zich snel aan aan het leven en werken op het platteland, rooide aardappelen, plantte groenten en plukte spinazie en bramen. Volgens Liz was Emma een echte jager-verzamelaar en was ze het gelukkigst als ze buiten in de vrije natuur was. Toen ze haar zelfvertrouwen terug had en de tijd van de experimenten voorbij was, keerde Emma terug naar Londen. Liz had, eveneens in Londen, een baan gekregen bij de School of Oriental and African Studies (SOAS). Emma sloot zich aan bij actiegroepen die ijverden voor vrede in Zuid-Soedan en begon samen met Liz en enkele anderen een nieuwsbrief van vier pagina's, *Sudan Update*, waarin een poging werd gedaan de mensen direct in te lichten over de situatie aan het oorlogsfront en tegengas te geven tegen de officiële regering in Khartoem. Op een bepaald moment vonden sommige mensen dat *Sudan Update* overbodig was geworden, maar Emma stond erop dat de nieuwsbrief bleef verschijnen. Hij bestaat nog steeds.

In december 1986 ging Emma opnieuw naar Khartoem om er les te gaan geven, een baan die ze tot maart 1987 zou houden. Van mijn plannen om met de hele familie in Alverton House Kerstmis te vieren kwam niets terecht. Emma was in Soedan, Erica zat in een kibboets in Israël, Jennie in Noord-Ierland en Johnny was op vakantie in Zuid-Afrika. Ik reisde dus helemaal alleen naar Yorkshire en bracht de dag door met vrienden; we hieven het glas op mijn kinderen, uitgezworven naar alle windstreken en allemaal op politiek gevoelige plekken. Er waren nu in ieder geval geen familieruzies.

Toen Emma uit Soedan terugkeerde, begon ze zich te oriënteren op vervolgstudies, en in juni 1987 hoorde ze dat ze aan de SOAS Afrikaanse politiek kon gaan studeren, waarbij ze haar studie zelf kon bekostigen door bij het Soedanees cultureel centrum als studentenbegeleidster te blijven werken. Ze wist weer precies wat ze wilde en ik was blij dat ze weer thuis was. Ik was nog steeds op zoek naar vast werk in Londen en was dan ook dolblij toen ik erin slaagde een fulltime baan te krijgen bij een projectontwikkelaar in Chelsea. Mijn zelfvertrouwen groeide en ik voelde me beter in staat beslissingen over mijn toekomst te nemen. Toen ik op een zonnige zomerochtend over de Albert Bridge naar mijn werk liep en even stilstond om naar het kolkende water van de Theems te kijken, besloot ik Alverton House te verkopen en een huis te kopen in Surrey, vanwaar ik elke dag als forens naar de stad zou komen. Een belangrijke overweging daarbij was dat ik het tuinieren vreselijk miste. Dat was altijd een grote liefhebberij van me geweest en in Battersea had ik zelfs geen bloembak. Ik begreep dat ik pas weer volmaakt gelukkig zou zijn als ik op mijn knieën zat met een plantenschepje in mijn hand.

Surrey trok me om twee redenen: ik kon me daar een iets groter huis veroorloven dan in Londen en ik zou er dichter bij mijn zus Sue wonen. Zij had zelf inmiddels drie kinderen van zeven tot elf jaar, Peter, Michael en Annabel (bijgenaamd 'Freddie'), en ze had het heel knus in haar gezellige huisje. Wat hadden zij een ander leven geleid, bedacht ik vaak: alle drie de kinderen onder hetzelfde dak geboren en opgegroeid, opgevoed door hun beide ouders. Wij McCunes leidden allemaal een rondzwervend bestaan, verhuisden voortdurend van de ene plek naar de andere, van het ene land naar het andere.

Sue was de laatste jaren mijn steun en toeverlaat geweest en ik was bijzonder op haar gesteld geraakt. We zagen elkaar steeds vaker en ik vertrouwde haar volkomen, iets wat ik nooit had kunnen vermoeden toen ik haar, jaren geleden, op die nare dag in de voorkamer van het huis van de Parkers in Worthing voor het eerst terugzag. En nu wilde ik graag in haar buurt zijn en verheugde ik me erop dat we bijna buren zouden worden. Ik logeerde een week bij haar en Martin om te kijken hoe het op en neer reizen me beviel en ontdekte tot mijn verbazing dat ik met de sneltrein even snel in Londen was als ik vroeger binnen Londen onderweg was geweest. Daarmee was de kogel door de kerk. Ik ging op zoek en vond binnen een paar weken het huis waar ik nu nog steeds woon: Little Farthings, een halfvrijstaand roodstenen huisje van ongeveer honderd jaar oud in de buurt van Godalming, met een smalle, maar prachtige tuin erbij. Ik popelde om weer in de aarde te gaan wroeten. Ik was verrukt omdat dit het eerste huis was dat ik helemaal voor mezelf had uitgekozen, en niet omdat het van de zaak was, omdat Bunny er wilde wonen of omdat er ruimte voor de kinderen was. Het was helemaal van mij alleen.

De kinderen wisten nog van niets; Johnny zat nog net op de kostschool in Derbyshire, Jennie en Yo zaten allebei in Israël en Emma kon ieder ogenblik naar Afrika vertrekken en zou dan een hele tijd uit mijn gezichtsveld zijn. Maar op mijn verzoek kwam ze wel naar het huis kijken en hechtte er haar goedkeuring aan, en toen ik er in december 1987 introk, was zij degene die me hielp met behangen en het uitpakken van onze spullen uit Yorkshire.

Die spullen hadden anderhalf jaar lang ergens opgeslagen gestaan en in die tijd was er heel wat veranderd in onze levens. Ik was een totaal ander mens geworden en ik besefte dat hetzelfde voor mijn kinderen gold. Toen ik het hele zootje ongeregeld van ons leven in Alverton weer onder ogen kreeg – de steentjes en schelpen die de kinderen in hun jeugd in Yorkshire hadden verzameld, Emma's herbarium met wilde bloemen en haar rozetten van de ruiterclub – vroeg ik me af wat me in vredesnaam had bezield om opslag- en verhuiskosten te betalen voor al die waardeloze rommel. Maar aan de andere kant: wáren ze wel zo waardeloos, deze restanten van een voorbij leven? Of waren het allemaal stukjes van de puzzel die zou worden voltooid op een manier die ik nooit had kunnen verzinnen?

Ik vierde mijn eerste kerst en jaarwisseling in Little Farthings met Emma, Belay en de rest van de familie, en daarna gingen we weer ieder ons weegs. Gedurende het jaar 1988 zag ik mijn oudste dochter niet vaak en voor mijzelf werd het een heel zwaar jaar. Vrienden die wisten wat ik de afgelopen twaalf jaar had doorgemaakt, hadden altijd gezegd dat er op een dag iets in me zou knappen, en dat gebeurde ook, letterlijk. Toen ik op een avond uit bad stapte, ging ik door mijn rug, en de zes weken daarna was ik volledig invalide; ik kon alleen bij mijn zus Sue thuis op de vloer slapen en werd dag en nacht verzorgd. De kinderen waren allemaal vreselijk geschrokken nu hun moeder voor het eerst van hun leven ziek was. Emma, die een kwetsbare en onzekere tijd doormaakte met Belay, barstte in tranen uit toen ze het nieuws hoorde; bij mijn weten was dat een van de weinige keren in haar leven dat ze gehuild heeft.

Mijn bazen bij het projectbureau hadden aanvankelijk alle begrip, maar een paar weken nadat ik weer aan het werk was gegaan werd ik geveld door een ziekte die wordt verspreid door het virus *erethema nodosum*, waardoor ik koorts kreeg en niet goed meer kon lopen; ik moest wéér zes weken ziekteverlof nemen. Ik vond het dan ook niet gek dat ze geen gebruik meer wilden maken van mijn diensten en me, met de vereiste opzegtermijn van een maand, ontsloegen. Het was mijn eerste vaste baan geweest na mijn verhuizing naar Londen en het was misgelopen. Mijn zelfvertrouwen kreeg een knauw.

Emma was het grootste deel van dat jaar in Londen; ze studeerde aan de SOAS en probeerde haar relatie met Belay te redden. Ze werkte ook nog steeds parttime bij het cultureel centrum en had plannen voor een reis naar Afrika om haar onderzoek naar vluchtelingen- en cultuurpolitiek voort te zetten. Na geheel te zijn hersteld deed ik eerst zes weken lang uitzendwerk in Surrey, en ten slotte werd ik in november 1988 op proef aangenomen aan de Londense effectenbeurs als medewerkster van een bedrijf in Surrey.

Ik was erg in mijn sas met mijn nieuwe werk en was er zelf verbaasd over hoezeer ik genoot van het leven in de City. Ik hoopte dat ik zou kunnen blijven. Maar al na een week hoorde ik toevallig twee collega's met elkaar praten.

'Ze is heel aardig hoor, maar ze kan hier onmogelijk blijven, ze weet zó weinig van computers,' zei de ene.

Ik begreep dat ze het over mij hadden en schrok vreselijk. Ik wilde mijn baan niet kwijt, dus ik besloot de uitdaging aan te gaan en vanaf dat moment deed ik keihard mijn best om alle kneepjes van het vak te leren. Telkens wanneer iemand een minuutje tijd had om me iets nieuws op de computer te leren, schreef ik dat op en leerde ik het uit mijn hoofd. Door over te werken en er thuis ook nog wat aan te doen wist ik al na een paar weken zoveel van computers dat ik een vaste baan aangeboden kreeg. Ik had de uitdaging aangenomen en had gewonnen.

Dit gaf me een grote oppepper, en mijn zelfvertrouwen groeide met de dag. Een jaar later solliciteerde ik naar een andere baan bij Bear Stearns International, een Amerikaanse investeringsbank. Ik werd aangenomen. Het was het begin van een carrière die vierenhalf jaar zou duren en me uiteindelijk van de City naar het prestigieuze kantorencomplex Canary Wharf in de Londense Docklands zou voeren, als secretaresse van de financiële afdeling van het bedrijf. Eindelijk had ik het gevoel dat ik iets had bereikt.

In maart 1989 kon Emma dan eindelijk uitvoering geven aan haar plan om naar Kenia te gaan om Sally Dudmesh en Willie Knocker op te zoeken. Sally werkte daar inmiddels als juwelierster en had zich definitief in Afrika gevestigd. Willie was bioloog en vluchtelingenwerker. Ze vonden het heerlijk hun oude vriendin terug te zien en waren verrast over de hartstocht waarmee ze over Soedan sprak. Ze raakte steeds sterker betrokken bij het land en de politiek, vooral vanwege de oorlog in het zuiden – de langste oorlog van de twintigste eeuw – en het lot van de stammen die in die streek leefden, de Nuer- en de Dinka-stam.

Emma was op dat moment op een cruciaal punt in haar leven gekomen en was zeer rusteloos; ze trachtte in evenwicht met zichzelf te komen en een levensdoel te vinden. Het lijden van de Soedanezen had een enorme aantrekkingskracht op haar; ze was gebiologeerd door de mogelijkheid dat ze haar bestemming zou kunnen vinden door iets te gaan doen wat volstrekt anders was dan alles wat ze kende. Haar belangstelling werd verder aangewakkerd door het veranderende politieke landschap in Soedan. In juni 1989 kwam er een abrupt einde aan een relatief rustige periode van drie jaar onder de eerste democratisch gekozen regering toen generaal El-Bashir en zijn Nationaal Islamitisch Front een militaire coup pleegden. De eerste daad van de nieuwe regering was het verbieden van alle politieke partijen en het systematisch ontwrichten van de georganiseerde oppositie; El-Bashir won met bruut geweld vele gebieden in het zuiden terug die eerder in handen waren geweest van de SPLA.

Emma was hevig ontzet van al die vuile politieke spelletjes en hield tegelijk van de mensen en het landschap van Afrika; ze kwam voor korte tijd terug naar Londen, zette eindelijk een punt achter haar relatie met Belay en wist haar docenten aan de SOAS ervan te overtuigen dat het geweldig goed zou zijn voor haar studie wanneer ze de zomermaanden doorbracht in het land waarvan ze was gaan houden. Met dezelfde charme die ze destijds had aangewend om haar docenten in Oxford te winnen voor haar reis naar Australië wist ze het pleit in haar voordeel te beslechten, en in augustus 1989 zat ze weer in een vliegtuig op weg naar Kenyatta Airport in Nairobi. Wat zij noch ik op dat moment wist, was dat haar vertrek naar Afrika ditmaal definitief was.

Emma stortte zich volledig in het Afrikaanse leven en wist Willie Knocker al vlak na haar aankomst over te halen om haar mee te nemen op een safari. Ze schreef me erover; haar brieven waren overdreven positief.

We brachten de nacht door in Pika Pika Dam en hoorden de leeuwen brullen in het wildreservaat. We zagen een grote kudde olifanten de vlakte oversteken, wel een stuk of honderd dieren, een zeer spectaculair gezicht. De rivier de Kerio stroomt langs onze kampeerplek, die zich bij de mond van een brede lugga, een droge rivierbedding, bevindt. Een wuivende acacia staat tussen de plek waar ik zit en die koele rivier vol krokodillen.

Daarachter gaat het glooiende landschap geleidelijk over in een onbewoond, woestijnachtig gebied. Stekelige bomen, struiken en bloemen vechten hier tegen de droogte, overdag verschroeid door de zon, in de droge tijd zonder één druppeltje wa-

ter. Vogels, prachtige felblauwe spreeuwen, hippen kwetterend rond. De 'scheer-je-weg-vogel' (de grijze loerie), die normaliter wordt beschouwd als een vijand van de jagers omdat zijn langgerekte roep hun prooidieren opschrikt, was volkomen stil en leek zich niet aan ons te storen. Vijf elandantilopen kwamen zenuwachtig naar de rivier toe om hun dorst te lessen. We wassen ons in de rivier, op de ondiepe plekken vol stenen om niet te worden verrast door kroko's (gisteren zagen we er een, met één oog en één neusgat net boven het wateroppervlak). Als eten hebben we genoeg aan een halve geit, die we drogen en braden, stoven of koken.

Willie en ik kunnen misschien in Zuid-Soedan gaan werken voor UNICEF*; we zouden dan allebei drieduizend dollar per maand krijgen. Ik denk erover mijn studie even op een laag pitje te zetten om wat geld te verdienen. Nou ja, we zien wel; ik houd je op de hoogte. We gaan nu een week rondtrekken door het gebied van de Masai. Veel liefs, Emma*

Een maand later had ze besloten wat ze zou gaan doen. In een brief gedateerd 5 september 1989 schrijft ze:

Ik heb zo goed als zeker een baan bij UNICEF *om scholen in Zuid-Soedan weer draaiende te krijgen. Als ik die baan krijg, stel ik mijn afstuderen een jaar uit en blijf ik in Kenia. Redenen: (a) Het is een boeiende baan en een welkome onderbreking. Je vindt dit soort werk alleen als je op het juiste moment op de juiste plaats bent. Zit je eenmaal in het circuit, dan vind je ook makkelijker weer wat anders. (b) Werken voor de Verenigde Naties betaalt erg goed. Voor het eerst van mijn leven krijg ik een fatsoenlijk salaris. Wat vind jij? (c) Je kunt bij me komen logeren!*

Ze had haar besluit duidelijk al genomen en deelde mij gewoon mee wat ze had besloten en waarom. Ik kon het moeilijk oneens zijn met de redenen die ze noemde, en aangezien de brief was verlucht met talloze ontroerende tekeningetjes van palmbomen, boten, slangen met zigzagtekening en krokodillen, begreep ik dat ze op een plek was die haar creativiteit stimuleerde en waar ze genoot. Hoe kon ik weigeren?

De baan bij UNICEF waar ze over schreef, zou de volgende sleutelrol in haar leven spelen. Ze had een betrekking aangeboden gekregen bij Street Kids International (SKI), een liefdadigheidsorganisatie die in Noord-Soedan was opgezet door een Canadese advocaat, Peter Dalglish, onder de paraplu van UNICEF; Dalglish wilde de activiteiten ervan uitbreiden naar het door oorlog geteisterde zuiden. Peter was en is een idealist; hij had concrete humanitaire idealen en wilde sociale en politieke veranderingen bewerkstelligen. Hij hief zijn advocatenpraktijk op en ging zich aan de hulpverlening wijden nadat hij getuige was geweest van de hongersnood in Ethiopië, en hij wilde vooral de jonge Soedanese jongens redden die onder sterke groepsdruk bij kinderlegers terechtkwamen en vochten voor een zaak waar ze nauwelijks iets van begrepen. Als hij de vicieuze cirkel van wanhoop kon doorbreken waardoor deze hongerige, straatarme kinderen leken voorbestemd voor een leven in uniform, hoopte hij daarmee een bijdrage te leveren aan de vrede.

Peter besloot dat zijn organisatie ook in Zuid-Soedan actief moest worden en vroeg zijn vriend en collega Alastair Scott-Villiers of hij iemand wist. Alastair kende Emma oppervlakkig uit Oxford; hij en zijn vrouw Patta waren al jarenlang hulpverleners bij de operatie 'Lifeline Sudan'. Peter en Emma spraken af tussen de middag kip-kerrie te gaan eten in het Fairview-hotel in Nairobi, hernieuwden hun kennismaking en konden het onmiddellijk uitstekend met elkaar vinden. Peter schreef later:

> *Ze was lang, elegant en buitengewoon mooi. In zekere zin lag het niet voor de hand dat iemand als zij de verantwoordelijk coördinator zou worden voor ons geplande scholenprogramma in Zuid-Soedan... maar tijdens die lunch drong het tot me door dat Emma precies de juiste persoon was voor deze onderneming. Ze had al veel rondgereisd in Soedan en sprak heel redelijk Arabisch. Ze was vindingrijk, betrokken en zo onafhankelijk als ze maar zijn kon... Ik besefte dat Emma met haar natuurlijke charme als geen ander in staat zou zijn zelfs bij de meest onwillige VN-functionaris alles los te praten wat we nodig hadden.*

Emma was zeer begaan met het onderwijs, een eigenschap die ze van mij had. Ze zag het als hulpmiddel om de levenssituatie van individuen te verbeteren en daarmee ook het welzijn van hele gemeenschappen. Maar na drie decennia oorlog was het onderwijssysteem in het zuiden totaal ontwricht: de scholen waren gebombardeerd, de leraren waren gevlucht, er waren geen schriften, geen potloden en geen boeken. Als er in een dorp al een leraar was, of iemand anders die de kinderen lezen en schrijven wilde leren, kregen ze les onder een boom en tekenden ze de letters met hun vinger in het zand. Emma zag met haar spontaniteit en visie onmiddellijk iets in Peters droom waarin het onderwijs het beginpunt was van het lenigen van de nood van de misdeelden in Zuid-Soedan. Ze zei altijd met klem dat ze geen hongerige magen vulde, maar hongerige geesten.

Peter waarschuwde haar dat het logistiek gezien een nachtmerrie zou worden. Ze zou niet alleen midden in een oorlogsgebied moeten werken, met alle gevaren van dien (bombardementen door regeringstroepen, overvallen en moordpartijen door rivaliserende facties), maar bovendien maakte de regentijd het van april tot oktober zo goed als onmogelijk om in dit gebied te reizen, er waren nauwelijks moderne communicatiemiddelen en er heerste gebrek aan alles. Emma was niet iemand die uitdagingen uit de weg ging en nam de baan aan. Binnen een paar weken had ze UNICEF en Band Aid zover gekregen dat ze extra geld gaven voor het opzetten van het eerste kantoor van SKI in Kapoeta in Zuid-Soedan, vlak bij de grens met Kenia, en dat ze een Toyota-terreinwagen van dertigduizend dollar voor haar kochten, compleet met krik en cassettedeck.

In november 1989, nadat ze het benodigde geld en personeel bij elkaar had gekregen, ging ze op weg naar het oorlogsgebied in Zuid-Soedan om aan haar taak te beginnen. Ze schreef in haar dagboek dat ze zich voelde alsof ze zich op de 'rotspiek van de aarde' bevond en afdaalde naar de wieg van de mensheid.

Het was het hoogste punt van een enorm uitgestrekt gebied, ingesloten door negen andere Afrikaanse landen en in het midden doorsneden door de Nijl, die slagader die zich slingerend voortbeweegt door de Sudd, een gigantisch moeras vol riet en papyrus, op weg naar de Middellandse Zee. Die enorme watervlakten vormen een eigen wereld waarin vissen, reigers, pelikanen, reptielen, olifanten, antilopen en zwanen leven. De rijkdom van het leven is verbijsterend. Vanuit het vliegtuig vond ik het landschap zo oneindig en leeg dat ik er onrustig van werd, zelfs haast bang. Ik ben opgegroeid in de Yorkshire Dales, maar in deze onontgonnen weidsheid voelde ik me nietig.

Toen ze aankwam in Kapoeta, een plaats die anderhalf jaar eerder was terugveroverd op de regeringstroepen, werd Emma verwelkomd door een deinende massa schoolkinderen. Ze liepen nieuwsgierig achter haar aan toen ze naar haar nieuwe verblijf wandelde, een VN-gebouw; ze passeerden een gehavend bord van de SPLA met de tekst 'Samen staan we sterk'. De plaatselijke school had ramen noch deuren en het dak was ingestort. Later schreef ze aan Erica:

Hier is alles nieuw en verbijsterend. Kapoeta draagt nog de sporen van de oorlog. Het huis waar ik woon zit vol kogelgaten. Maar het besef van een normaal leven begint langzaam terug te keren: er zijn een kleine markt en een ziekenhuis en een school. Er is geen geld in omloop, dus wordt er geruild; er is veel vraag naar zeep en zout. Elke ochtend waait het en wervelt het stof op; overdag is het heet en kurkdroog; maar als de nacht valt, is alles rustig en is de weidse hemel bezaaid met flonkerende sterren. Ik hoor veel geweervuur: honden misschien, of dronken soldaten? Het militaire kamp ligt een eindje buiten de plaats. Ik word elke ochtend gewekt als de manschappen zingen, niet onverdienstelijk overigens, terwijl ze rond de barakken marcheren.

Door haar werk kwam ze op veel plaatsen in het Boven-Nijldistrict, waar ze scholen bezocht en werd voorgesteld als 'de grote vrouw uit het kleine Engeland'. Tekeningen van een lange slanke vrouw in een minirok werden op de muren van de schoolhutten gemaakt als Emma ergens werd verwacht. De kinderen, die in de eenvoudige klaslokalen op de grond zaten, stonden altijd eerbiedig op als Emma binnenkwam en zongen dan eenstemmig hun welkomstlied: 'Bezoeker, bezoeker, wij zijn vereerd u te zien.' Emma, steeds begeleid door minstens drie gewapende bewakers (voor haar eigen veiligheid, maar ook om te voorkomen dat ze SPLA-activiteiten zag die ze niet mocht zien), noteerde welke spullen de dorpsschool nodig had, lenigde de ergste nood en reed dan terug naar Kapoeta, een rit van vaak meerdere uren.

Ze opereerde vaak met gevaar voor eigen leven. Er waren af en toe gevechten tussen regeringstroepen en de SPLA, die overal om haar heen dood en verderf zaaiden. En de oorlog was niet de enige bedreiging. In haar allereerste week raakte ze, toen ze met haar auto vol verse aardappelen die de schoolkinderen haar uit dankbaarheid hadden gegeven op de terugweg was vanuit het dorpje Chukudum aan de voet van het Imatonggebergte, betrokken bij een auto-ongeluk dat haar noodlottig had kunnen worden. De plaatselijke VN-functionaris, een in sarong geklede Birmees die Maung heette, zat aan het stuur. Emma schreef:

> *Ik vroeg Maung te rijden omdat ik zelf moe was. Daar zou ik algauw hevige spijt van krijgen. Ik was vergeten dat Maung als bureaucraat in Rangoon had gewerkt. Hij nam plaats achter het stuur en we gingen er onmiddellijk op topsnelheid vandoor, slippend in bochten, blindelings voortstuivend over smalle bruggetjes die maar nauwelijks breder waren dan de auto. 'Maung!' riep ik. 'U hoeft niet zo hard te rijden!'*
>
> *'O, maar ik ben een uitstekende chauffeur!' riep hij terug, het gaspedaal nog wat dieper intrappend. We naderden een scherpe bocht en in plaats van vaart te minderen bleef Maung stug doorrijden; hij gaf een ruk aan het stuur en de auto begon te slippen en werd onbestuurbaar. Hij schoot tegen een steile helling op en kantelde. Niemand bewoog zich. Toen het doffe gerommel van de aardappels tot rust was gekomen, was het een paar seconden doodstil. Toen probeerde iedereen verwoed uit de auto te komen. Ik merkte dat ik wel geschrokken was maar mij mankeerde niets en ik wist me door het open raam naar buiten te wurmen. Tot mijn verbazing kropen ook de anderen ongedeerd te voorschijn. De enige die lichtgewond was, was – gerechtigheid! – Maung.*
>
> *'Help me, help me, ik ben gewond!' jammerde hij, een miniem schrammetje op zijn voorhoofd deppend.*

'Stel u niet aan, u mankeert helemaal niets,' beet ik hem toe. 'Door u hadden we allemaal dood kunnen zijn. Waarom reed u als een waanzinnige? U bent beslist géén "uitstekende chauffeur"!'

Op een andere rit, langs een slingerende weg door het oerwoud, zag Emma opeens iets vreemds in de verte. Ze tuurde door haar wimpers om te zien wat het was, maar kon nauwelijks geloven wat ze daar voor zich zag: een volledig intact MiG-gevechtsvliegtuig, midden in de wildernis. Haar chauffeur legde uit dat de piloot een paar maanden geleden na een bombardement had ontdekt dat hij haast geen brandstof meer had en erin was geslaagd zijn toestel veilig aan de grond te zetten; alleen het landingsgestel was licht beschadigd. Hij was ongedeerd, en pas bij Bor, veertig kilometer verderop, hadden SPLA-soldaten hem te pakken gekregen. Emma knipperde tegen het zonlicht en zag dat er een Libische halvemaan op het toestel had gestaan waar op slordige wijze de vlag van Soedan overheen was geschilderd. De MiG was nu in bezit genomen door bijen, die er een honingraat in hadden gebouwd; ze zoemden in groten getale het open cockpitraampje in en uit.

Ook de dieren zorgden voor verrassingen. De obsessie van de Soedanezen met hun vee fascineerde Emma. De beesten maken een geïntegreerd deel van hun leven uit; ze dienen als betaal- en ruilmiddel, worden aanbeden en gestolen en zijn het middelpunt van rouwplechtigheden, heilige riten en offers. Nooit zou ze de keer vergeten dat ze voor het eerst een veekamp bezocht, een hooggelegen plek waar kinderen moesten aandikken van de melk en kennismaakten met het leven van de veefokkers. De jongens leren touwen maken, het vee verzorgen en vissen en jagen. De meisjes leren de koeien melken, de melk karnen en huishoudelijke voorwerpen maken van huiden. Ze schreef:

Het aantal nieuwsgierige omstanders groeide. Zo gaat het altijd in Zuid-Soedan; waar je ook komt, altijd duikt er uit het niets iemand op om je te begroeten. De ouderen leunden op hun stokken of vissperen, hadden dikke ivoren armbanden om hun asgrauwe armen en rookten pijpen die in de hoeken van hun tandeloze monden hingen. Sommigen waren gehuld in stukken stof die op de schouder waren vastgeknoopt, anderen waren naakt en met as ingesmeerd. De kinderen giechelden en lachten en oefenden de paar woorden Engels die ze op school hadden geleerd: 'Hoe heet u? Hoe maakt u het? Goedemorgen!', als het al laat in de middag was.

De jongemannen kwamen later; hun haar was met de urine van het vee oranje geverfd en ze hadden strengen kleurige kralen om hun middel. Hun prachtige uitdossing werd vervolmaakt door koperen enkelbanden en armbanden van lege schelpen die waren opgepoetst met zand. Eén van hen had een meerval aan het eind van zijn visspeer hangen. We konden hem er niet toe brengen zijn vangst af te staan.

Ooit, in de tijd dat ze bij het Soedanees cultureel centrum in Londen werkte, had Emma een Soedanese student die voor het eerst in Engeland was een dagje meegenomen naar de Cotswolds om hem iets van het Engelse platteland te laten zien. Ze vroeg hem wat hij zou willen zien: een dorp, een kerk, een café?

'Zijn er hier ook koeien?' vroeg hij.

Ze bracht hem naar een boerderij en liet hem een paar zwartbonte Friese koeien zien die op stal stonden; hun eigen mest plakte aan hun huid. De student was hevig ontzet. 'Dus zo behandelen jullie de koeien hier?' zei hij.

In Soedan wassen de mensen hun koeien dagelijks en poetsen ze hun horens op. De mest wordt zorgvuldig verzameld om als sterk geurende brandstof te worden gebruikt, en het vee wordt met eerbied behandeld. Hoewel er vaak dieren bij rituelen worden geslacht, gebeurt dat altijd met het grootst denkbare respect, en er wordt om ze gerouwd alsof het mensen zijn. Het enige waar de jonge Soedanees van onder de indruk was, waren de dikke, overvolle uiers van de koeien.

Emma reisde heen en weer tussen het binnenland en Nairobi, een bruisende stad waar ze veel vrienden had en haar tijd doorbracht met het bezoeken van etentjes en feestjes en het maken van plannen voor safari's en reisjes naar de kust. Een erg populair tijdverdrijf was badminton, een spel dat ze vaak onder de sterrenhemel speelde, soms begeleid door flarden muziek vanuit een huis als Patta piano speelde en een andere vriend fagot. Het was een tafereel uit een rustiger, aangenamer tijdperk, een tafereel dat zich in de moderne tijd uitsluitend nog in een gebied als Afrika kon afspelen.

De rest van haar tijd bracht ze door in het desolate, uitgestrekte Zuid-Soedan, waar ze in haar element was. Het contrast had niet groter kunnen zijn. Het was voor niemand van ons een verrassing dat Emma het besluit nam om te trachten enige orde te brengen in de levens van de mensen wier infrastructuur door jaren van oorlog en verwaarlozing volledig te gronde was gericht. Ze won mensen voor zich met haar tomeloze energie en enthousiasme, en omgekeerd namen zij haar voor zich in met de schoonheid en vrolijkheid die ze ondanks alle tegenslagen hadden weten te koesteren.

Zoals ze daar door het door burgeroorlog verscheurde gebied trok met weinig meer dan een rugzakje en een minirok gaf ze nieuwe hoop aan duizenden straatarme mensen, uitgehongerde en broodmagere kinderen die, nagenoeg verstoken van voedsel en water, te midden van viezigheid, ziekte en stof leefden. Het schrille contrast tussen haar twee levens leek haar niets te kunnen schelen; ze hield evenveel van alle aspecten van haar bestaan en schakelde moeiteloos over van de ene naar de andere wereld, al zeiden degenen die haar kenden dat ze zich in de wildernis het meest thuis voelde.

Door keihard te werken en een beroep te doen op al haar inventiviteit wist Emma met een budget van slechts tienduizend dollar per jaar honderd basisscholen in bevolkingscentra opnieuw op poten te zetten; ze kocht krijt, schoolborden, papier, potloden en schoolboeken in Kenia en vervoerde die over de weg en door de lucht naar afgelegen woongebieden in het hele oostelijke deel van de provincie Equatoria. Als ze niet dadelijk kon vinden wat ze zocht, haalde ze de onderste steen boven om het op te sporen; ze wilde dat de kinderen in hun eigen taal leerden lezen en schrijven in plaats van in het Engels, dus ze zocht overal en nergens naar de oude leesboekjes die in de jaren vijftig en zestig waren gepubliceerd door de zendelingen. Uiteindelijk vond ze de originele clichés van een Dinka-boek voor kinderen dat *Marial en de koe* heette en liet er, voor het eerst sinds meer dan twintig jaar, honderden nieuwe exemplaren van drukken.

Niets bracht haar van de wijs. Ze reisde regelmatig heen en weer door een smalle strook land die tussen twee oorlogsgebieden lag om haar hulptaken te vervullen en ze leek de oorlog slechts als een lastige bijkomstigheid te beschouwen. Toen de Soedanese luchtmacht drie van de nieuwe scholen bombardeerde die door Soedanese vrijwilligers werden bemand, waarbij meer dan twintig kinderen omkwamen, wanhoopte Emma niet, maar begon onmiddellijk voorbereidingen te treffen voor het bouwen van schuilkelders. Via SKI had Emma helemaal haar draai gevonden in Afrika. Peter Dalglish schreef:

> *Emma was de meest bijzondere hulpverlener die ik ooit was tegengekomen. Hoewel ze uit een bemiddelde familie kwam, was ze totaal niet behept met het botte materialisme dat zovelen van haar generatie heeft verlamd. Ze droeg elk kledingstuk dat ze maar te pakken kon krijgen, sliep in hutjes op de smerige vloer en at gewoon wat de pot in het dorp schafte. Emma werd gebeten door schorpioenen en ratten en overleefde aanvallen van malaria en amoebedysenterie. Ze beklaagde zich nooit over het ontbreken van de meest basale voorzieningen als elektriciteit of stromend water. Haar enige luxe was haar op zonne-energie werkende laptop, waarop ze gedetailleerde veldrapporten voor me schreef... Met haar nieuwe auto was Emma soms maandenlang in het binnenland onderweg. Ik hoorde een hele tijd niets van haar en dan rolde er ineens een in fraaie bewoordingen vervat rapport uit de fax op het* SKI*-hoofdkantoor in Toronto. Haar rapporten bevatten persoonlijke anekdotes waarin de kinderen een rol speelden die ze had leren kennen en liefhebben, maar ook statistische gegevens over de aantallen potloden en notitieboekjes die ze had uitgedeeld.*

Meer dan eens kwam ze op weg naar afgelegen dorpen midden in het uitgestrekte oerwoud vast te zitten terwijl regeringsvliegtuigen bombardementen uitvoerden, maar veel mensen hadden de indruk dat ze geen vrees kende; ze aarzelde nooit om de gevaarlijkste gebieden te bezoeken en als niemand met haar mee wilde ging ze alleen. Tijdens haar eerste bezoek aan het midden in de wildernis gelegen plaatsje Leer – dat later nog een zeer bijzondere betekenis voor haar zou krijgen – was ze in een pick-up onderweg met een paar oudere dorpshoofden en een Zuid-

Soedanese onderwijscoördinator, James Chany Reer, toen de auto een lekke band kreeg. Terwijl ze zaten te wachten op de terugkeer van een koerier die hulp was gaan halen, hoorden ze in de verte het geronk van een motor. Emma schreef in haar dagboek:

James zat ineens kaarsrecht overeind en luisterde een paar seconden ingespannen.

'Mijn god,' zei hij zachtjes terwijl hij me recht aankeek. 'Dat is een Antonov, een vliegtuig van de Soedanese regering.' De meeste Zuid-Soedanezen kunnen het vliegtuigtype herkennen aan het motorgeluid, een vaardigheid die ook ik algauw had geleerd.

'James, dat vliegtuig gaat ons bombarderen,' zei ik. Op de een of andere manier voelde ik dat instinctief aan. 'We kunnen de auto maar beter camoufleren.' Ik wist dat vliegtuigen de wegen volgden, en onze witte auto zou al van verre in het oog springen.

'Nee, nee, nee,' zei hij. 'Hij komt niet deze kant op, maak je geen zorgen. Vertrouw op God.'

Ik was er niet gerust op. Ik sprong in de pick-up en reed hem zo goed mogelijk onder een boom. Het was duidelijk dat het vliegtuig op zoek was naar Leer, maar er was geen zicht door laaghangende bewolking. Het vliegtuig bleef rondcirkelen, het geraas van de motor stierf weg en zwol dan weer onheilspellend aan.

'We kunnen beter dekking zoeken,' zei ik dringend, wanhopig om me heen kijkend naar een geschikte schuilplaats. De dorpshoofden waren al weggehold en hadden zich ergens verstopt.

'Alles komt goed,' zei James. 'Jij bent een hawaga *(blanke). Er zal je niets overkomen. God zal je beschermen.'*

Ik kon mijn oren niet geloven en barstte bijna in lachen uit. 'Maar James, denk je nou heus dat een bom onderscheid maakt tussen een blanke en een zwarte?' vroeg ik. Het was een absurd moment voor een metafysische discussie. Hoe dan ook, op dat moment hoorden we gerommel in de verte, en daarna nog eens.

'Dat is gewoon de donder,' beweerde James stellig.

'Nee, het zijn bommen. En ik ga dekking zoeken.' Ik keek wanhopig om me heen. Er was zelfs geen kuil in de grond. Ik holde

wat rond tot ik een kleine verlaging vond aan de voet van een nimeboom. Het vliegtuig naderde. Toen het vlakbij was, liet het de bommen steeds met een paar tegelijk vallen. Eén, twee, drie. Pauze. Daarna opnieuw, de explosies kwamen steeds dichterbij. Ik voelde de aarde trillen. We bevonden ons midden in de vliegroute. Een vreselijke angst beving me. Ik maakte mezelf zo klein mogelijk, kneep mijn ogen stijf dicht en wachtte. Het vliegtuig gierde over me heen. Er verstreken een paar seconden.

Ik deed mijn ogen open en hief mijn hoofd op. Het geluid van de motoren stierf langzaam weg. Toen het geronk heel zacht was geworden, leek het een soort ijle muziek. Ik probeerde overeind te krabbelen, maar had niet genoeg kracht. Ik zag dat er op vrij korte afstand zwarte rookpluimen boven de bomen waren verschenen. Al mijn opgekropte angst kwam tot uitbarsting. Ik verborg mijn hoofd in mijn handen en begon vreselijk te trillen.

James kwam naar me toe. Hij was meer van zijn stuk gebracht door mijn tranen dan door de bommen. Hij wist niet wat hij moest beginnen met een hawaga die overstuur was. 'Je moet zorgen dat niemand je zo ziet,' zei hij op dringende toon, terwijl hij mijn tranen met zijn vingertoppen afveegde.

Ineens werd ik woedend. 'Ik háát de Soedanese regering,' schreeuwde ik.

'Ja,' zei James. 'Erg jammer voor je dat ze je bezoek aan Leer hebben bedorven.'

De volgende ochtend kwam James beladen met geschenken – een rieten waaier, gepofte maïs en verse melk van de koeien – bij me, zodat ik een betere herinnering zou overhouden aan mijn verblijf in Leer. Daarna verzamelden de mensen zich voor de school. Er werd een plechtigheid gehouden waarbij een koe werd geslacht, en we baden dat de bommenwerpers nooit meer zouden terugkomen.

Toen ze haar reis vervolgde, zag Emma op weg naar het plaatsje Bor de sporen van grootschalige vernielingen en slachtingen. Bij het bombardement door de regeringsvliegtuigen waren vijf mensen omgekomen en hadden diverse anderen armen en benen verloren. De leden van het

Duitse medische team dat in het plaatselijke ziekenhuis werkzaam was, wisten niet hoe snel ze zich uit de voeten moesten maken en vochten om plaatsen op de eerstvolgende vlucht. Slechts één verpleegster had toegezegd in het ziekenhuis te zullen blijven om te helpen met het verzorgen van de gewonden. Een plaatselijke VN-vertegenwoordiger en een mecanicien waren de enige mensen met genoeg medische kennis om de verminkten en stervenden te verbinden; ze waren in een geïmproviseerde operatiekamer onder de primitiefst denkbare omstandigheden bezig ledematen te amputeren en andere levensreddende operaties uit te voeren. Ze moesten de deur van het geneesmiddelenmagazijn openbreken omdat de dokter er met de sleutel vandoor was.

Emma hielp zo goed als ze kon; ze stroopte haar mouwen op, verzorgde de lichtgewonden en begeleidde de mensen met een zware shock. Sommigen van de kinderen voor wie ze daar eigenlijk was, waren omgekomen, anderen waren doodsbang de wildernis in gevlucht. Alle vrijwilligers die hun hadden lesgegeven, waren dood. De school was een rokende puinhoop. Emma was hevig geschokt door wat ze zag en woedend om de zinloosheid van de oorlog, en ze bleef een paar dagen om te helpen waar ze kon. Ze schreef:

> *Toen de middag bijna voorbij was, begonnen we met het begraven van de doden. Eén van hen was een jonge vrouw, gehuld in een eenvoudige doek. Haar gezicht was geheel ongeschonden, haar gezichtsuitdrukking merkwaardig vredig. Ik had bijna de neiging haar zachtjes heen en weer te schudden om haar wakker te maken.*

Het was de eerste keer dat Emma de oorlog aan den lijve ervoer, en de dingen die ze zag maakten haar alleen maar vastbeslotener om in Soedan te blijven en alles te doen wat ze kon voor dit vergeten volk.

9

Emma werd in Soedan een soort plaatselijke beroemdheid en genoot van de aandacht die ze kreeg. Ze was ongetwijfeld de bekoorlijkste hulpverlener met wie de mensen in die streek ooit te maken hadden gehad, met haar extravagante kleding en haar aanstekelijke glimlach; wel even iets anders dan al die sombere, kleurloze en ernstige mannen en vrouwen die bij hun terugkeer naar hun eigen land emotioneel en fysiek geknakt waren door alles wat ze hadden gezien.

Door haar vastbeslotenheid om ook de meest afgelegen gebieden te bezoeken maakte ze unieke dingen mee en groeide haar kennis van en begrip voor de problemen waarmee Zuid-Soedan te kampen had, zozeer zelfs dat andere hulpverleners bij haar kwamen voor informatie en goede raad. Ze was nog steeds goed in onderhandelen; ze wist Band Aid over te halen om geld te steken in nieuwe projecten en leerde ook welke wegen ze moest bewandelen om bij andere liefdadigheidsorganisaties, zoals 'Lifeline Sudan' van de VN, financiële steun te krijgen. Peter Dalglish had gelijk: met haar charme kreeg ze álles voor elkaar. Ze werd gedreven door een diepe betrokkenheid bij de politiek, het feit dat ze midden in de schermutselingen zat, en volgens mij óók door haar voortdurende flirt met het gevaar. Ik zei altijd dat ze een goede suffragette zou zijn geweest. En nu was ze suffragette voor Afrika, terwijl haar studie voor eeuwig op een laag pitje stond.

De Soedanezen, met wie ze zich zozeer identificeerde en die hetzelfde postuur hadden als zij, noemden haar 'de blanke Dinka-vrouw', een hele eer voor een meisje van een kloosterschool in Yorkshire. De Dinka behoren tot de oudste stammen in het zuiden en staan van oudsher bekend als veedieven, reden waarom ze traditioneel de aartsvijanden van de Nuer zijn. Maar destijds trokken de twee stammen samen op in de gezamenlijke strijd tegen de moslimstrijdkrachten in het noorden en leefden ze in wankel evenwicht naast elkaar.

Emma kon de voornaamste twee stammen gemakkelijk uit elkaar houden. De Nuer-mannen zijn te herkennen aan hun traditionele 'mannelijkheidstekenen' bestaande uit opgezwollen littekenweefsel op hun gezicht, vlak boven de ogen. Die tekenen worden elk jaar bij een plechtigheid aan het eind van de regentijd bij jongens tussen veertien en zestien jaar aangebracht bij wijze van initiatie tot de volwassenheid. Daarbij worden er met een klein mes zonder verdoving zes insnijdingen gemaakt, van oor tot oor en tot op het bot, die vervolgens met een laag hete as worden bedekt om ze te laten opzwellen. De littekens blijven levenslang zichtbaar, en men zegt dat er zelfs op de schedels van reeds lang overleden mannen sporen van te zien zijn. Vanaf het moment dat een jongeman de mannelijkheidstekenen heeft, is hij krijger en hoeft hij niet meer in het huishouden te helpen. Hij krijgt een speer en een os, en tot het moment dat hij echtgenoot en vader wordt houdt hij zich voornamelijk bezig met dansen en vrijages.

Emma vrolijkte de afstammelingen van dit oude volk met al zijn riten dagelijks op met haar aanwezigheid. Met haar misplaatst felgekleurde kleren en haar sieraden reed ze, immer glimlachend, naar de platgebombardeerde, stoffige dorpjes, altijd blij als ze de kinderen zag die als een troep spreeuwen op haar af vlogen en haar met uitgestrekte armen vrolijk begroetten: 'Maalèh! Maalèh! (Welkom! Welkom!) Emm-Maa!' Ze klom lenig als een kat uit haar auto en deelde lekkernijen uit aan kinderen die nog nooit snoep hadden gezien. Ze werd snel geaccepteerd als een van hen, iemand van buiten die zich volledig had aangepast aan hun gewoonten, maar die wel beschikte over de contacten, het inzicht en de opleiding om dingen voor hen te regelen en hen vooruit te helpen. Voor hen symboliseerde zij schoonheid en hoop, en zij van haar kant had een baan gevonden waarin ze alles van zichzelf kwijt kon. Soedan was de perfecte plek voor haar; haar verdere carrière was duidelijk.

Ze wekte overigens, ondanks haar verschijning en haar luchthartigheid, nooit de indruk dat ze haar taak niet serieus nam of de zaken niet volledig in de hand had. Op een keer moest ze op de terugweg van een verafgelegen plek in het binnenland achter in een vrachtwagen zitten met een jonge gewapende bewaker die naar alcohol en zweet stonk. Ze schreef:

> *De reis was hoogst ongemakkelijk. Ik kokhalsde van de slechte adem van die man en van het ongeriefelijke zitten op de achterbank. Ik voelde iets hards tegen mijn been. Ik keek omlaag en zag dat er een handgranaat tussen de lijfwacht en mijn dij lag. Een jonge soldaat, die meende dat ik geïnteresseerd was in plaats van hevig geschrokken, pakte het ding en begon ermee te goochelen. Hij keek me aan en grijnsde al zijn blinkend witte tanden bloot. Boink! De handgranaat viel op de grond. Iedereen die achterin zat keek rustig hoe die bol vol explosieven alle kanten op rolde en opsprong als de vrachtauto in volle vaart schuddend door een kuil reed.*
>
> *'Genoeg zo!' zei ik. 'Bij de volgende controlepost gaat of die man eruit, of zijn handgranaat gaat eruit, en het liefst allebei!' Ik had mijn ultimatum gesteld; bij de volgende kruising werd de deur opengedaan en de lijfwacht gooide zijn handgranaat naar buiten.*

Ook persoonlijk ging het Emma voor de wind. Sally en Willie hadden besloten uit elkaar te gaan en Emma had Sally's plaats ingenomen, met haar goedvinden. Emma was al jaren op afstand een aanbidster van Willie geweest en had zijn advies altijd op prijs gesteld. En nu begonnen ze aan een relatie die geruime tijd zou duren, waarbij Emma aanvankelijk degene was die achter hem aan liep en hem inpalmde. Later was er zelfs sprake van trouwen. Emma schreef die herfst in een brief aan Yo:

> *Willie is nog steeds in Zuid-Soedan en verdient een heleboel geld met wat hij het liefste doet: door de wildernis lopen. Ik hoop dat hij eind oktober terugkomt, want ik mis hem heel erg. Als Willie en ik inderdaad gaan trouwen, maken we er hier een grote fuif van. We worden van alle kanten onder druk gezet om in het huwelijksbootje te stappen; Willies familie, zijn vrienden en hijzelf praten allemaal alsof het al een uitgemaakte zaak is.*

Emma vroeg Yo haar nichtje Freddie, de dochter van Sue, te vertellen dat ze binnenkort best weleens bruidsmeisje zou kunnen zijn. Freddie was verrukt bij dat vooruitzicht, en wij ook. Willie was fantastisch en deelde Emma's hartstocht voor Afrika. Zijn familie was erg aardig. Zijn ouders, Jeannie en Roddy, waren na hun pensioen aan de Keniaanse kust gaan wonen, en Emma en anderen gingen daar vaak heen om uit te rusten. Emma logeerde bij zijn zus Roo en haar verloofde Simon toen ze voor het eerst in Nairobi was. En ook Willies broer Richard en zijn vrouw Jules hadden een goede band met mijn oudste dochter; zij was getuige bij hun huwelijk geweest. Dus in zekere zin was ze al geaccepteerd als lid van de familie.

Terwijl Emma op en neer bleef vliegen naar Soedan voor haar onderwijsprojecten, besteedde Willie zijn tijd aan het verlenen van hulp bij waterputprojecten in Oost-Afrika. Door hun verschillende werkverplichtingen zagen ze elkaar soms weken of zelfs maanden achter elkaar niet, maar aanvankelijk geloofden ze allebei dat hun band sterk genoeg was om daartegen te kunnen. Ik las de jammerklachten over hun lange gescheiden perioden en hoopte dat de relatie het allemaal waard was. Ze was van plan geweest dat jaar met kerst thuis te komen en had zich daarop verheugd, maar Willie haalde haar over in Afrika te blijven en de vakantie door te brengen bij zijn familie aan de kust. Ze kon er heerlijk zonnebaden, windsurfen en feestvieren, maar ze was woedend op Willie omdat hij pas op oudejaarsdag aankwam, zodat zij een hele tijd alleen was met zijn familie.

Het was niet uitsluitend *zijn* schuld; hij ging altijd op safari als het maar even kon en had spontaan besloten met zijn vriend John Horsey, een VN-hulpverlener, naar Tanzania te gaan, ervan overtuigd dat hij op tijd terug zou zijn om aan de kust Kerstmis te kunnen vieren. Maar onderweg stuitten ze op een rivier waar allemaal dode vissen in dreven; het was duidelijk dat de dorpelingen uit de buurt dynamiet hadden gebruikt. John had hun in niet mis te verstane bewoordingen de mantel uitgeveegd over hun milieuonvriendelijke gedrag. Toen hij en Willie tegen het vallen van de nacht hun kamp naderden, zagen ze op die plek rookwolken opstijgen. Hun kamp was overvallen en in brand gestoken, en al hun voorraden en bezittingen waren verloren gegaan. Ze moesten zelf maar zien hoe ze in de bewoonde wereld terugkwamen; de tocht kostte hun een paar dagen.

Emma nam het Willie kwalijk dat hij er niet was, was ziek van verlangen naar een kerstvakantie in Engeland en voelde zich erg in de steek gelaten. Dit zou uiteindelijk de doorslag geven bij de breuk in hun relatie. Ze gingen kort daarna uit elkaar, maar ze zouden het nog talloze malen weer aan- en uitmaken. Emma schreef haar nichtje Freddie dat ze dat jaar helaas toch geen bruidsmeisje zou zijn. Ik was bedroefd toen ik haar woorden las en vroeg me af wie de volgende man in het leven mijn dochter zou zijn.

Emma ontmoette Riek Machar Teny-Dhurgon voor het eerst in januari 1990, op een groots opgezette conferentie over de problemen van Soedan in het Pan Afric-hotel in Nairobi. Riek was een warlord; hij was commandant bij de SPLA, de rechterhand van John Garang, en iemand die althans mede verantwoordelijk was voor het voortduren van de oorlog. Wat voor de een een vrijheidsstrijder is, is voor de ander een terrorist; terwijl Emma naar de conferentie reed in de hoop hem te ontmoeten, herinnerde ze zich dat ze die woorden eens ergens had gelezen. Terrorist of niet, hij was de aangewezen persoon om haar te helpen in haar strijd voor goed onderwijs voor de kinderen in de gebieden die zijn soldaten in handen hadden.

Als ze had verwacht een oorlogszuchtige en egoïstische Afrikaan te ontmoeten, stond haar een verrassing te wachten. Riek was ontspannen en charmant, sprak goed Engels en was de omgang met westerlingen gewend. Na een studie van vijf jaar aan de universiteit van Khartoem had hij eerst gestudeerd aan Strathclyde Polytechnic in Glasgow, was vervolgens gepromoveerd aan Bradford Polytechnic in Yorkshire, en was daarna les gaan geven in constructietechniek. In een land waar achtennegentig procent van de bevolking analfabeet was dwong dat respect af. Hij was Nuer-hoofdman en -warlord, maar zonder de traditionele mannelijkheidslittekens, en Emma voelde zich vanaf het eerste moment aangetrokken tot deze elegante, meer dan twee meter lange man met zijn soepele lijf, hoewel ze zichzelf steeds maar voorhield dat ze andere, belangrijker zaken aan het hoofd had.

Nadat ze eindeloos lang had gewacht om hem persoonlijk te spreken te krijgen, wist ze hem aan het eind van de conferentie eindelijk in de kraag te grijpen. Ze wilde graag in detail met hem spreken over de vele problemen waarmee ze te kampen had bij het helpen van de kinderen in de gebieden waar zijn mannen het voor het zeggen hadden en die onder auspiciën stonden van de Sudan Relief and Rehabilitation Association (SRRA), de hulpverleningsafdeling van de SPLA.

'Commandant Riek,' begon ze op hoge toon, 'hebt u enig idee hoe frustrerend het is om je in te zetten voor goed onderwijs voor de kinderen in het Boven-Nijldistrict terwijl u en uw mannen niets anders doen dan je bij ieder kruispunt tegenhouden, en wetende dat de kinderen die je graag les wilt geven ondertussen in de wildernis worden opgeleid tot kindsoldaten?'

Riek was met stomheid geslagen door haar zelfverzekerdheid en moed. Hij wist wie ze was en had gehoord van de activiteiten van SKI, maar had nooit erg veel aandacht geschonken aan het onderwijsvraagstuk, verwikkeld als hij was in een zich eindeloos voortslepende, gecompliceerde oorlog waarin zijn mannen doodden en werden gedood en veel mensen van zijn volk stierven. Deze reis naar Nairobi was de eerste keer in vijf jaar dat hij de moerassen en de wildernis van Zuid-Soedan even had verlaten. En nu werd hij pardoes geconfronteerd met het uitgesproken standpunt van een lange blanke vrouw met benen als een gazelle, die vastbesloten was hem alles in te peperen wat ze op haar hart had... Hij was op slag verliefd.

Riek heeft altijd beweerd dat het bij hem liefde op het eerste gezicht was. Emma had mooie handen met lange, elegante vingers, die veel leken op die van hem. Ze straalde seksueel zelfvertrouwen uit en wist hoe ze dat moest gebruiken, flirtend met haar ogen en met haar immer glimlachende mond. Maar Emma was nog lang niet klaar met haar tirade.

'Ik wil dat u weet,' ging ze onverstoorbaar verder, 'dat ik u persoonlijk verantwoordelijk houd voor het mislukken van mijn pogingen opleidingscursussen voor leraren op te zetten in Torit en Bor. De SPLA weigert mensen die in aanmerking komen voor een opleiding tot leraar uit hun eigen streek te laten vertrekken. En ook mij wordt het onmogelijk gemaakt naar allerlei gebieden te reizen waar ik belangrijk werk te doen heb. Tenzij ik kan rekenen op uw medewerking, zal ik me genoodzaakt zien andere maatregelen te nemen.'

Riek glimlachte tegen haar, waarbij bleek dat hij een groot gat tussen zijn voortanden had. Hij vroeg haar met zijn rustige, zangerige stem of ze ooit het boek had gelezen dat de Engelse antropoloog E.E. Evans-Pritchard over de geschiedenis van het Nuer-volk had geschreven.

'Dat moet u beslist doen,' zei hij zacht. 'Alles wat u moet weten over mijn stam, staat erin.'

Daar had Emma niet op gerekend. Ze had wel van het boek gehoord, maar moest toegeven dat ze het niet had gelezen. Erop gebrand het initiatief in handen te houden vroeg ze hem of hij de volgende ochtend met haar naar de plaatselijke bibliotheek wilde gaan om te kijken of ze het daar hadden. Riek stemde toe. Daarna werd ze milder en ze vroeg hem dingen over zijn familie en zijn persoonlijke achtergrond. Ze voelden zich steeds meer tot elkaar aangetrokken en het drong algauw tot Emma door dat de man die ze zo graag had willen ontmoeten nog veel intrigerender was dan ze had verwacht. Ook bij haar ontvlamde de hartstocht. Ze hield van Rieks zelfverzekerdheid en van de manier waarop hij zijn hoofd achterovergooide en grinnikte. Zijn stem was, zoals ze zei, als fluweel. Ze vond het prettig te kijken hoe hij zijn stok van eboniet en ivoor almaar tussen zijn lange vingers liet ronddraaien terwijl hij sprak, en ze hield van de blauwzwarte kleur van zijn huid. Ze gingen meteen die eerste nacht met elkaar naar bed, een ervaring die hun beider leven voorgoed zou veranderen. Toen ze in zijn armen lag, voelde ze instinctief dat dit de man was naar wie ze altijd had gezocht, ook al leek hun relatie op de lange duur geen toekomst te hebben.

Binnen vierentwintig uur na hun eerste ontmoeting was Riek vertrokken zonder dat ze wist waarheen. Hij brak zijn verblijf in Nairobi af en reisde voor een maand naar Zaïre. Daarna keerde hij terug naar Zuid-Soedan, waar hij door John Garang werd uitgezonden om de orde te bewaren in een afgelegen gebied aan het noordelijk front in het Boven-Nijldistrict. Riek en zijn mannen kregen opdracht om te voet vanuit Ethiopië door het oerwoud te patrouilleren; hij zou zeven maanden geen contact met de buitenwereld hebben. Emma was gedurende die tijd buiten zichzelf van bezorgdheid, vroeg zich af of Riek hetzelfde voor haar voelde als zij voor hem of dat zij als enige een speciaal gevoel had gehad bij hun ontmoeting. Ze probeerde discreet inlichtingen over hem in te winnen. Leefde hij nog? In welk deel van Soedan was hij? Was er een kans dat ze elkaar konden ontmoeten? Maar het was oorlog, en de hoge SPLA-officieren hadden niet de gewoonte een vreemde blanke vrouw in detail te informeren over de militaire activiteiten en de exacte verblijfplaats van hun commandant.

Emma trachtte zichzelf ervan te overtuigen dat haar ontmoeting met Riek slechts een avontuurtje voor één nacht was geweest en pakte haar knipperlichtrelatie met Willie Knocker weer op. Maar onderwijl hield ze niet op stiekem te dromen van de knappe, lange, zwarte vreemdeling die ze één keer had ontmoet en die nu uit haar leven was verdwenen zonder een spoor na te laten. Ze had zich geen zorgen hoeven maken. De herinnering aan haar had zich muurvast gezet in Rieks hoofd; hij kon haar evenmin vergeten. Hij was niet in staat haar beeld van zich af te schudden en moest wel de stem van zijn hart volgen, en de zeldzame keren dat hij contact had met het SPLA-kantoor in Nairobi vroeg hij altijd of iemand haar had gezien. Het antwoord was steeds ontkennend. Voor degenen die zich serieus bezighielden met de oorlog was het hele idee van een liaison tussen een commandant en een blanke vrouw taboe, omdat voor hen iedere blanke een potentiële spion was. Omdat ze dus niet van elkaar wisten waar ze waren en evenmin iets over elkaar te weten konden komen, gingen Emma en Riek ieder apart door met hun bezigheden.

Nadat de gebouwen waren hersteld en de apparatuur was gearriveerd die noodzakelijk was om meer scholen in het zuiden opnieuw te openen, begreep Emma dat er nu nodig iets moest worden gedaan aan het chronische gebrek aan leerkrachten. Het zou haar alleen lukken mensen ertoe te brengen naar het oorlogsgebied terug te keren (of er te blijven) om les te geven als ze hun eten, onderdak en een goede opleiding kon bieden. Daarom begon ze in het voorjaar van 1990 aan een rondreis van zes weken door Oost-Equatoria om in de plaatsen Torit en Bor twee nieuwe centra voor de opleiding van leraren te stichten. Na de eerste week schreef ze me een brief, die ze meestuurde met een VN-vliegtuig.

Torit is een typisch Afrikaanse plaats, voornamelijk bestaande uit lemen hutten met strooien daken, met een enkel bakstenen gebouw ertussen. We hebben hier een opleidingsinstituut voor leraren opgezet in de voormalige katholieke missiepost. We zijn het gebouw aan het opknappen: bomen planten, timmeren, schilderen enz. De vernieling door de oorlog is deprimerend. On-

willekeurig vraag je je af hoe het er op plekken als deze uitzag voor alles vernield en geplunderd werd, toen het hier nog bruiste van het leven.

De mensen hier zijn druk bezig het land geschikt te maken voor landbouw: ze zuiveren de aarde door het uitstrooien van de stoffelijke resten van kippen, of als ze rijk zijn geiten en koeien. Ze zijn namelijk bang dat er mensen op hebben gelopen die de een of andere misdaad hebben begaan. De paters van de missie vertelden ons gisteren dat de regenmakers vaak door de vrouwen worden gedood als er geen regen komt, evenals mensen met het boze oog die de wolken verspreiden om te voorkomen dat het gaat regenen. Veel ouderen beschouwen blanken als afstammelingen van het water en denken daarom dat wij macht hebben over de regen. Anderen noemen ons de rode apen!

Emma bleef zich inzetten voor SKI; ze vloog op en neer naar Nairobi, schreef rapporten en zorgde voor de infrastructuur om lerarenopleidingen en scholen op te zetten. Omdat ze ervan overtuigd was dat de dorpelingen de scholen zelf draaiende moesten houden nadat ze eenmaal waren opgezet, stak ze veel energie in onderzoek naar manieren om zelf gewassen te verbouwen om zo de salarissen van de nieuwe leraren te betalen.

Nadat ze haar eerste salaris van SKI had ontvangen, een belangrijk moment in haar leven na het jarenlange armoedige studentenleven, vertrok ze uit het huis van Roo en Simon in Nairobi – waar ze tien maanden had gelogeerd – en betrok ze samen met Sally Dudmesh een huis aan Koitibus Road in Langata, een groene voorstad van de zeer uitgestrekte stad. Sally vond het altijd heerlijk als Emma weer in de stad was; de twee jonge vrouwen waren dan dagenlang aan het bijpraten om de verloren tijd in te halen.

In juli 1990 had Emma eindelijk genoeg geld op de bank om voor zes weken verlof naar huis te komen; het was de eerste keer sinds bijna een jaar dat ik haar weer zag. Ze zag er erg goed uit: gebruind, gelukkig en zelfverzekerd. Ze huurde voor een deel van haar vakantie een auto, wat ze zich nooit eerder had kunnen permitteren, en reed met mijn huis als uitvalsbasis het hele land door; ze bezocht vrienden in Oxford, haar opa (die inmiddels in Shropshire woonde) en al haar oude vrienden in Yorkshire. Ze reed terug via East Anglia en ging langs bij tante Margot en oom George, bij Wendy en Bill Burton in Cambridgeshire en een paar vrienden in Londen, waar ze theaters, galeries en gezellige avondjes bezocht. Daarna kwam ze weer bij mij terug.

Er werd menig feestje gehouden; Annabel Ledgard hield er eentje voor haar in Londen en Sue en Martin organiseerden het eerste zomerfeest voor haar in Springwood. Daartussendoor praatten wij tweeën bij en haalden oude herinneringen op. Het liefst zat ze op de bank in mijn tuin in de zon wat te bladeren in tijdschriften – dat had ze heel erg gemist – terwijl ik in de tuin bezig was de zomerplanten te verzorgen. Het waren dromerige dagen; ik keek tussen de stokrozen en riddersporen door naar haar en luisterde terwijl ze lachend vertelde over de beelden, geluiden en geuren van Afrika, die in die uitermate Engelse omgeving wel héél ver weg leken.

Ik werkte nog steeds bij Bear Stearns, Erica en Johnny waren allebei in Bristol, waar hij economisch en administratief onderwijs volgde en zij voor meubelrestauratrice studeerde. Ze deelden een huis op het ruige platteland; via Johnny ontmoette Erica haar toekomstige echtgenoot, Hugh, een medestudent van hem. Jennie, die we meer dan een jaar niet gezien hadden omdat ze met een rugzak de wereld rondtrok en zelden iets van zich liet horen, was onlangs onverwacht teruggekomen, met meteen alweer plannen voor een volgende reis. Maar voor korte tijd waren al mijn kinderen in hetzelfde land, en tot mijn grote vreugde kwamen ze allemaal naar Surrey voor Emma's afscheidsfeestje in augustus. Een heerlijke dag.

Toen ik haar de week daarop uitzwaaide op het vliegveld, had ik geen last van het ellendige gevoel dat ik vaak had gehad als ik haar zag vertrekken. Een paar dagen eerder had Emma me verrast en verblijd door me uit te nodigen om Kerstmis in Kenia te komen vieren en me geld gegeven voor het vliegticket. Het zou mijn eerste bezoek worden aan het werelddeel dat haar hart had gestolen. Ik vond het fantastisch en was in gedachten al aan het pakken.

Dat kerstfeest was een belangrijke mijlpaal in mijn nieuwe, volwassen relatie met Emma. Het gaf haar de kans mij te laten zien hoe ze leefde en iets van de magie van Afrika die zij had ontdekt met mij te delen. Voor mij was het een kans om een reis naar het onbekende te maken, te zien waar mijn dochter leefde en werkte en me open te stellen voor haar liefde voor dit vreemde continent waarvoor zij had gekozen.

Ik had half en half verwacht dat alles in Afrika precies zo zou zijn als in het land dat ik lang geleden had verlaten. Tot mijn verrassing was alles er anders, het was een geheel eigen werelddeel vol nieuwe verleidingen. Ik verkende het allemaal samen met Emma, tijdens de eerste kerstvakantie die ik alleen met haar doorbracht. Ik genoot van de nieuwe ervaringen. Na jaren van zorgen, geldgebrek en verdriet kon ik ineens weer vrij ademen.

Emma haalde me op 8 december af van het vliegveld en bracht me naar het huisje dat ze met Sally deelde. Meteen de eerste dag namen Willie en zij mij, Sally en John Horsey mee op een wandeling in de heuvels van Ngong. Toen we op een top stonden, was het landschap in mist gehuld en blies een harde wind mijn rok over mijn hoofd. Lieve hemel, dacht ik, nou heb ik zo'n verre reis gemaakt en het is hier precies de Yorkshire Dales. Maar toen we in de avondschemering terugreden, zag ik tussen de bomen door mijn eerste giraffe, die van de takken van een hoge acacia stond te eten, zijn wonderlijke silhouet één met de Afrikaanse wildernis. Nee, ondanks de mist was dit toch echt een heel ander land.

Emma moest nog werken, dus ze zette me op het vliegtuig voor een binnenlandse vlucht naar het meest luxueuze hotel waar ik in jaren had gelogeerd: het Hemingways in de kustplaats Watamu. De luxe deed me denken aan het leven aan boord van de Chusan. Iedere avond werden de bedden omlaaggeklapt en de klamboes uitgevouwen; zoiets had ik niet meer meegemaakt sinds ik uit India was vertrokken. Ik vond het heerlijk; ik bleef er negen dagen en wentelde me in de luxe. Ik maakte er nieuwe vrienden en ging op bezoek bij Willies ouders, Jeannie en Roddy, die daar vlakbij aan het strand woonden en zich over me ontfermden. We gingen vissen en snorkelen en op verkenningstocht in het binnenland.

Toen ik naar Nairobi terugkeerde, uitgerust en benieuwd wat me te wachten stond, belandde ik pardoes midden in het trouwfeest van Roo en Simon, die elkaar eerder diezelfde dag het jawoord hadden gegeven. Het was een verbijsterende, maar erg leuke ervaring. Gedurende de tien dagen die volgden maakte ik met Emma en haar vrienden een safari door Tsavo, in oostelijke richting, dus weer naar de kust toe. In de tussentijd hadden Lucy en Simon, de dochter en schoonzoon van Wanda van de Aysgarth-school in Noord-Yorkshire, zich bij het gezelschap gevoegd. Sally had op eerste kerstdag een enorm feest georganiseerd in Kilifi, in een huis dat uitkeek over de Indische Oceaan. Die hele dag was als een droom. Hij begon met een feestmaal van tropische vruchten als ontbijt, waarna we urenlang gingen zwemmen en snorkelen; daarna rustten en kletsten we in de gevlekte schaduw van een enorme baobab. Toen de zon onderging, begonnen we aan een feestelijke avond: eerst heildronken uitbrengen met grote glazen tequila, daarna een traditionele kerstkalkoen met alles erop en eraan. De volgende dag namen Lucy, Simon en ik afscheid van Emma en Sally en begonnen we aan onze volgende safari: door Tsavo naar het noordwesten en via Nairobi naar het Bogoriameer.

Op 30 december 1990 vloog ik terug naar huis. Ik leunde achterover in mijn vliegtuigstoel en nipte mijmerend van mijn gin-tonic. Deze reis had voor mij oude herinneringen nieuw leven ingeblazen: voor het eerst in veertien jaar had ik weer even geroken aan de koloniale leefstijl, en ik had er intens van genoten. Ik vond het fijn dat Emma was omringd door vrienden en mensen die van haar hielden, dat ze voldoening schepte in haar werk en eindelijk gelukkig was; ik kon me nu beter inleven in haar steeds toenemende hartstocht voor Afrika. Hoewel ze ondanks de verwoede pogingen van Willie nog steeds alleenstaand was, stond Emma op het punt om met hernieuwde energie aan een nieuwe fase in haar leven te beginnen. Ik vroeg me vergeefs af wie ze daarbij als metgezel zou kiezen.

Begin 1991 kregen Riek en Emma dan eindelijk de kans om elkaar opnieuw te zien. Hij was teruggeroepen van het front om in het stadje Nasir, vlak bij de grens met Ethiopië, verslag uit te brengen aan John Garang. Nasir lag aan de oever van de Sobat, een zijrivier van de Witte Nijl, en was in 1912 door de Britten gesticht als commandopost om de plaatselijke veehouders onder controle te houden; het was nu een overwoekerde ruïne.

De SPLA had vlak ten zuiden van het oude stadje een belangrijke militaire basis opgezet en Riek kreeg het bevel over die basis en een paar honderd man troepen. Als kersvers hoofd van een eigen bestuurscentrum probeerde Riek opnieuw in contact te komen met de vrouw die hij het afgelopen jaar maar niet had kunnen vergeten. Toevallig kwam net in die tijd de journalist John Ryle, een oude kennis van Riek, aan in Nasir. Hij deed onderzoek voor een serie artikelen en moest bepaalde dingen weten over die streek, maar hij kwam er algauw achter dat hij degene was die vragen moest beantwoorden.

'Ken jij een zekere Emma McCune?' vroeg Riek John al een paar uur na diens aankomst, terwijl ze oude herinneringen zaten op te halen. Het antwoord was bevestigend: John kende Emma uit Nairobi en Londen en vertelde Riek dat ze zich, voorzover hij wist, op dat moment in de Keniaanse hoofdstad bevond. Toen John een paar dagen later terugvloog naar Nairobi, had hij een korte uitnodiging van Riek voor Emma op zak. John had Riek met de hand op het hart beloofd dat die boodschap de geadresseerde zou bereiken. En zo geschiedde. De tekst luidde:

> Nasir, 5 feb 1991
>
> Aan Mw Emma McCune
> Street Kids International
> Nairobi
>
> 1. Ik zou u erkentelijk zijn indien u deze week naar Nasir zou kunnen komen voor een bespreking van de problemen rond het onderwijs in de gebieden die onder mijn bevel staan. Dit zijn het westelijke Boven-Nijldistrict, het noordelijke Boven-Nijldistrict en het Sobatbekkendistrict.
> 2. De kantoren van de SRRA in de genoemde gebieden hebben mij medegedeeld dat u helpt bij de verspreiding van schoolmaterialen enz. Ik heb de verbindingsofficier van de SRRA in Nairobi schriftelijk verzocht u de vergunning te verstrekken om naar Nasir te reizen.
>
> COMMANDANT RIEK M TENY-DHURGON

Emma kwam onmiddellijk in actie en kreeg een lift van een VN-vliegtuig dat naar Nasir vloog. Maar toen ze daar aankwam, ontdekte ze tot haar grote ontzetting dat Riek weg was. Hij had onverwacht moeten vertrekken naar Gambela, driehonderd kilometer verderop, wegens de groeiende spanningen in Ethiopië, waar het voortbestaan van het regime van president Haile Mengistu aan een zijden draadje hing. Mengistu had de SPLA altijd gesteund, en als hij zou opstappen en een nieuwe, minder welgezinde regering hem zou opvolgen, kon dat afschuwelijke gevolgen hebben voor de oorlog.

Emma was bitter teleurgesteld dat ze hem was misgelopen, maar kon niets anders doen dan terugkeren naar Nairobi en op een levensteken wachten. Toen ze op de radio had gehoord dat hij naar zijn basis was teruggekeerd, probeerde ze tot driemaal toe een vlucht naar Nasir te krijgen, maar het lot was haar ongunstig gezind: er was een tekort aan brandstof en de landingsrechten voor de bevrijde gebieden werden ingetrokken. Er bleef maar één mogelijkheid over: over land reizen. Het zou een riskante tocht van ongeveer vijfentwintighonderd kilometer worden door een zeer ruig en gevaarlijk gebied, dwars door de frontlinies waar de rebellen en de strijdkrachten van de regering gelegerd waren, gebieden die in handen waren van wrede gewapende stammen zoals de Toposa en waar het zo gevaarlijk was dat ze zich een weg door de wildernis zou moeten hakken. De onderneming leek onuitvoerbaar, maar Emma, koppig als ze was, pakte haar spullen en ging op weg.

Emma wist dat het waanzin was om te gaan, en dat ze zeker niet alleen moest gaan, maar haar hart won het van haar verstand. Ze hield zichzelf voor dat het vanwege het onderwijs voor de kinderen gerechtvaardigd was dat ze ging en dat ze aan aanzien zou winnen als ze zo'n gevaarlijke reis ondernam, maar in werkelijkheid waren het haar avontuurlijke inslag en haar liefde voor Riek die de doorslag gaven. Aan overredingskracht had het haar nooit ontbroken en nu wierp ze die in de strijd om Willie Knocker over te halen om haar met de auto te brengen. Hun wankele relatie was al een tijdje weer aan en Willie hoopte dat dat zo zou blijven. Hoe harder zij hem van zich af duwde, hoe meer hij van haar hield. Hij had haar al ten huwelijk gevraagd, een verzoek dat zij had beantwoord met 'Misschien', en hij vroeg zich af of hij het jawoord zou krijgen waar hij zo op hoopte als hij met haar meeging op deze waanzinnige tocht.

Willie had in eerste instantie twijfels of ze de reis wel zouden overleven, maar zij kleedde het zo in dat ze collega-hulpverleners zouden kunnen redden die in Nasir gestrand waren en dat het een heroïsch avontuur zou worden, beter dan welke safari dan ook, en hij liet zich ompraten. Daarbij moet bedacht worden dat hij van haar hield. Willie laadde zijn auto vol onmisbare voorraden – brandstof, voedsel en water – en hield ook nog ruimte vrij voor een radiotechnicus die dezelfde kant op ging. Het was februari, nog steeds de droge tijd, en ze vertrokken in Willies aftandse landrover 'Brutus' uit Kapoeta, vlak bij de Keniaanse grens. Het eerste deel van de reis, tot Bor, voerde hen voornamelijk over oude veepaden door grasvlakten. Daarna reden ze via Kongor, Ayod, Waat en Ulang naar het land van de Nuer. Onderweg zagen ze onder andere een witgepluimde zwaan en een tiang, een zeldzaam soort antilope. De lucht nam de vreemdste tinten rood en oranje aan en was vervuld van rookgordijnen, afkomstig van het traditionele verbranden van grassen.

's Nachts vreeën ze in hun slaapzakken onder de sterren, begeleid door het gehuil van hyena's dat over de weidse vlakten klonk. In Waat bezochten ze het heiligdom van de Nuer-profeet Nyndeng, omringd door een kring van kleine slagtanden van olifanten, en offerden er zakjes zout voor een behouden reis.

Na Waat was er nauwelijks nog een weg, en ze moesten veepaden volgen die door eeuwen gebruik waren uitgesleten. Het ging noordwaarts richting Wedenyang, op de zuidelijke oever van de Sobat, in de buurt van Ulang. De laatste etappe van de reis voerde langs een weg die acht jaar afgesloten was geweest en pas recentelijk weer in gebruik was genomen. Op een gegeven moment verdwaalden ze; ze kregen ruzie met hun gids, vertrouwden hem niet meer en hakten zich uiteindelijk een pad van achttien kilometer door een acaciabos om verder te komen.

Ze hadden een triomfantelijk gevoel toen ze eindelijk, uitgeput, arriveerden in het uit lemen hutten bestaande garnizoensplaatsje Wedenyang, als eerste reizigers over land in bijna tien jaar. Nadat ze de auto hadden uitgepakt, waadden ze de rivier over naar Riek, die wijdbeens en met zijn armen over elkaar op de andere oever stond te wachten in strijdtenue met rode baret. De warlord was bijzonder gevleid dat Emma op zijn oproep had gereageerd en die lange reis had ondernomen, al was hij wel verbaasd toen hij Willie zag. 'Waarom heb je hém nou meegebracht?' was het eerste wat hij tegen Emma zei.

Toen ze elkaar in de ogen keken en de vonk opnieuw oversloeg, stapte mijn dochter zonder het nog te beseffen een nieuwe, gevaarlijke wereld binnen.

De volgende ochtend hadden Riek en Emma weinig tijd om alleen te zijn. Toen ze wakker werd, was de rebellenleider een groep dorpshoofden aan het toespreken over de aanstaande verkiezingen en de organisatie van scholen. Ze ging zwijgend naast hem zitten, nam deel aan de discussie en bracht suggesties naar voren; volgens Willie zag ze eruit als een kruising tussen een memsahib en een sultane van de Nuer. Er vielen pijnlijke stiltes als Emma en Riek naar elkaar keken en hun blik snel weer afwendden.

Ten slotte stond Riek met één vloeiende beweging op en deelde de vergadering mee dat hij Emma onder vier ogen wilde spreken. Zijn lijfwachten waren achterdochtig en vonden het maar niks, maar hij beval hun buiten te blijven en ging alleen met haar zijn kantoor binnen. Eenmaal binnen draaiden ze omzichtig om elkaar heen en zetten ze verstrooid hun discussie over sociale en onderwijskundige vraagstukken voort, onderwijl denkend aan andere dingen. Toen vroeg Riek opeens: 'Waarom ben je hier naartoe gekomen, door zulk gevaarlijk terrein?'

Emma's ogen fonkelden toen ze hem aankeek. 'Ik wilde jou zien,' zei ze. Ze durfde hem nauwelijks te vertellen hoeveel nachten ze aan hem gedacht had het afgelopen jaar.

Het ijs was gebroken en ze hielden op te doen alsof ze daar waren om over onpersoonlijke dingen te spreken. Ze gingen samen aan tafel zitten en praatten openhartig met elkaar. Emma zat vlak naast hem en raakte af en toe zijn arm aan; ze rook zijn zweet en voelde de warmte die zijn lichaam uitstraalde. Hij bezag haar op zijn beurt met hernieuwde waardering, herinnerde zich de kromming van haar rug en de manier waarop haar lange vingers haar potlood of haar camera zo nauwgezet konden vasthouden. Emma pakte Rieks hand, verstrengelde haar vingers met de zijne en vertelde hem hoe ze had geprobeerd informatie over hem in te winnen of radiocontact met hem te krijgen via Ethiopië. Ze vroeg hem waarom hij niet op haar brieven had geantwoord en nooit zelf had geschreven. Riek zei dat hij nooit brieven of boodschappen had gekregen en alleen maar kon aannemen dat die waren onderschept en vernietigd. Net Romeo en Julia, dacht Emma.

Uit oude wrok ontspruit een nieuwe opstand,
En burgerbloed maakt burgerhand onrein.
Uit de verdoemde lendenen dier vijanden
Een liefdespaar onder een kwade ster...

uit de proloog van *Romeo en Julia* van William Shakespeare

Het etmaal dat volgde brachten Emma en Riek hoofdzakelijk in elkaars gezelschap door, verwikkeld in heftige discussies over de oorlog, de internationale politiek, de hulpverlening en de logistiek van het uit de grond stampen van onderwijsvoorzieningen en een lokale economie. Ze werden naar elkaar toe getrokken door een kracht die veel verder ging dan de voor de hand liggende lichamelijke aantrekking. Ze deelden de hartstocht voor Soedan, en Riek beweerde dat hij Emma's gedrevenheid om de kinderen onderwijs te verschaffen begreep en zei dat hij niets liever wilde dan vrede. Intussen verwonderde Willie, de natuurliefhebber, zich over de afwezigheid van zijn vriendin terwijl hij viste in de Sobat en ontdekkingstochten in de wildernis maakte om de vogels en hun leefomgeving te bestuderen.

De avond voordat Emma en Willie samen met drie passagiers de terugreis zouden aanvaarden, had Riek een aantal eindeloos lange discussies gehad met zijn adjudanten. De zon ging onder, en Emma, die naar hen zat te luisteren, vroeg zich af of er nog tijd zou zijn om met Riek alleen te zijn.

Riek moet haar gedachten hebben gelezen. Zeer abrupt, met een haast onzichtbare wuivende handbeweging, stuurde hij zijn adjudanten en lijfwachten weg, die daarop snel en zwijgend de hut verlieten. Riek leunde achterover in zijn stoel; zijn ogen schitterden in het feloranje licht van de ondergaande zon dat door de openstaande deur naar binnen viel, en hij glimlachte naar Emma met blikkerend witte tanden. 'Je weet een heleboel over politiek en over deze oorlog,' zei hij. Zijn volle stem klonk haar als muziek in de oren.

'Ik leer snel,' antwoordde Emma, en ze verlokte hem met haar eigen brede glimlach om door te gaan.

Riek knikte. 'En en passant leer je ook veel over mijn volk, de Nuer.' Als hij zo praatte, kon Emma bijna vergeten dat hij een soldaat en een oorlogsaanstoker was en stelde ze zich hem voor als een trots stamhoofd.

Ze glimlachte opnieuw, en ditmaal keek ze hem met een veelbetekenende blik in haar grote groene ogen aan, de pupillen zacht en verwijd. 'Ik ben altijd bereid om méér te leren...'

'Dat dacht ik al,' zei Riek terwijl hij opstond. De meer dan twee meter lange krijger liep een paar passen in de richting van het raampje van de hut en bleef met zijn rug naar haar toe staan terwijl hij uitkeek over de Sobat, waarvan de golven de gloed van de ondergaande zon weerkaatsten. Hij haalde diep adem. 'Hoeveel weet je van de mythologie van de Nuer?' vroeg hij met een zwaar accent.

Emma haalde haar schouders op. 'Genoeg om te weten dat het de moeite waard is om méér te weten.' Ze had haar huiswerk goed gedaan, had het boek gelezen dat hij haar een jaar eerder had aangeraden, maar er viel nog veel meer te leren, en dat wilde ze maar al te graag.

Riek zweeg even, met zijn grote handen, die nog steeds zijn stok omklemd hielden, achter zijn rug. 'Maar ken je dat ene verhaal dat daar geschreven staat?' vroeg hij.

Ze wachtte.

'Op een dag zal een linkshandige Nuer-hoofdman zonder mannelijkheidstekenen trouwen met een blanke vrouw.'

De zon ging snel onder; roze lichtbundels vielen de hut binnen. Riek draaide zich traag naar Emma om en keek haar aan. Toen hief hij langzaam zijn linkerhand met de handpalm naar haar toe en strekte zijn lange vingers uit. De stilte terwijl ze elkaar aankeken leek eeuwig te duren. Ten slotte trok Riek zijn wenkbrauwen op en glimlachte een beetje.

'En... wil je met me trouwen?'

Emma liet geen emoties blijken. Ze zat een paar seconden doodstil en hield haar adem in. Haar hart bonsde zo hard in haar borstkas dat ze bang was dat het zou barsten. Ze pakte een map met documenten, stond op met die karakteristieke, moeiteloos-vloeiende beweging van haar, hield Rieks blik een ogenblik vast en liep daarna naar de deur van het hutje. Op de drempel aarzelde ze; ze draaide zich om en keek hem met haar heldere ogen aan.

‘Ik zal erover nadenken...’ zei ze kalm, en ze wandelde de avondschemering in.

Emma ging op de passagiersstoel zitten en leunde achterover. Willie keek vanaf zijn plaats naar haar door zijn bril met het gouden montuur en zag dat ze haar ogen dicht had. Ze had een verzaligde uitdrukking op haar gezicht. Hij glimlachte, meer dan ooit betoverd door haar schoonheid en kalmte. Hij wenste dat ze hem antwoord zou geven op zijn huwelijksaanzoek. Ze hadden veel gemeen, en hij wist dat het leven met Emma anders zou zijn; opwindend en gevaarlijk.

Ze naderden Kongor, waren al bijna op een kwart van de terugweg, en zij had nog nauwelijks iets tegen hem gezegd. Willie meende dat Emma misschien vermoeid was van de lange reis en de diepgaande discussies met Riek en dat ze, ondanks het gehots van de landrover over de hobbelige wegen, wel in slaap zou vallen. Maar hij had het mis. Ze viel niet in slaap maar bleef zwijgzaam en onrustig, en hij vroeg zich af wat er aan de hand was. Die avond in Kongor, toen ze in een kleine tukul bezig waren naar bed te gaan, verbrak Emma haar stilzwijgen en liet ze haar bom barsten. Ze lagen in twee bedden naast elkaar, en ineens hoorde hij een diepe zucht; Emma ging overeind zitten en keek hem met wijdopen ogen aan.

‘Willie, ik moet je iets vertellen.’

Hij knipperde even met zijn ogen en keek haar toen weer aan. ‘Nou, vertel maar op.’ Hij was nieuwsgierig wat er met haar was maar had geen flauw idee wat hij te horen zou krijgen.

‘Ik hou niet meer van je.’ Haar hese stem klonk in het zwakke licht nog dieper en zachter dan gewoonlijk. Het geluid van haar stem leek zijn gezicht te strelen.

Zijn ogen gingen gejaagd heen en weer tussen haar gezicht en het dak van het hutje, waar een nest jonge Afrikaanse kerkuilen zat te snurken en te pikken. Een grap. Een van Emma’s spelletjes. Dit was hem vaker overkomen; hij glimlachte. ‘Aha. En, wat heb ik dit keer gedaan?’

‘Niets,’ zei ze effen.

‘Oké, dan pleit ik onschuldig en word ontslagen van vervolging. Einde van de rechtszitting,’ lachte Willie, en hij draaide zich om om te gaan slapen. Maar hij voelde een vreemde ongerustheid en had het onverklaarbare gevoel dat er plotseling een enorme kloof tussen hen gaapte, ondanks hun fysieke nabijheid op dat moment. Hij voelde dat Emma's blik nog steeds op hem rustte.

'Het is geen grap,' zei ze kalm. 'Ik meen het.' Willie meende ergens heel in de verte een hyena te horen lachen.

Hij wachtte even en draaide zich toen abrupt om om Emma recht aan te kijken. 'Kom op, Emma,' zei hij afkeurend. 'We hebben morgen een zware reis voor de boeg. Dit is geen goed moment voor rare geintjes.'

'Het ís geen geintje,' hield ze op kalme toon vol. 'Ik – hou – niet – meer – van – je.' Ze sprak de zin staccato uit, met opzettelijke pauzes tussen de woorden. Elk van die pauzes was een gapend ravijn waar hij zo meteen in zou vallen. Willie staarde haar met ingehouden adem aan. Er was iets in haar blik wat hij nog nooit had gezien. Hij had al van alles in haar ogen gezien – liefde, woede, lust – maar niet dit. Niet dit...

Het was stil. Hij staarde in de leegte. Op dat moment drong de waarheid plotseling tot hem door, een waarheid die zijn hart zo dor en droog maakte als het land waarover ze de hele dag hadden gereden. Bekommerd keek hij weer naar Emma; haar gezichtsuitdrukking was niet veranderd.

'Maar Emma, waaróm?' vroeg hij smekend. 'Wat is er in vredesnaam gebeurd? Ik dacht...' De woorden bestierven hem op de lippen. Ze keek hem geheimzinnig aan en er verscheen een lach om haar lippen. Hij sloeg zijn ogen neer, niet in staat haar blik nog langer te weerstaan.

'Ik ben verliefd geworden op iemand anders.'

Hij draaide zijn hoofd met een ruk naar haar om en schrok van wat hij zag. Het was waar, dat stond buiten kijf. Hij zag het in haar ogen. Ze was zo dolverliefd dat ze brandde van verlangen het hem te vertellen, dat ze niet kon wachten tot een geschikt moment, tot ze thuis waren en rustig konden praten. Haar groene ogen schitterden als die van een verliefde puber.

Willie wilde het liefst krijsen, voor het raam gaan staan en zijn pijn in de nacht uitschreeuwen en uitdagend horen weergalmen over de grasvlakten, maar hij was slechts in staat om ongelovig te fluisteren: 'Op iemand ánders?!'

Er viel een lange stilte. 'Ik ben verliefd geworden op Riek.'

Willie slikte moeilijk. 'Ríék? Maar dat kan niet...'

Emma trok haar wenkbrauwen op. 'Het kan heel goed.'

Hij wendde zich af, haalde diep adem en verwerkte deze laatste klap. Er verstreken vijf, tien seconden. Hij wierp een zijdelingse blik op haar, op de vrouw die hij had aanbeden en van wie hij had gemeend dat ze de zijne zou worden. 'Dus,' lispelde hij wrang, 'er is... geen enkele hoop meer voor mij?'

'Nee, ik ben bang van niet. Nu niet.' Die ijzige toon; zo definitief. Ze ging weer liggen, staarde naar het plafond. Ze zwegen, de seconden verstreken.

Toen kwam de woede. In grote vloedgolven. Hij was gebruikt. Koel en berekenend had zij hem gebruikt om haar naar de man te brengen van wie ze hield. Onderwijs, lerarenopleiding? Allemaal onzin! Zij had hem omgepraat om haar naar Nasir te brengen uitsluitend en alleen vanwege die man, waarbij ze zowel haar eigen leven als dat van Willie in gevaar had gebracht. Willie draaide zich om in zijn bed en foeterde haar uit, zijn hart was vergiftigd door zijn razernij jegens haar, de vrouw die hij tot zijn bruid had willen maken.

De volgende ochtend gingen ze vroeg op weg. Willie schakelde met een ruw gebaar de eerste versnelling in en trapte het gaspedaal in. We hebben allemaal weleens zo'n martelende reis moeten maken, zwijgend, met een spanning om te snijden, opgesloten in een kleine ruimte met iemand die we op dat moment hevig haten. Maar voor Willie was het daar, midden in de Afrikaanse wildernis, in een vijandig gebied waar ze allebei op ieder willekeurig moment de dood konden vinden, alsof hij het hele heelal met haar door moest. Ontelbare malen heeft Willie op het punt gestaan de rem in te trappen, Emma midden in de wildernis uit de auto te gooien en haar aan haar lot over te laten. Hij had zijn ondergang gevonden in de woestijn, dan moest Emma er ook maar aan geloven, zo redeneerde hij bij zichzelf. Maar hij is een door en door fatsoenlijk mens en reed door, hield het stuur omklemd en zweeg verbitterd.

Ze hadden met zeer reële gevaren te maken daar op die slingerende weg van rode aarde die hen terugbracht naar Kenia. Van tijd tot tijd zagen ze uitgebrande vrachtwagens van de SPLA of de regering die vanuit de lucht of een hinderlaag waren gebombardeerd. Toen ze een eind voor zich uit een verlaten voertuig zagen staan, minderden ze vaart en naderden het heel omzichtig. Toen ze dichterbij kwamen, zagen ze dat het een gloednieuwe, zwaar beschadigde terreinwagen van de liefdadigheidsorganisatie Norwegian Church Aid was. De banden waren lek geschoten, de voorruit was aan gruzelementen en het voertuig was doorzeefd met kogels.

De doodsbange inzittenden, die zich ernstig gewond in de bosjes hadden verstopt – de een miste een voet, de ander had een kogel in zijn dijbeen gekregen – hielden Emma en Willie aan en vertelden hun gruwelijke verhaal. Ze waren de vorige dag op weg geweest naar Bor toen ze op leden van de Toposa-militie waren gestuit die op de weg mijnen aan het leggen waren. Er was een vuurgevecht geweest en de mijnenleggers hadden hun auto beschoten en waren gevlucht. Als de hulpverleners de Toposa niet hadden gestoord, zou de weg waar Willie en Emma over reden stampvol mijnen hebben gelegen.

Daar hadden ze enorm geluk bij gehad, maar Willie kon er nauwelijks blij om zijn. Hij hielp de gewonden in zijn auto en begaf zich zwijgend weer op weg, zover naar het zuidoosten als hij kon. Het enige wat hij wilde was zover mogelijk bij Emma vandaan zijn, de 'lady Cruella de Ville' uit zijn Oxford-tijd, die zich nu zo harteloos had betoond dat zelfs de bijnaam uit haar studietijd veel te zwak leek.

Toen ze Torit hadden bereikt, ruim tweehonderd kilometer van de Keniaanse grens, hielden ze het geen van tweeën langer uit. Willie zette Emma en de gewonde mannen af en liet haar daar achter met de mededeling dat ze maar een lift van iemand anders moest zien te krijgen. Hij zette de reis alleen voort en bedacht bitter dat al zijn hoop was tenietgedaan door één enkel woord: Riek.

10

In april 1991, twee maanden nadat zij en Willie voorgoed uit elkaar waren gegaan, stond Emma's besluit vast: ze zou teruggaan naar Nasir om Riek te zien. Ze wist SKI *ervan te overtuigen dat Nasir de ideale plaats was voor de distributie van schoolmaterialen en een goede plek om nieuwe lerarenopleidingen op te zetten. Was er een betere plek dan pal voor de neus van commandant Machar? zo pleitte ze. De rebellenleider zou dan met eigen ogen zien hoe nuttig het programma was en het op andere plekken kunnen propageren. Ze wist het pleit te winnen, en hoewel de regentijd net was begonnen, pakte ze haar spullen en vloog ze met een* VN-*vliegtuig mee naar Nasir.*

Toen ze in Rieks basiskamp aankwam met weinig meer dan de *kikapu* (grote Afrikaanse mand) die ze altijd bij zich had en een paar boeken, ontdekte ze tot haar enorme teleurstelling dat Riek er niet was. Hij was weer eens in Ethiopië om aandacht te vragen voor de strijd van de SPLA. Ze berichtte hem via de op zonnecellen werkende radio dat ze in Nasir op hem wachtte. Het beknopte antwoord liet niet lang op zich wachten: 'Even geduld.'

Emma wachtte zeven dagen, alleen en verward, in een bedompt huis vol ratten dat vroeger werd gebruikt om Engelse gasten onder te brengen. Er woedden hevige onweren, het stroomgebied van de Sobat was ondergelopen door de zware regenval en Emma vroeg zich af of ze de beschaafde wereld ooit terug zou zien. De regen bleef maar uit de hemel neerdalen en maakte de modderige grond, die onder de bewoners bekendstaat als de 'zwarte-katoenaarde', verraderlijk glad; en ze betwijfelde of ze hier ooit nog vandaan zou komen.

Net op dat moment doemde er in de neerplenzende regen een landrover op; aan het stuur zat een soldaat die Emma herkende als een van

Rieks lijfwachten. 'Commandant Riek verzoekt u met mij mee te komen naar zijn militair hoofdkwartier in Ketbek,' zei de chauffeur tegen haar. 'Dat ligt zestien kilometer ten zuidoosten van hier.'

Dat liet Emma zich geen twee keer zeggen. Ze pakte snel haar kikapu, sloeg een kanga om haar haar in een vergeefse poging het tegen de regen te beschermen, liep soppend door de modderige plassen en sprong in de auto. Toen ze het stadje uit reden, verscheen er een glimlach op haar gezicht.

De wegen waren bijna onberijdbaar; ze deden meer dan een uur over de reis, die in de droge tijd een kwartier zou hebben gekost. Tegen de tijd dat ze de groep kletsnatte lemen hutjes in het midden van het garnizoen bereikten, was Emma verkleumd, moe en erg nat. Op weg naar Rieks tukul plakte het natte haar aan haar hoofd; ze deed haar kanga af en wrong die in de deuropening uit voor ze naar binnen ging. Het was er donker, maar toen haar ogen aan het zwakke licht wenden, kon ze net Riek onderscheiden.

Hij lag op zijn bed met zijn handen achter zijn hoofd en zijn ogen dicht. Een klamboe was over het bed heen gedrapeerd als een toneelgordijn. Ze kwam naderbij. Bij het bed gekomen keek ze naar het zwarte Sony-radiootje op de tafel ernaast, waaruit zachtjes een krakende uitzending van de BBC World Service klonk. Toen ze naast hem kwam staan en naar hem keek terwijl hij daar bewegingloos lag, deed hij zijn ogen open, en er verscheen een brede grijns om zijn mond.

Een maand later, in mei 1991, coördineerde Emma het met succes gestarte lerarenopleidingsproject in Nasir, in elk opzicht voldaan en gelukkig. Ze woonde in Rieks garnizoensdorp, omringd door soldaten en lijfwachten, apart van de andere hulpverleners, die een paar kilometer verderop hun kamp hadden, en haar hechte band met de rebellenleider had al voor consternatie en wrijvingen tussen haar en andere hulpverleners gezorgd, om maar te zwijgen van Rieks mannen, die niet wisten hoe ze zich moesten gedragen met een vrouw in hun midden, laat staan een blanke.

Emma probeerde zich niets aan te trekken van de starende blikken en deed haar best de manschappen te leren kennen, vooral de lijfwachten, die haar geliefde overal volgden waar hij ging. Een van hen werd Zesenveertig genoemd, naar het Russische RP-46-machinegeweer; hij was een boomlange kerel, meer dan twee meter tien, met de traditionele Nuer-mannelijkheidslittekens op zijn voorhoofd en rond zijn mond en ogen. Hij was opgeleid door de troepen van Fidel Castro en hinkte een beetje omdat hij zich als kind per ongeluk had verwond met een geweer. Hij was Rieks trouwste medewerker.

Maar heel weinig van Rieks mannen spraken haar taal, en zij verstond de hunne ook niet, maar langzamerhand leerde ze hun namen en op den duur werden het een soort broers voor haar. Ze keken in stille verwondering toe hoe zij met haar handen in de aarde rond Rieks tukul krabde en groef en er met toewijding groente en fruit zaaide. Als ze haar zo zagen, geheel in beslag genomen door het bevochtigen en verzorgen van die tere opgroeiende plantjes, legden de lijfwachten hun kalasjnikovs neer en knielden ze naast haar, ploegden de gloeiend hete aarde om met de scherpe punten van hun bajonetten of jachtmessen en haalden emmers water voor haar.

Waar Emma eerder slechts een bezoekster was geweest, werd ze nu opgenomen in het kampleven van het garnizoen; ze werd een van de bewoners, at met hen, probeerde hun taal te leren, hielp hen met eten koken en brood bakken. Ze leefden van gekookte nijlbaars en sorghum, een soort suikerriet, en iedereen at hetzelfde. Op hun bijeenkomsten danste ze tot hun grote vermaak op z'n Afrikaans, stampte met haar voeten en trok schalkse gezichten terwijl ze draaide en wervelde als een derwisj.

De meeste hulpverleners reden in hun auto's met vierwielaandrijving rond, leefden apart in eigen kampen en gingen uitsluitend met elkaar om. De meesten vertrokken na een half jaar of een jaar, opgebrand, gedesillusioneerd door de enormiteit van de problemen waarmee ze te kampen hadden en hun eigen geringe invloed, die ze zagen als een druppel op een gloeiende plaat. Voor Emma lag het anders; zij leek bereid met en tussen de mensen te leven en zich op alle denkbare manieren voor hen in te zetten. Met al haar verantwoordelijkheden op onderwijsgebied spoorde ze de vrouwen en kinderen van het kamp ook nog aan met al hun ingewikkelde problemen bij haar te komen, wat op termijn leidde tot een hele stroom brieven in steenkolenengels met verzoeken om schaarse artikelen, geld of hulp bij het opsporen van vermiste familieleden. Eén keer bracht zij een vrouw persoonlijk met de auto naar een vluchtelingenkamp op honderdvijftig kilometer afstand om haar te helpen zoeken naar haar zoon.

Emma wist op de een of andere manier een culturele kloof te overbruggen en op individueel niveau contact met de mensen te krijgen. Dat vermogen had ze al als klein kind in Assam gehad. Ze had mensen met een andere huidskleur of cultuur nooit als een studieobject of een sociaal probleem gezien, maar altijd gewoon als mensen. En dat merkten die mensen ook.

In mei 1991 werd president Mengistu van Ethiopië ten val gebracht, iets wat de SPLA en de bevolking van Zuid-Soedan al met angst en beven hadden zien aankomen. Via Rieks mannen en radiocontact met Nairobi hoorde Emma dat honderdduizenden Soedanese vluchtelingen – mensen die eerder voor de oorlog in hun eigen land naar Ethiopië waren gevlucht – nu op de terugweg waren en binnenkort zouden aankomen in Nasir, de plaats die het dichtst bij de grens lag. We zullen nooit weten of dat de werkelijke reden van de instroom van vluchtelingen was of dat die hele volksverhuizing was georkestreerd door bepaalde facties van de SPLA om zichzelf te verzekeren van voedsel en andere goederen (op deze wijze wordt er in derdewereldlanden vaak misbruik gemaakt van hulpgoederen), maar het was duidelijk wat de regering in Khartoem dacht. Ze voerden een verrassingsbombardement uit op Nasir, waarbij zesendertig doden en nog veel meer gewonden vielen, onder wie vrouwen en kinderen. Emma zat er weer eens midden in en deed alles wat ze kon om de gewonden en stervenden te verzorgen. Met behulp van de op zonnecellen werkende radio van de SPLA deed ze een dringende oproep om hulp aan de hulpverleningsinstanties in Nairobi, waarmee ze zich de woede van de regering in Khartoem op de hals haalde.

Emma was nooit bang geweest om de machthebbers tegen de haren in te strijken, zeker niet die in het noorden, en nu kon het haar minder schelen dan ooit. Haar enige zorg was de gezondheid en veiligheid van de meer dan honderdvijftigduizend vluchtelingen die in het plaatsje aankwamen, op zoek naar voedsel en water. Na Emma's noodkreet kwamen Patta en Alastair Scott-Villiers uit Nairobi, en in een paar dagen hadden ze een noodvluchtelingenkamp ingericht in niet meer gebruikte legerbarakken. De vluchtelingen bleven in drommen binnenstromen, hoewel velen van hen al onderweg stierven; degenen die nog leefden waren mager en verzwakt. De vluchtelingenstromen trokken de aandacht van de wereld, en er arriveerden tv-ploegen en krantenjournalisten uit de hele wereld om het laatste nieuws uit dit Oost-Afrikaanse oorlogsgebied live te verslaan. Toen ze al die filmploegen, camera's, satelliettelefoons en directe lijnen met de rest van de wereld zag, prikkelde dat Emma's fantasie. Al die mensen waren hier gekomen omdat zíj Patta en Alastair had benaderd. Ze besefte ineens hoeveel macht ze had over deze ongeluksboodschappers.

Wij rijden sneller dan het lot: wij rijden vroeg, wij rijden laat,
Bestormen uw ivoren poort: bleke koningen der zonsondergang,
wacht u!

uit 'War Song of the Saracens' van James Elroy Flecker

We zullen nooit weten of Emma ten volle besefte dat een deel van de dringend benodigde voedsel- en andere voorraden, zoals altijd in dergelijke chaotische omstandigheden, achterover werd gedrukt door soldaten, in dit geval Rieks eigen mannen. In een conflict dat ze over dit probleem hadden met VN-hulpverleners werden Emma en Riek ervan beschuldigd hun gasten *madazi's*, gefrituurde broodballen, te hebben voorgezet die waren bereid uit proteïnerijke Unimix-maaltijden die voor kinderen bestemd waren, op feloranje plastic borden die rechtstreeks uit een UNICEF-hulppakket kwamen. Het was een permanent moreel dilemma voor de hulpverleners in de derde wereld: als degenen die voor de zwakken en hongerigen zorgden zelf niet op krachten bleven, zouden er nog meer mensen sterven; maar wanneer was het punt bereikt dat ze tussenbeide moesten komen omdat er kinderen dreigden te verhongeren terwijl de soldaten die voor hen zorgden duidelijk meer dan genoeg te eten hadden?

Patta had het in het begin veel te druk met het verzorgen van de zieken en hongerigen om met Emma te kunnen praten of haar vriendschap met Riek ter discussie te stellen, maar na een tijdje, toen het ergste voorbij was en het vluchtelingenkamp langzamerhand op eigen kracht draaide, begreep ze steeds minder van het gedrag van haar vriendin. Emma leek niet te willen begrijpen waarom iemand er bezwaar tegen zou maken dat zij zoveel van haar tijd doorbracht met een militaire rebellenleider in wiens hand het lot van duizenden lag. Ondanks het feit dat ze zelf overduidelijk gelukkig was met haar werk en haar privé-omstandigheden, begon Patta zich bezorgd af te vragen waar het allemaal toe zou leiden.

Toen, op de ochtend van 17 juni 1991, besefte ze plotseling dat het al te laat was. Emma verscheen in het vluchtelingenkamp, vond Patta en tikte haar op de schouder. 'Ik trouw vanmiddag,' deelde ze mee; haar gezicht gloeide als vuur. 'Kom je ook?'

Patta stond perplex en keek haar vriendin onthutst aan. 'Tróúw jij? Met wie dan?' vroeg ze.

Emma grijnsde. 'Met Riek natuurlijk,' zei ze. Er was iets in haar ogen waaraan Patta zag dat Emma wist dat het gevaarlijk was en mis zou kunnen lopen, maar dat ze desondanks vastbesloten was ermee door te gaan.

Ineens werd Patta een heleboel duidelijk. De manier waarop Emma en Riek zich in elkaars gezelschap gedroegen, de intimiteit tussen hen. Ze begreep wat ze in elkaar zagen – ze hadden allebei charme en een groot uithoudingsvermogen, een verlangen naar macht en succes en een grote kalmte in noodsituaties – maar dat Emma zóver zou gaan, had ze nooit gedacht.

Toen ze Emma met haar stralende ogen zag, slikte ze in wat ze van plan was geweest te zeggen. 'Natuurlijk kom ik ook,' zei ze, en haast verstrooid voegde ze eraan toe: 'Gefeliciteerd.'

Rond het middaguur waren Riek en Emma in gezelschap van Patta, een Indiase arts die Bernadette Kumar heette en een aantal gewapende lijfwachten met een landrover naar de kerk in Ketbek gereden. Het was een kleine presbyteriaanse kerk in een moerasgebied aan de oever van de Sobat, een soort ovale schuur met een grasdak op een terp van leem. Er hing een gevoel van opwinding in de lucht toen steeds meer van Rieks mensen hoorden dat er iets bijzonders te gebeuren stond.

Emma's bruidsjurk was een witte katoenen *jabi* of *netala*, een soort lange Ethiopische sjaal die om haar middel was gewikkeld bij wijze van rok en een tweede die over haar schouders was gedrapeerd. Beide waren aan de randen afgezet met een symmetrisch kleurenpatroon. Riek had zijn mooiste gevechtsuitrusting aan, met gouden epauletten, zware zwarte laarzen en zijn scharlakenrode baret met de insignes van de SPLA er in gouddraad op gestikt. Hij had zijn stok van eboniet en ivoor in zijn hand. Ze waren nog niet ver gekomen of de weg was onbegaanbaar geworden wegens de overstroming, en hun auto was vast komen te zitten in de modder. Duwen noch trekken hielp, en enige tijd meenden ze dat het huwelijk zou moeten worden uitgesteld. Nu ik dit opschrijf moet ik onwillekeurig denken aan de tijd, lang geleden en in een heel ander land, dat de ontwikkelingen leken samen te spannen om te voorkomen dat ík op tijd op mijn eigen bruiloft kwam.

Emma liet zich niet uit het veld slaan en stelde voor dan maar te voet verder te gaan, een tocht van zo'n drie kilometer ploeteren door de zwarte-katoenaarde. Ze had zich in haar hoofd gezet dat de plechtigheid moest doorgaan. Riek glimlachte, haalde zijn schouders op en stemde toe. En zo begaf dit hoogst merkwaardige gezelschap zich op weg, Emma en Riek voorop, hand in hand, van oor tot oor grijnzend en de anderen moed insprekend. Onderweg hielden de leden van het bruiloftsgezelschap af en toe halt om droog gras te plukken voor Emma's boeketje. Riek had zijn pistool onder zijn riem gestoken.

Toen ze bij de kerk in Ketbek aankwamen, was Emma blootsvoets, waren haar witte kleren bespat met modder en zaten haar sjaals vol stekels, maar ze bleef er stralend uitzien. De tijding was hun vooruitgesneld. Op een kleine open plek voor de kerk waren tafels en stoelen neergezet. Naakte kinderen speelden in het stof en sloegen met stokken op trommels, en er stonden zes vrouwen te zingen die zelfgemaakte witte koorhemden over hun gewone kleren droegen. Andere vrouwen waren gehuld in helderblauwe doeken die waren vastgemaakt met een enorme knoop op hun schouder.

De zon begon te zakken, de hemel kleurde roze en de middag werd koeler. Het was het uur waarop de koeien met hun lange horens door de jonge jongens van de stam worden teruggedreven naar de kampen en het dichte stof dat onder hun hoeven opwervelt zich vermengt met de zoetgeurende rook van tientallen kookvuren en de geur van brandende mest op het open veld. Er hing een verwachtingsvolle sfeer in de lucht; de dorpelingen en andere stamleden verzamelden zich in de buurt van de kerk en wachtten op de dingen die zouden komen, terwijl het licht van goudkleurig verbleekte tot een zacht, wazig roze.

Riek en Emma gingen naast elkaar midden op de open plek zitten, geflankeerd door lijfwachen met kalasjnikovs en Rieks naaste medewerkers, onder wie dr. Lam Akol, evenals hij commandant van de SPLA, die tegen zijn zin getuige bij het huwelijk was. Voor hen stond een lage tafel met een rood kleed erover. Een paar meter verderop was een geïmproviseerd altaar, een schragentafel met metalen poten waar een wit kleed overheen was gedrapeerd. Riek gaf met een hoofdknik te kennen dat de plechtigheid kon beginnen.

Als ceremoniemeester trad Rieks adjudant op, een broodmagere Soedanees met een miniem sikje op het puntje van zijn kin. Hij verscheen ten tonele in een roze gewatteerde peignoir die dienstdeed als ambtsgewaad. Het ding, ongetwijfeld afkomstig van een westerse hulpverleningsinstantie, was tot het bovenste knoopje gesloten en met een ceintuur om zijn middel vastgemaakt. Ik had er precies zo een gehad toen de kinderen klein waren. Emma deed haar uiterste best om niet te giechelen. De adjudant behoorde tot degenen die erg op Emma tegen waren, vonden dat het verkeerd was dat Riek en zij samen waren en niet hadden geloofd dat Riek werkelijk met haar in het huwelijk zou treden. Om hem duidelijk te maken dat het hem wel degelijk menens was, liet Riek hem de feestelijkheden coördineren.

De adjudant las voor uit de bijbel. Hij had een aantal lange, sombere passages gekozen om Riek te wijzen op het grote gewicht van het huwelijk. In een poging om Emma af te schrikken zei hij dat de vrouw een rib van Adam was en dat de man zeggenschap had over het tweede geslacht. Patta onderbrak hem en vroeg Rieks toestemming om iets luchthartigers voor te lezen, iets over liefde. Toen een zeer geamuseerde Riek daarmee had ingestemd, las ze een passage uit Korinthiërs 1 voor die ze destijds voor haar eigen huwelijksplechtigheid had uitgekozen; terwijl de adjudant over haar schouder achterdochtig meekeek, las zij voor:

> *De liefde is lankmoedig, de liefde is goedertieren, zij is niet afgunstig, de liefde praalt niet, zij is niet opgeblazen, zij kwetst niemands gevoel, zij zoekt zichzelf niet, zij wordt niet verbitterd. Zij rekent het kwade niet toe. Zij is niet blijde over ongerechtigheid, maar zij is blijde met de waarheid. Alles bedekt zij, alles gelooft zij, alles hoopt zij, alles verdraagt zij.*
>
> *Zo blijven dan: geloof, hoop en liefde, deze drie, maar de meeste van deze is de liefde.*

1 Korinthiërs 13: 4-7, 13

Een tweede hoogwaardigheidsbekleder, James Mut Kueth, een Nuer-priester in een traditioneel zwart gewaad met een hoge witte boord, verzocht Riek en Emma voor het altaar te komen staan. Hij nam hun handen in de zijne en las de plechtstatige en ellenlange huwelijksgeloften voor. Emma luisterde in gedachten verzonken naar al die woorden die ze niet begreep en kneep in Rieks hand, waarop hij verlegen glimlachte. Patta had Emma een zilveren ring geleend die haar man Alastair onlangs tijdens een vakantie voor haar had gekocht; Emma kocht Rieks ring pas later. Riek schoof Patta's ring aan Emma's lange vinger en het huwelijk was gesloten.

De kersverse echtelieden zoenden elkaar, de mensen klapten en het koor zong een paar vrolijke stamliederen. Patta nam foto's, waar Emma zonder uitzondering stralend op staat, lichtgevend van geluk en liefde. Er waren verder geen festiviteiten en er werd ook geen koe geslacht zoals de Nuer-traditie voorschrijft; gezien de situatie van dat moment zou dat onverstandig zijn geweest. Het paar maakte ook geen huwelijksreis.

De zon, inmiddels een grote, vuurrood opvlammende bal aan de uitgestrekte Afrikaanse hemel, verdween langzaam achter het kerkgebouw; een troep vogels vloog op, silhouetten tegen het licht. De mensen begonnen zich te verspreiden, te versmelten met de omgeving, zoals dat altijd gaat in de wildernis; ze lijken op mysterieuze wijze te verschijnen en te verdwijnen. Een motorboot die de pasgehuwden zou terugbrengen naar Nasir, lag te wachten op de oever; het paar liep hand in hand naar de rivier, waarbij hun pad werd verlicht door de maan. Patta, de enige westerse gast, die veel ernstige bedenkingen tegen het huwelijk had gehad, had tranen in haar ogen en een brok in haar keel. Later zei ze dat ze die plechtigheid daar, te midden van een oorlog en een vluchtelingencrisis, zo mooi en goed had gevonden.

En hand in hand aan de rand van het zand
Dansten ze bij het licht van de maan,
De maan,
De maan,
Ze dansten bij het licht van de maan.

uit 'The Owl and the Pussy-Cat' van Edward Lear

Ik had geen idee, geen flauw vermoeden van wat er later zou gebeuren; voor mij kwam het nieuws als een complete verrassing. Ik had natuurlijk achterdochtig moeten worden toen Emma in de zomer van 1991, toen ze voor haar jaarlijkse bezoek naar Engeland zou komen, de reis tot driemaal toe uitstelde, terwijl iedereen zich had verheugd op een familiereünie ter gelegenheid van de viering van de eenentwintigste verjaardag van mijn zoon Johnny. Uiteindelijk kwam ze helemaal niet en vierden wij het feest zonder haar. We vonden het jammer dat Emma er niet bij kon zijn, en waren helemaal teleurgesteld toen Jennie plotseling weer op reis ging naar het buitenland. Ik weet nog dat ik op het feest een beetje ter zijde stond toe te kijken terwijl Johnny en zijn vrienden dansten en Erica in de armen van haar nieuwe vriendje Hugh lag, bedroefd dat mijn twee andere kinderen voor de zoveelste keer een familiefeest hadden gemist.

Waarschijnlijk is het een rare tic van mij, maar ik vind het altijd heel vervelend om privé-telefoontjes te krijgen op mijn werk. Dat komt voor een deel doordat ik dan heel intens bezig ben met iets praktisch en totaal niet persoonlijks, waarvoor ik als het ware even een ander moet worden om het helemaal tot me te laten doordringen. En op die junimiddag werd de zaak nog verergerd doordat ik in een kantoortuin bij Bear Stearns aan het werk was, met minstens vijf potentiële luistervinken die het waarschijnlijk een prachtig tijdverdrijf vonden om het hele telefoongesprek te reconstrueren uit de dingen die ik zei.

Er was een buitenlands gesprek voor mij. Het was Emma.

'Mam, met mij. Luister, ik kan niet te lang praten. Ik heb je wat te vertellen.' Ze zweeg, en ik voelde dat mijn hart sneller begon te kloppen.

'O, eh... Nou, zeg het maar. Goed of slecht nieuws?' vroeg ik warrig.

'Absoluut goed nieuws,' zei ze, en ik hoorde aan haar stem dat ze er heel ondeugend bij glimlachte. 'Maar ik weet niet wat jij ervan vindt.'

Ik wachtte.

'Het punt is, ik ben getrouwd.'

Ik herinnerde me de plechtige gelofte die ik had gedaan toen mijn eigen moeder zo moeilijk deed over mijn huwelijk. Ik had toen gezworen dat ik dat nooit van mijn leven een van mijn eigen dochters zou aandoen. Zij mochten trouwen met de man van hun keuze, waar en wanneer en hoe ze maar wilden.

Nadat ik een paar seconden verbijsterd had gezwegen, slaagde ik erin een antwoord te formuleren. 'O, nou, gefeliciteerd,' zei ik, waarna ik er iets te nonchalant aan toevoegde: 'En met wie ben je getrouwd?'

'Met een Soedanees.' In het licht van wat ik later allemaal hoorde, was dat een wel heel simplistisch en minimaal antwoord. Maar in de shocktoestand waarin ik verkeerde kon ik niets anders verzinnen dan wat ultrakorte vragen.

'Wanneer?' vroeg ik. Mijn stem sloeg over; alle dromen en fantasieën die ik had gehad over Emma – hoe ik trots zou toekijken wanneer zij door het middenpad van de kerk liep, aan de arm van haar broer die Bunny verving, hoe ik een receptie zou geven, hoe ik haar te midden van een regen van confetti uit zou zwaaien op haar huwelijksreis en hoe ik zou huilen in een kanten zakdoek – dat alles ging nu in rook op.

'O, kortgeleden.' Het leek of ze me niet meer wilde vertellen dan de noodzakelijkste details.

'Maar wáár dan?' Mijn hart bonsde nu luid in mijn oren. Ik had het ondraaglijk warm, mijn collega's keken van een afstand naar me en ik tastte naar een glas water.

'We hadden een presbyteriaanse dienst in Soedan,' zei Emma eenvoudig.

Mijn aanvankelijke ongeloof maakte plaats voor het doffe besef dat Emma me gewoon de waarheid vertelde. De stilte op de krakende lijn die ons verbond, was tastbaar. 'Dan wens ik je heel veel geluk,' wist ik uit te brengen, al klonk de zin bespottelijk formeel. Mijn god, ik praat net als mijn moeder, dacht ik, maar ik kon op dat moment niet meer helder denken. Trachtend vat te krijgen op mijn emoties vroeg ik: 'Maar eh... kent iemand van je vrienden die man wel?'

'O ja,' zei Emma met overdreven nadruk. 'Willie heeft hem ontmoet.'

Toen ik Willies naam hoorde, kreeg ik opnieuw een schok. Arme Willie, ik wist hoeveel hij van Emma hield en had gehoopt dat ze ooit met hem zou trouwen. De laatste keer dat ik iets van die twee had gehoord waren ze echt een stel geweest, en dat had me plezier gedaan. Nu had Emma het roer ineens radicaal omgegooid. Ze had het jawoord gegeven aan die Soedanees, en Willie viste achter het net. 'En wat voor iemand is het, die man van je?' vroeg ik. Ik werd opeens zo slap in mijn knieën dat ik moest gaan zitten.

'Praat met Willie,' zei Emma kortaf. 'Die kent hem. Hoor eens mam, ik moet echt ophangen. Ik bel binnenkort weleens weer. Dag.' De verbinding werd verbroken en ze was verdwenen.

Mijn oudste dochter. Het kind dat ik in het ziekenhuis in de theetuin in Assam trots in mijn armen had gehouden en over wie ik tegen Bunny had gezegd dat ik het gevoel had dat ze later echt iets met haar leven zou gaan doen. Ze was een wereld binnengestapt die anders was dan alles wat ik kende. Ik had geaccepteerd dat Afrika haar grote hartstocht was, ik wist dat ze erg betrokken was bij haar werk daar, maar ik denk dat ik stiekem altijd had gehoopt dat het iets was wat ze wel weer te boven zou komen; dat ze op een dag zou opbellen met de mededeling dat ze er genoeg van had en naar huis kwam; dat ze met Willie of iemand zoals hij zou trouwen; dat ze een traditionele Engelse bruiloft zou hebben en ergens in Engeland zou gaan wonen. Maar zij had haar eigen keus gemaakt. Een keus waardoor ze voorgoed gescheiden zou zijn van mij en haar familie. Ik was ontdaan.

Van sommige momenten herinner je je later niets meer omdat je te zeer geschokt bent. Ik zal wel zo goed en zo kwaad als het ging zijn opgestaan, iets mompelend over een kop thee die ik ging halen, nagestaard door mijn nieuwsgierige collega's. Later zal ik wel zijn teruggekeerd naar mijn bureau om niet-begrijpend (en dus slechts voor de vorm) naar documenten te kijken die over zaken gingen die me plotseling niets meer interesseerden. Zelfs toen ik 's avonds naar huis ging, was ik nog zo in trance dat ik me niets herinner van de rit naar Surrey. Datgene waardoor ik uit die verstarring opschrok, vlak nadat ik mijn veilige huis had bereikt, maakte alles nog eigenaardiger.

De telefoon ging. Ik nam op en hoorde Willies stem. Dat was puur toeval: hij was, zonder dat ik daar iets van wist, voor een korte vakantie naar Engeland gekomen. Hij had al een hele tijd geen contact meer gehad met Emma, dus hij wist niets van de nieuwste ontwikkelingen; hij belde gewoon om te vragen hoe het met haar ging en waar ze was.

'Het gaat goed met haar... geloof ik,' stotterde ik. 'Sorry, Willie, ik weet niet zo goed wat ik moet zeggen.'

Ik hoorde de groeiende ongerustheid in zijn stem. 'Hoezo? Waar is ze dan?'

'In Nairobi,' zei ik, en ik vervloekte Emma in stilte omdat ze het aan mij had overgelaten om Willie het nieuws te vertellen.

'Is haar... dan iets overkomen?' Lieve Willie, altijd zo bezorgd.

'Ja,' zei ik, en ik haalde diep adem. 'Willie, ze belde me vandaag op om te vertellen dat ze is getrouwd.'

Er viel een pijnlijke stilte. Toen kwam de uitbarsting. 'Getrouwd! Met wie in vredesnaam?' Ik hoorde aan zijn stem hoe gekwetst hij was.

'Met een Soedanees,' antwoordde ik. Weer zo'n akelige stilte, waarin ik niets anders hoorde dan Willies ademhaling. 'Ze beweert dat jij hem kent...'

Nu duurde de stilte nog langer. Toen ademde hij hoorbaar in en slaakte een gekwelde uitroep. 'O nee... o jeetje,' begon hij, en ik voelde mijn eigen hartslag versnellen. 'Dan is ze met Riek getrouwd.'

'Riek?' herhaalde ik met klimmende ongerustheid. 'Vertel dan eens, wat is die Riek voor iemand?'

Willie gaf met merkbare tegenzin antwoord. 'Riek is commandant van de SPLA, het Soedanese volksbevrijdingsleger. Hij vecht daar een guerrilla uit,' zei hij, en hij voegde er toonloos aan toe: 'Een warlord, Maggie.'

Ik was nog nauwelijks bekomen van de schrik van Emma's telefoontje en zakte nu letterlijk door mijn knieën; ik liet me in een leunstoel vallen en kon geen woord meer uitbrengen. Een warlord? Was mijn kersverse schoonzoon een guerrillaleider? Hoe kon dat? Hoe kon Emma zo stom zijn? Was ze nu zelf ook in gevaar? Het duizelde me van alle afschuwelijke dingen die mogelijk waren, van alle risico's die ze nam. Ik mompelde totaal overrompeld iets tegen Willie, legde de hoorn op de haak en barstte in tranen uit. Hoe kon ze mij dit aandoen?

In de dagen, weken en maanden die volgden probeerde ik het mysterie van Emma's besluit te ontwarren. Ik kon haar niet bereiken, haar geen verdere vragen stellen en ook uit andere bron geen nadere informatie krijgen, dus ik was volledig overgeleverd aan mijn eigen angst, bezorgdheid en woede. Ik wist niet wat ik ervan moest denken. Ik had mensen horen praten over 'Afrikaanse waanzin'; was Emma gek geworden? Was ze alleen maar naïef? Of politiek ambitieus? Meende ze zichzelf hiermee in de schijnwerpers te plaatsen en publiciteit te krijgen? Ze stond al sinds ze een klein kind was graag in het middelpunt van de belangstelling. Was dit gewoon weer een uiting van dat verlangen, dat haar ditmaal fataal zou kunnen worden? Of was dit gewoon de uiterste consequentie van het doorbreken van alle conventies? Na verloop van tijd begreep ik dat al deze factoren meespeelden.

Ik lag nachtenlang wakker en vroeg me af hoe ik onze vrienden en familie dit nieuws moest vertellen: die lieve tante Margot, mijn vader en de andere leden van een generatie die hier niets van zou begrijpen. Uiteindelijk schepte ik moed en begon iedereen die het moest weten op de hoogte te brengen. Het viel mee; de meeste mensen reageerden heel goed, probeerden me moed in te spreken en zeiden lachend dat ze me in ieder geval de kosten van een groot Engels bruiloftsfeest had bespaard.

Toen ik erover nadacht, besefte ik dat ik wel degelijk vertrouwen had in Emma's oordeelsvermogen en dat ik haar zoveel mogelijk liefde en steun wilde geven. Ze was een heel bijzondere jonge vrouw, dat was ze altijd geweest, en ik had haar altijd innemend avontuurlijk gevonden; als haar daden me nu roekeloos voorkwamen of me doodsbang maakten, dan moest ik daar maar mee leren leven. Het was mijn probleem, niet het hare. Zíj was niet veranderd; ze was trouw aan zichzelf, aan de geest waarin ik haar had opgevoed, en ik kon me toch moeilijk gaan beklagen dat ze zich niet hield aan de uiterst conventionele plannen die ik met haar had.

Bovendien was Emma hartstochtelijk begaan met het lot van de mensen in Zuid-Soedan en bewees ze dat door hen te helpen en haar leven voor hen te wagen. En, wat nog veel belangrijker was, ik begon langzamerhand te begrijpen dat ze hevig en ongeneselijk verliefd was op Riek.

En zo leerde ik op den duur de toestand te accepteren, vrede te hebben met wat er was gebeurd en me zelfs te verheugen over Emma's ondernemingslust. Daarnaast kreeg ik met heel andere problemen te kampen. Ik vroeg me bijvoorbeeld af wat ik in vredesnaam moest beginnen met de vierendertig koeien met lange horens die mij als bruidsgift door Rieks familie waren geschonken.

De oorlog en Emma's werk gingen door. Dood en doodsangst waren nooit ver weg, maar Emma bleef stoïcijns en week niet van de zijde van haar man. De dorpelingen namen haar als hun gelijke in hun midden op en bouwden voor haar en Riek in Nasir een nieuwe lemen hut, waarvan ze de muren vanbinnen en vanbuiten versierden met fraaie handgeschilderde motieven. Ze had een nieuw thuis.

De SPLA was intussen op het toppunt van zijn macht, controleerde bijna het gehele zuiden en was in een goede positie om te beginnen aan een opmars naar de gebieden die in handen waren van de regering in Khartoem. Het was iedereen die iets wist van de politieke tegenstellingen in dat gebied duidelijk dat Emma's invloed op Riek aanzienlijk was. Ze had al geprobeerd een gedragscode voor zijn mannen in te voeren om een einde te maken aan barbaarse praktijken als verkrachting, plundering en het rekruteren van kindsoldaten, en ze discussieerde vaak tot diep in de nacht verhit met hem over de gevolgen van de oorlog voor de gewone mensen, de mensen voor wie zij al die moeite deed en die zij zo graag wilde helpen.

Ze bleef steun zoeken voor de projecten die haar na aan het hart lagen: onderwijsvoorzieningen, medische faciliteiten en financiële steun voor kleine bedrijven en landbouwprogramma's. Ze begon ook aan de ontwikkeling van een vrouwenproject om Soedanese vrouwen meer inspraak te geven in belangrijke kwesties. Dit initiatief groeide uit tot de Southern Sudan Women's Association (SSWA). De vrouwen, zo betoogde Emma, waren altijd weer degenen die het maar moesten zien te rooien als de jongens met de kalasjnikovs weer vertrokken waren. Emma ging ervan uit dat haar werk voor SKI gewoon kon doorgaan, ondanks haar huwelijk met Riek, en ze stortte zich de ochtend na haar bruiloft weer met volle overgave op haar scholenprogramma. Een paar dagen later liet ze Riek achter en vloog naar Nairobi om nieuwe voorraden te bestellen. Van daaruit stuurde ze een standaardveldrapport over de laatste ontwikkelingen aan Peter Dalglish, de directeur van SKI. Onder aan het getypte rapport stond de volgende zin: 'P.S. Ben met Riek Machar getrouwd tijdens een korte plechtigheid in de plaatselijke gemeenschap.'

Dat nieuws sloeg in Toronto in als een bom. Niemand kon geloven dat iemand met Emma's ervaring, in dienst van een apolitieke organisatie die al problemen genoeg had met het transporteren van hulpgoederen naar het oorlogsgebied, zoiets idioots kon doen als het aangaan van een dergelijke hechte en onverbrekelijke band met een van de strijdende partijen. Peter was verbijsterd, evenals zijn mededirectieleden, die op niet mis te verstane wijze uiting gaven aan hun afkeuring. Peter wilde niets overhaasts doen en was nog steeds onder de indruk van wat Emma tot nu toe allemaal had bereikt; hij wist zijn medewerkers over te halen nog even te wachten en te kijken hoe de zaken zouden lopen.

Voor de jonggehuwden, die nog in de eerste roes van hun verliefdheid waren, raakten de oorlog en het interne beleid van hulpverleningsorganisaties een tijdje op de achtergrond. Riek miste zijn bruid hevig als ze in Nairobi was. Hij bestookte haar met brieven en radioboodschappen waarin hij haar zijn liefde verklaarde. In een van die brieven, geschreven twee weken na hun bruiloft, bedankte hij haar voor de liefdesbrief en de roman van Tolstoj die ze hem had gestuurd en ging hij verder:

> *Vanaf het moment dat ik je eerste brief kreeg, wist ik niet wat ik moest terugschrijven. Ik was overstelpt door vreugde, maar ik weet heel goed dat ik van je hou en verliefd op je ben. Ik had al vol verwachting uitgezien naar je brief. Ik heb hem telkens opnieuw gelezen en hem steeds bij me gedragen, bang dat ik hem zou verliezen, verlangend me even af te zonderen om hem nog eens te lezen, zelfs op het vliegveld. Op dit moment draaien al mijn gedachten en gevoelens om jou.*
>
> *Overdag, als ik wakker ben, raak ik voortdurend de trouwring aan die je me hebt gegeven, alleen maar om iets van je te voelen en te zoenen nu je ver weg bent. 's Nachts, als ik in bed lig, zijn de herinneringen aan onze liefde zo tastbaar aanwezig dat ik urenlang wakker lig in ons liefdesnest. Als ik niet slaap, denk ik aan jou en aan wat je op dat moment doet, en vaak als ik op bed lig probeer ik urenlang je via telepathie te bereiken.*
>
> *Soms wekt je zachte, lieve stem me uit een diepe slaap... Ik ben zo trots dat ik met je getrouwd ben. Je merkt hoe erg ik je mis: heel erg. Geen siësta's meer, geen fijne gesprekken onder vier ogen. Emma, als wensen paarden waren, hoefden bedelaars niet te lopen, zeggen jullie in Engeland. Mijn wens is dat je terugkeert naar mij hier in Nasir voordat je naar Engeland gaat. Tom Jones zingt in zijn grootste hit: 'If loving you is wrong, I don't want to be right, for being right means being without you.' Ik hou van je. Kom. Ik ben verliefd op je. Ik houd van verrassingen; zeg me niet op welke dag je komt, alleen in welke week. Dag dag, ik hou heel veel van je. Riek*

Emma kon nauwelijks geloven dat zo'n gevoelsuitbarsting afkomstig kon zijn van een man die zich het grootste deel van zijn leven bezighield met bombardementen en militaire aanvallen en voelde zich vereerd en verplicht aan zijn wensen te voldoen. Ze keerde dus terug naar Nasir voor een paar gestolen momenten met haar nieuwe echtgenoot; ze nam ditmaal Sally mee, die nauwelijks kon geloven wat haar beste vriendin had gedaan en die erop stond Riek persoonlijk te ontmoeten. Ze liep gearmd met Emma rond in het dorp en het garnizoen, werd aan iedereen voorgesteld en nam deel aan het dagelijks leven; ze kon maar moeilijk accepteren dat Emma haar bruisende leven in Nairobi had opgegeven voor het sobere, harde leven tussen de vergeten bewoners van Zuid-Soedan. Maar, zoals Goethe zei: dapperheid bestaat uit talent, kracht en magie.

Op 17 juli 1991 kwam Emma volgens plan naar Engeland, maar nu als getrouwde vrouw. Het was voor het eerst sinds zeven maanden dat ik haar zou zien, en ik zag als een berg op tegen onze ontmoeting. Het was tenslotte de eerste keer dat ze thuiskwam na de bruiloft. Ze landde samen met Sally op Heathrow, precies een maand na de huwelijksplechtigheid. Ik zag onmiddellijk dat ze volmaakt gelukkig was.

Ze stortte zich algauw in het Engelse leven, maakte een enorme rommel in mijn huisje en nam het heft volledig in handen. Toen ik op een avond thuiskwam, liep er een spoor van witte meelafdrukken door de gang, de trap op en in zowat alle kamers. Ze had staan bakken.

'O mam, alsjeblieft niet boos worden,' zei ze. 'Thuis heb ik nooit de kans om dit te doen.' Haar gezicht, haar en kleren waren bedekt met meel en deeg. Hoe had ik boos op haar kunnen worden?

Ze maakte niet alleen een puinhoop van mijn keuken, maar tankte ook mentaal bij door naar het theater, de bioscoop en tentoonstellingen in galeries te gaan. Ze genoot van het westerse leven, dat zo anders was dan dat waarvoor zij had gekozen. Vrienden die haar die zomer zagen, zeiden dat ze betoverend was, chic 'op een jaren-twintigmanier', levenslustig, om niet te zeggen geëxalteerd, en overduidelijk smoorverliefd.

Toen we die zomer op een middag in de tuin waren – zij zoals gewoonlijk onderuitgezakt op de tuinbank, terwijl ik tussen de zoemende bijen in de bloembedden aan het wieden was – maakte ze achteloos melding van het feit dat ze Rieks tweede vrouw was.

'O,' antwoordde ik naïef terwijl ik opkeek, 'ik had niet gedacht dat ze aan echtscheiding deden bij de Nuer.'

Emma wierp me over haar modieuze zonnebril heen een veelbetekenende blik toe en zei: 'Doen ze ook niet.'

Ik ging op mijn hurken zitten en liet tot me doordringen wat ze bedoelde. Mijn dochter was niet alleen getrouwd met een warlord, maar hij was ook nog polygaam. Ze was Rieks tweede vrouw, en nu had hij er nog maar twee, maar niets kon hem ervan weerhouden om er later een derde of vierde bij te nemen, zolang hij het maar kon betalen. Zijn vader had vijf vrouwen gehad. Ik probeerde met alle macht niet gechoqueerd te zijn, maar was het toch. Emma genoot met volle teugen van het effect van haar woorden.

'Stel je eens voor wat de nonnen zouden zeggen als ze wisten dat ik een polygaam huwelijk had gesloten,' giechelde ze. 'Nou ja, ze zeggen niet voor niets dat meisjes van een kloosterschool de ergsten zijn.'

Rieks eerste vrouw heette Angelina en was de dochter van een Nuer-politicus die een van de leraren op Rieks school was geweest. Riek en zij waren al van jongs af aan een stel en waren in 1981, toen zij achttien was, getrouwd. Ze woonde nu als alleenstaande bijstandsmoeder in West-Londen met hun drie kinderen. Ik vond het een ironische speling van het lot dat zijn Soedanese vrouw in Engeland woonde en zijn Engelse vrouw in een lemen hut in Soedan. Emma had geprobeerd contact met haar op te nemen om haar te leren kennen, maar Angelina was woedend dat Riek haar als eerste echtgenote geen toestemming had gevraagd om opnieuw te trouwen en weigerde haar rivale te ontmoeten.

Emma deed heel luchtig over Rieks polygamie, zo luchtig dat het irritant werd. Ze legde uit dat dat systeem was ontstaan als reactie op de oorlog; er waren zoveel vrouwen die geen echtgenoot of vader meer hadden dat die massaal zouden sterven als ze niet de nieuwe vrouw van een andere man konden worden. Verder verkondigde ze dat het huwelijk lang niet zo'n slechte naam zou hebben als een dergelijk systeem ook in de westerse landen ingang zou vinden. 'Kijk eens hoeveel echtscheidingen er zijn in Engeland,' zei ze, 'en hoeveel mensen overspel plegen. Bijna iedereen doet het. In Soedan heb je dat niet, vanwege die polygamie.'

Persoonlijk was ik het daar hartgrondig mee oneens. Ik had onder geen beding met Bunny en zijn maîtresse onder één dak kunnen leven, en ik wist dat Emma zoiets ook niet had kunnen opbrengen, ook al zei ze van wel. Ik vroeg me heimelijk af of ze werkelijk zo ingenomen was met haar geforceerde onconventionaliteit.

Er was echter één ding dat angstwekkend echt was: de oorlog. Ondanks het persoonlijke geluk dat Emma had gevonden, verslechterde de politieke situatie in Zuid-Soedan tijdens haar afwezigheid in hoog tempo. Er kwamen steeds grotere verschillen in politieke overtuiging en strategie aan het licht tussen Riek en Garang, en duisternis en gevaar lagen op de loer. Hoe meer ik over die oorlog las, hoe sterker ik een gevoel van naderend onheil kreeg. Was het een 'rechtvaardige' oorlog? Kón een oorlog wel rechtvaardig zijn? Onwillekeurig vroeg ik me af of Riek werkelijk zo onberispelijk van gedrag was als Emma altijd beweerde.

Met Emma had hij een belangrijk wapen in handen om erkenning te krijgen voor zijn rebellerende factie; haar betrokkenheid en trouw jegens hem waren onwankelbaar. Ze was de perfecte politica en de ideale partner. Ze was het grootste deel van de tijd aan het lobbyen bij de Soedanese gemeenschap in Londen, waar ze mensen sprak in het Africa Centre in Covent Garden en soms lezingen hield over haar ervaringen in Oost-Equatoria. Ze wilde dolgraag dat Riek ook naar Engeland zou komen zodat hij haar familie kon ontmoeten en zij voor het oog van iedereen met hem kon pronken, maar het zou niet zo mogen zijn.

In een brief die Riek begin augustus aan Emma stuurde, schreef hij:

> *Ik zal niet naar Engeland komen, hoewel ik dat dolgraag zou willen nu jij daar bent. Maar mijn aanwezigheid kan hier op dit moment niet worden gemist. Ik zou nu graag een brief aan je moeder schrijven, maar durf niet zo goed. Ik doe het wel als jij terug bent en me hebt verteld hoe ze op ons huwelijk heeft gereageerd. Ik ben bang dat ik een verkeerde toon aansla, omdat ik volstrekt niet weet hoe zij over ons denkt. Ik zou haar echt heel graag iets laten horen, maar wacht toch maar tot jij terug bent.*
>
> *Ik mis je heel erg. Ik droom elke nacht van je en zou wensen dat je eerder kon terugkeren naar Nasir. Het leven zonder jou is leeg... Ik heb je hier nodig. Ik hoop dat je geniet van alle rumoer en spektakel van de westerse wereld. Ga je niet te buiten. Miljoenen zoenen, Riek*

De brief was geschreven op groen briefpapier en versierd met zelfgetekende hartjes.

Emma volgde niet alle adviezen van haar man op en ging door met haar drukke sociale leven; ze reisde naar Yorkshire, Shropshire en West-Engeland om vrienden en familie op te zoeken. Ze trakteerde Yo spontaan op een gezamenlijke week vakantie bij vrienden in Spanje, een vakantie waar ze beiden van genoten en die hielp de kloof te dichten die hen sinds hun jeugd scheidde en die breder was geworden sinds Emma's bruiloft. Ze kwamen op 19 augustus gebruind en uitgerust terug, waarna Emma de trein naar Londen nam om bij vrienden te logeren en nog een poosje lekker te feesten.

Ze had geen flauw idee welke onthutsende, historische gebeurtenissen er ondertussen in Soedan plaatsvonden, noch hoezeer die haar toekomst zouden beïnvloeden.

11

Vlak nadat Emma terug was gekomen van haar vakantie in Spanje, besloot Riek Garangs autocratisch leiderschap openlijk uit te dagen. Hij beschuldigde hem van schending van de mensenrechten, het gebruiken van kindsoldaten, het oogluikend toelaten van door zijn mannen begane wreedheden en het opsluiten van critici van zijn bewind. Garang dreigde Riek uit zijn functie te ontzetten, iets wat ondenkbaar zou zijn geweest voor Emma's echtgenoot, die al zo lang aan de top van de machtspiramide stond.

Hij was dan ook woedend, en samen met zijn medecommandant dr. Lam Akol trachtte hij op 28 augustus 1991 een coup te plegen om John Garang af te zetten. Ze eisten meer democratie, beloofden de mensenrechten te eerbiedigen en maakten bekend dat ze streefden naar een onafhankelijk Zuid-Soedan in plaats van een verenigd Soedan. Emma logeerde op dat moment in Londen bij John Ryle, een oude vriend en bovendien degene die haar de allereerste liefdesbrief van Riek had bezorgd. Ze was die middag wezen winkelen; toen ze om zes uur thuiskwam, hoorde ze tot haar verbijstering in een BBC-reportage van Colin Blane wat er was gebeurd.

De telefoon stond de hele nacht niet stil; zij, John en al haar Soedanese kennissen in Engeland en Kenia probeerden erachter te komen wat er precies gaande was. Angelina, Rieks eerste vrouw, nam onverhoeds contact op met Emma en vertelde hoe gechoqueerd en teleurgesteld ze was over het nieuws. Emma werd bedolven onder de bezoekers, telefoontjes en faxen. Ze belde kennissen van de SPLA in Kenia, maar werd niets wijzer. De een zei dat het een gerucht was, dat Riek niet zo stom zou zijn en dat ze zich geen zorgen moest maken, maar de volgende zei dat het allemaal waar was, dat Riek en Lam Garang hadden verzocht af te treden en dat hij gevangen was genomen door Rieks mannen.

In de dagen die volgden bleef Emma bij John Ryle, in angstige afwachting van nieuwe berichten. Ik beantwoordde thuis in Surrey de telefoontjes en gaf het nummer door waar Emma bereikbaar was. Ze wilde Riek dolgraag persoonlijk spreken om erachter te komen waar hij mee bezig was, om te horen of de BBC het bij het rechte eind had en of hij inderdaad in haar afwezigheid en buiten haar medeweten een belangrijke en waarschijnlijk ook gevaarlijke politieke zet had gedaan. Tot overmaat van ramp stond die zondag Angelina op de stoep, die ook meer wilde weten. Het was een moeilijk parket voor die twee vrouwen, allebei wachtend op een bericht van de man van wie ze hielden. Ze werden ook nog dwarsgezeten door een misleidingscampagne van Garangs aanhangers in Nairobi, die ervoor zorgden dat alle berichten die ze vanaf dat moment kregen ofwel onjuist, ofwel speculaties uit de tweede hand waren.

Emma rookte sigaretten, dronk de ene kop koffie na de andere en was ten einde raad, vooral toen er onbevestigde berichten begonnen te circuleren dat Riek en Lam waren gearresteerd en geëxecuteerd door Garangs mannen. Garang verklaarde die avond tegenover de BBC stellig dat hij 'alles onder controle' had en dat hij de steun had van negen leden van het opperbevel. Emma deed die nacht geen oog dicht en hoopte maar steeds op een bericht van haar geliefde echtgenoot. Ze waren nog maar tien weken getrouwd.

De dag daarop, maandag, hoorde Emma dat Garang geruchten verspreidde dat zij een spionne voor MI5 was en de scheuring binnen de SPLA had georkestreerd. Hij beweerde dat zij juist op dit cruciale moment naar Europa was gegaan om buitenlandse steun te verkrijgen. Wat wist hij ervan? Ze had met haar zus in Spanje liggen zonnebaden, had in Londen gewinkeld, was uit eten geweest met vrienden en had thuis in Surrey tot diep in de nacht met mij zitten kletsen. Buitenlandse steun! Door die gemene leugens werd Angelina volkomen onverwacht Emma's medestandster; de mensen gingen er namelijk automatisch van uit dat Angelina nog steeds de pest had aan Riek omdat hij met Emma was getrouwd, en daarom vertelden ze haar dingen die ze nooit tegen zijn tweede vrouw zouden hebben gezegd. Garangs vrouw Rebecca zei tegen Angelina: 'Maak je geen zorgen, het komt allemaal door dat blanke meisje.' Het pleit voor Angelina dat ze dit meteen aan Emma doorvertelde, hoewel het duidelijk was dat het nieuws mijn dochter erg van streek maakte.

Die maandag krabbelde Emma in haar dagboek: 'Ik was van mijn stuk gebracht. Ik had er nooit aan gedacht dat ik erbij betrokken kon raken. Ze meenden dat ons huwelijk een puur politieke zaak was.' Later die avond stapte Emma, uitgeput en verward, op de trein naar Surrey om weer bij mij te komen logeren. We zaten tot diep in de nacht aan de keukentafel te praten boven talloze mokken koffie. Emma rookte aan één stuk door, frummelde met haar trouwring en maakte een verslagen indruk. Er bleven maar telefoontjes met nieuws voor haar komen, en met ieder telefoontje werd ze onrustiger.

Garang had het conflict nu 'Emma's oorlog' genoemd en bleef geruchten verspreiden dat zij achter alle machinaties zat. Volgens hem wilde zij de *first lady* van een nieuw verenigd Zuid-Soedan worden en was ze een door de Britse regering betaalde spionne die was uitgezonden om Rieks hart te veroveren. In de paranoia van een door oorlog verscheurd gebied was Emma, twee maanden na haar bruiloft, opeens het middelpunt van een wrede stammenoorlog. Op de een of andere manier was ze plotseling Soedans staatsvijand nummer één geworden; het besef dat Garang haar als wapen in zijn politieke strijd gebruikte trof haar onvoorbereid, en ze wist niet hoe ze moest reageren op zijn beschuldigingen. Ik had haar nog nooit zo van streek gezien.

Ze zat in mijn keuken en ik liet haar maar praten en al haar verdriet en zorgen eruit gooien. 'Stel dat ze Riek hebben vermoord, mam,' zei ze met grote, angstige ogen. 'Wat moet ik dan?' Op een ander moment keek ze me ineens aan, en terwijl ze haar tranen afveegde, zei ze: 'Wij lijken heel erg op elkaar, mam. We zijn allebei erg dapper, we hebben allebei lef.'

Ik hield haar hand vast en ving haar zo goed mogelijk op. Ze zat midden in iets waar ze totaal geen invloed op had. Ze kon niets anders doen dan wachten tot het noodlot een beslissing zou nemen.

Het nieuws uit Soedan werd erger. De Nuer- en de Dinka-stam werden uiteengedreven door de stammenstrijd; de Dinka-stam koos de kant van Garang en de Nuer-stam die van Riek. Slechts een paar weken later overvielen Rieks soldaten – onder wie ook een groep mannen onder leiding van een provocerende bevelhebber die zich de Witte Profeet noemde – Garangs thuisbasis Bor en slachtten er ongeveer tweeduizend Dinka-burgers af. Het was een gruwelijke en onmenselijke actie. De lichamen van vrouwen werden opengereten, kinderen werden vastgebonden en doodgeschoten, oude mannen opgehangen aan bomen. Duizenden mannen, vrouwen en kinderen vluchtten de moerassen in, waar velen van hen omkwamen als gevolg van honger en malaria.

Riek heeft altijd iedere betrokkenheid bij de overval op Bor ontkend en volgehouden dat zijn mannen op eigen houtje hadden gehandeld en dat hij ze niet meer in de hand had omdat ze door de Witte Profeet waren gepaaid met valse beloften van een vette Dinka-buit. Buiten kijf staat echter dat hij ernstig in diskrediet werd gebracht door het incident. Er gingen geruchten dat hij onder één hoedje speelde met de vijand en in het geheim militaire steun kreeg van de regering in Khartoem om de Arabische moslims te helpen het hoofdgebied van de Dinka weer in handen te krijgen. Hoe het ook zij, het bloedige incident zou lang nawerken en nog vele jaren dood en verderf zaaien. Verbitterde stammentwisten verergerden het conflict in het zuiden van het land en de regering in Khartoem maakte dankbaar gebruik van de verdeeldheid door vele belangrijke gebieden terug te veroveren. Toen Emma Riek een keer ter verantwoording riep over die massamoord, gaf hij toe dat hij het Dinka-nationalisme had onderschat.

Ook los van het feit dat hij persoonlijk beledigd was door Rieks opstand en de aanval op Bor was Garang razend, want de SPLA was nog nooit zo dicht bij een herovering geweest van gebieden die in handen waren gevallen van de regeringstroepen, en nu hadden ze de vijand in de kaart gespeeld door zich te splitsen in twee elkaar bestrijdende facties. 'Samen staan we sterk' was altijd hun motto geweest, en nu hadden ze de eenheid niet kunnen bewaren. Hij zei onomwonden tegen iedereen die het horen wilde dat hij Riek Machar en zijn Engelse echtgenote persoonlijk verantwoordelijk stelde voor deze rampzalige nieuwe wending in de geschiedenis van het door oorlog geteisterde Soedan. Een dergelijke uitlating kon maar één ding betekenen: dat Emma's leven ernstig gevaar liep.

Ik had nog nooit geprobeerd mijn dochter ervan te weerhouden terug te gaan naar Afrika. Ik wist dat haar hart naar haar man trok, dat ik niets kon doen om haar tegen te houden en dat ik dat ook niet wilde. Maar menig ander probeerde het wel. Zelfs Angelina drukte Emma op het hart niet te gaan toen ze haar opzocht om afscheid te nemen van haar en de kinderen en video-opnamen van hen te maken voor Riek. Maar op 4 september 1991, precies een week nadat ze voor het eerst van het conflict had gehoord, stapte mevrouw Riek Machar op Heathrow op het vliegtuig naar Nairobi. Ik zwaaide haar met angst in het hart uit en vroeg me af of ik mijn dochter ooit terug zou zien.

Emma werd gedurende de hele reis naar Afrika gevolgd door een van Garangs mannen, die ze al op Heathrow in de gaten kreeg. In Nairobi bleef ze een poosje bij vrienden logeren; ze probeerde meer te weten te komen over de politieke situatie in Soedan, nadat ze zich er eerst van had vergewist dat Riek nog leefde. Veel vrienden smeekten haar niet terug te gaan, maar ze had haar besluit al genomen. Op maandag 23 september vloog ze naar Nasir om weer bij Riek te zijn. Halverwege de reis, aan de grens tussen Kenia en Soedan, werd ze door een strijdlustige VN-functionaris uit het vliegtuig gehaald en ondervraagd en van alle kanten vijandig bejegend. Toen ze ten slotte in Nasir aankwam, was ze goed op temperatuur gekomen.

Ze beende onmiddellijk na aankomst woedend Rieks tukul binnen en legde hem het vuur verbaal zo na aan de schenen dat de boomlange man zichtbaar geschokt was door haar woede.

'Waar denk jij in godsnaam dat je mee bezig bent?' schreeuwde ze tegen hem, terwijl ze hem in een hoek dreef en daarbij bijna de tafel omgooide waaraan hij had zitten schrijven. 'Het huwelijk is een verbond tussen twee partners, weet je nog?'

Riek knikte schaapachtig, stomverbaasd haar te zien, en dan nog in deze gemoedstoestand. Hij boog zijn hoofd en zag er oprecht berouwvol uit. Emma was stiekem opgelucht, en opgetogen dat ze weer bij hem was, maar weigerde een mildere toon aan te slaan.

'Heb je enig idee wat ik in Engeland allemaal heb doorgemaakt?' vroeg ze met vuurspuwende ogen. 'Ik wist niet eens of je nog wel leefde. Mijn arme moedertje heeft heel wat met me te stellen gehad terwijl ik snikkend op berichten over jou zat te wachten aan haar keukentafel.'

Riek bleef met gebogen hoofd zitten. Zijn enorme handen rustten op de tafel voor hem en hij weerstond de neiging ze uit te strekken en zijn bruid naar zich toe te trekken, hun echtelijk bed in.

De bruiloft van Emma en Riek op 17 juni 1991 in Ketbek, Zuid-Soedan, werd geleid door Rieks adjudant, prachtig uitgedost in een roze gewatteerde peignoir

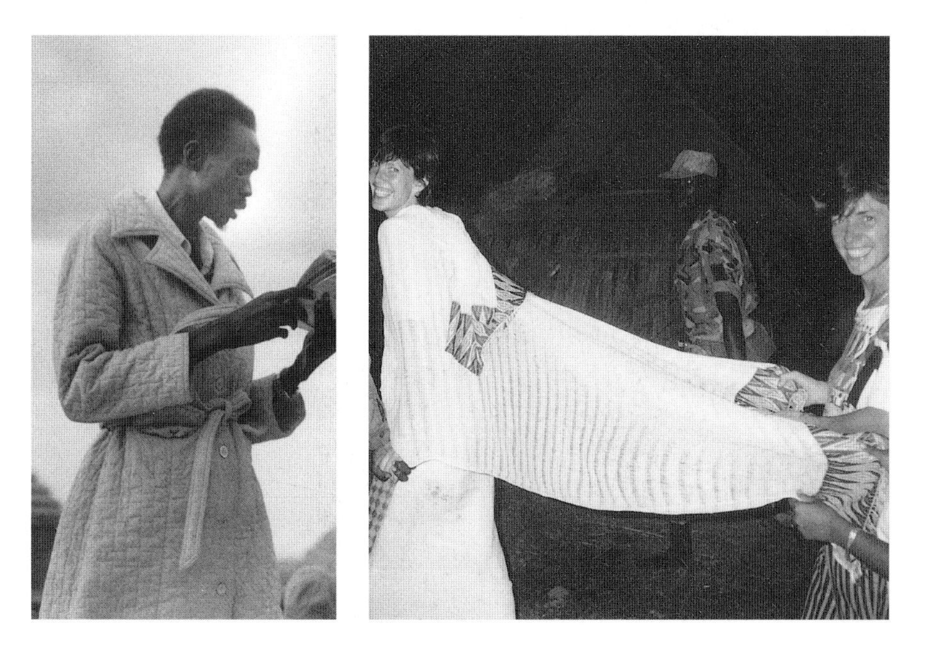

Emma op de rivier de Sobat (foto: Richard Ellis, *The Sunday Times*)

Riek en Emma gefotografeerd voor een tv-documentaire over hun leven in Soedan (foto: Wildcat Films)

Emma met Riek en zijn lijfwachten in Nasir, Zuid-Soedan (foto: Peter Moszynski)

Voor het huis van Emma en Riek, een tukul in Nasir (foto: Peter Moszynski)

Het schitterend versierde interieur van het huis (foto: Peter Moszynski)

Emma en Riek liepen vijf dagen naar Ayod voor het heilige luipaardvelritueel

Soldaten van het Soedanese volksbevrijdingsleger, de SPLA, in een trainingskamp (foto: Peter Moszynski)

Emma met haar hartsvriendin Sally Dudmesh tijdens een Genesis-concert in de zomer van 1992, toen ze over was uit Afrika

Met mijn zus Sue in de Brecon Beacons in Wales, 1991

Erica, Johnny en Jennie met Riek

Het vliegtuig waarin ik naar Soedan vloog voor Emma's begrafenis te midden van streekbewoners die uren in de brandend hete zon hadden staan wachten

Emma's kist, gedragen door de mensen die van haar hielden (foto: Peter Moszynski)

Een soldaat met een emmer vol bloemen, die in de hitte snel verwelkten
(foto: Peter Moszynski)

Ik, Annabel Ledgard en Johnny op de begraafplaats

Emma's graf in Leer, Zuid-Soedan (foto: Peter Moszynski)

Treurende Soedanezen (foto: Peter Moszynski)

Begrafenisdienst voor Emma in de All Saints Cathedral in Nairobi, Kenia (foto: Peter Moszynski)

Emma's erfenis: Emmanuel, het vluchtelingetje dat zij hielp, krijgt computerles

Haar hond Come On reist met gepast vertoon van eer per boot naar het volgende dorp (foto: Heather Stewart)

In gesprek met Stephen, Rieks lijfwacht, tijdens mijn bezoek aan Khartoem om gegevens te verzamelen voor dit boek

Emma hield niet op. 'Ik kan je niet zeggen hoe boos ik op je ben dat je dit gedaan hebt, Riek. Wat heb je je in vredesnaam in je hoofd gehaald? Ben je gek geworden?' Zo ging ze nog een tijdje door hem in onomwonden bewoordingen duidelijk te maken dat ze des duivels was dat hij haar niet in vertrouwen had genomen en haar niets van zijn plannen had verteld. Het was hun eerste grote ruzie, of dat zou het geweest zijn als hij enige reactie had getoond. Toen ze merkte dat hij bleef zwijgen, stormde ze gepikeerd zijn hut uit en beende een tijdje rond in het legerkamp terwijl ze vlijmende blikken om zich heen wierp.

Gooi een munt op, kruis of munt, dit of dat;
Nefertete schrijdt door de stad.
Over de stoepen loopt zij, klikklak,
Haar benen zijn lang, tot boven het dak.
Haar vingers knippen in de lucht, klakklik,
De muren splijten onder haar scherpe groene blik...

uit 'Queen Nefertiti', anoniem

Het duurde lang voor Emma Riek vergaf wat zij beschouwde als persoonlijk verraad. Zijn actie markeerde een keerpunt in hun prille relatie; het was de eerste keer dat zij besefte dat hij dubbelhartig kon zijn en dingen voor haar verborgen kon houden. Hoewel hij altijd graag haar advies had gevraagd en haar hulp had geaccepteerd bij het schrijven van zijn rapporten, drong het nu tot haar door dat de Afrikaanse politiek en de cultuur van de man met wie ze getrouwd was van dien aard waren dat zij daar waarschijnlijk nooit volledig deel van zou uitmaken of over in vertrouwen zou worden genomen. Ze vroeg zich nu af welke andere beslissingen er buiten haar om waren genomen en nog genomen zouden worden.

Ze werd nog somberder toen ze ontdekte dat er al lang voordat zij met Riek was getrouwd sprake was van plannen om tegen Garang in opstand te komen. De voornaamste initiatiefnemer was Rieks medestander, dr. Lam Akol, die hun huwelijk nooit had goedgekeurd en Riek had verweten dat hij gek was en hun positie ermee verzwakte. Hij had Riek nodig omdat hij de steun van de duizenden Nuer niet kon missen die hun beweging trouw waren, maar hij had de afsplitsing in augustus georkestreerd en Riek gedwongen mee te doen. De twee mannen hadden maandenlang plannen beraamd en besloten tot actie over te gaan op het moment dat Emma veilig in Engeland zat. Riek had er dwaas genoeg niet aan gedacht dat zij bij de zaak betrokken zou kunnen raken, hij had alleen maar gewild dat ze ver weg was voor het geval Garangs troepen zouden komen. Zijn standpunt was altijd geweest dat het niemand wat aanging met wie hij trouwde en wanneer, en dat Emma geheel buiten die afsplitsing stond.

Nu Emma er tot over haar oren bij betrokken was, besefte hij echter dat hij een ernstige beoordelingsfout had gemaakt, en dat speet hem oprecht. Terwijl hij luisterde hoe zijn vrouw haar woede luchtte, wenste hij dat het allemaal anders was geweest en dat hij de klok terug kon draaien. Emma liet Riek beloven dat hij haar nooit meer zo slecht zou behandelen en haar zou betrekken bij alle beslissingen die zowel haar als hun volk aangingen. Mocht Riek dat nog niet eerder hebben beseft, dan wist hij nu dat zijn nieuwe vrouw iemand was met wie je rekening moest houden. Hij was verbijsterd dat ze het had gewaagd onder de gegeven omstandigheden naar hem toe te komen en erkende haar terugkeer als een daad van grote dapperheid.

Emma ging onmiddellijk aan het werk en deed alles wat ze kon om steun voor Riek te verwerven. Ze hielp hem bij het opstellen van ontwerpresoluties, zocht contact met sympathisanten in Ethiopië en Kenia en regelde dat Lam Akol met een delegatie in Nairobi ging praten om te kijken of er een verzoening binnen de SPLA kon worden bewerkstelligd. Riek nam haar adviezen ter harte; haar mening was nu van groot belang voor hem, omdat hij begreep dat die een afspiegeling was van de manier waarop andere buitenstaanders tegen de situatie aankeken. Ergens midden in al die troebelen, vier maanden na hun bruiloft, vond Riek de tijd om zijn eerste brief aan mij, zijn kersverse schoonmoeder, te schrijven, een brief waarin hij zich officieel voorstelde en me bedankte voor mijn steun. Hij schreef:

> *Met ons allebei gaat het goed. Het is erg vochtig, maar we beklagen ons niet... Ik ben me ervan bewust dat we u hebben beroofd van een aantal van de moederlijke rechten tijdens de huwelijks-*

plechtigheid; we hebben er maar op gegokt dat we uw goedkeuring hadden. Ik was opgelucht toen Emma terugkwam en vertelde dat u volledig achter ons huwelijk staat.

De voornaamste reden dat we in Afrika zijn getrouwd is dat ik niet wist wanneer ik naar Engeland zou kunnen komen, omdat ik hier heel veel veldwerk te doen heb. Ik houd heel veel van Emma en daarom ben ik met haar getrouwd. Ik zal mijn best doen om een goede echtgenoot voor haar te zijn. Ik had wel verwacht dat we met problemen te maken zouden krijgen... Op dit moment zitten we midden in de zoveelste politieke crisis binnen onze beweging. Emma geeft me veel steun en begrip in deze moeilijke omstandigheden. Ik verzeker u dat Emma en ik gelukkig met elkaar zijn en dat zullen blijven. Ze is een moedige vrouw. Ik ben dol op haar.

Emma schreef me zelf ook, de eerste brief sinds haar terugkeer:

Lieve mam, wat kan ik zeggen? Enorm bedankt dat je me van de zomer hebt opgevangen en gesteund en dat je me met raad en daad ter zijde hebt gestaan. Het was een hartstikke leuke vakantie, alleen aan het eind een beetje overschaduwd door de politieke situatie in Soedan. Maar nu ik weer terug ben bij Riek in Nasir, ben ik gelukkig en ontspannen. De eenvoud van het leven is weer terug.

Met Riek is het goed, en hij is, zoals ik al had verwacht, zo koel als een kikker. De reactie van het leger en de bevolking op de verklaring dat John Garang moet opstappen als leider van de SPLA, is positief. Men verwacht een 'sluipende revolutie'. Mijn medehulpverleners zijn erg hulpvaardig en gastvrij, vooral die op mijn kantoor. We zitten onder een wassende Afrikaanse maan en de muggenlegers zijn in groten getale uitgerukt. De nacht is vol getsjirp, de vuurvliegjes schitteren.

De Sobat, de rivier die door Nasir stroomt, stijgt snel. Laatst sprong er een vrij grote vis pardoes in de boot terwijl we erop voeren. We hebben hem de volgende dag opgegeten. De waterhyacinten, die hier vanuit Zuid-Amerika naartoe zijn gebracht door een priester, verstikken de rivier. Ze hebben zich veel te gemakkelijk aangepast aan het klimaat en bezorgen de boten enorme logistieke problemen. Buiten hangt een luipaardvel te drogen. Ze zeggen dat de luipaard acht mensen heeft toegetakeld voor hij werd gedood. De wevervogels zijn druk bezig nesten te bouwen in een boom hier vlakbij en kwetteren dat het een aard heeft; waarschijnlijk allemaal geroddel. Tot gauw, Emma XXX

Emma bleef een maand bij Riek en besteedde een groot deel van haar energie aan pogingen om besprekingen van de grond te krijgen over een verzoening tussen haar man en Garang, waarbij Riek zijn versie van het verhaal over de scheuring en de aanval op Bor naar voren zou kunnen brengen; ze huurde vliegtuigen en regelde overnachtingen voor internationale afgevaardigden, maar helaas kwam er van die besprekingen niets terecht en bleven de twee mannen verbitterde vijanden, waardoor de eeuwenoude rivaliteit tussen de Nuer en de Dinka ook weer sterker werd. Garang stuurde zijn mannen tot tweemaal toe naar Rieks thuisbasis Leer om de aanval op Bor te wreken, maar beide keren werden ze teruggedrongen.

Op 19 oktober vloog Emma naar Nairobi om haar werkverplichtingen bij SKI na te komen en wat noodzakelijke inkopen te doen. Op het haastig neergekrabbelde boodschappenlijstje in haar dagboek staan onder andere een schroefinjectiepomp, vijf koppenreinigingssetjes voor cassettedecks, batterijen voor haar Sony-walkman, kopieerpapier, Tippex, een gum en nietjes. Ze had ook belangrijker zaken aan haar hoofd. Twee dagen eerder was ze hevig geschrokken toen ze bij geruchte vernam dat ze op het punt stond bij SKI te worden ontslagen vanwege haar band met Riek en diens laatste acties, en ze wilde persoonlijk met Peter Dalglish in Toronto praten om er zeker van te zijn dat dat niet waar was.

Toen ze in Sally's huis aankwam had ze hevige griep; de eerste nacht deed ze geen oog dicht door de zorgen om haar baan. Ze sprak laat op de avond diverse boodschappen in op Peters antwoordapparaat zonder dat ze wat hoorde. Ze maakte zich zorgen over de voortgang van het project als ze ontslagen zou worden. Haar aanwezigheid kon sinds de recente breuk in de SPLA nog minder worden gemist, want er waren opnieuw gevechten uitgebroken in het zuiden, duizenden gezinnen waren van huis en haard verdreven en de onderwijsvoorzieningen die er inmiddels waren zouden weer teniet worden gedaan. Ze was vastbesloten de zaak zo lang mogelijk draaiende te houden.

Emma was altijd erg ontroerd geweest door de leergierigheid van de Soedanese jeugd. Ze vertelde een keer dat kinderen die honderden kilometers door de wildernis hadden gelopen nadat ze dakloos waren geworden, aankwamen in een plaats als Nasir en als eerste niet om eten vroegen, maar om een boek en een potlood.

'Zonder onderwijs geen toekomst,' herhaalde ze keer op keer, als een mantra. Het was het eerste Engelse zinnetje dat haar lijfwachten leerden. Ik heb me vaak afgevraagd of Emma zich mijn worsteling herinnerde om onderwijs voor mijn kinderen te krijgen, en mijn vastbeslotenheid dat, wat er ook gebeurde, hun opleiding het allerbelangrijkste was. Ik vermoed van wel.

Een paar dagen na haar aankomst in Nairobi kreeg Emma eindelijk Peter Dalglish te pakken en ze voerden een lang telefoongesprek. Het was waar, gaf hij toe, hij had haar aanstelling heroverwogen in het licht van de strijd binnen de SPLA. Ze verzocht hem dringend geen overhaaste beslissingen te nemen en zei dat de situatie elke dag kon veranderen. Met haar charme, die hem in het begin ook over de streep had getrokken, wist ze hem over te halen naar Afrika te komen om de zaak met haar onder vier ogen te bespreken. Ze wist dat als ze hem eenmaal in haar greep had, ze vrijwel zeker haar zin zou krijgen.

Na een uitputtend verblijf vol spanningen in de stad keerde ze, nog steeds niet afgeschrikt door de gevaren die haar leven bedreigden, terug naar Nasir om daar op een bericht van Peter te wachten. Hoewel ze wist dat het Boven-Nijldistrict tot de warmste, onherbergzaamste en ongezondste streken van Afrika behoort, was ze daar toch het gelukkigst. Ze hield van de mensen en begon hun cultuur te begrijpen. Afrika werd langzamerhand haar leven, en ze besefte dat niet de landschappen of de dieren, maar de intermenselijke betrekkingen het belangrijkste Afrikaanse thema waren en dat verbeteringen van daaruit moesten beginnen.

Hoeveel begrip ze ook kon opbrengen voor mensen die een andere huidskleur hadden dan zij, in de omgang met andere blanken gaf ze niet altijd blijk van veel inzicht. Op 1 november 1991 ontsloeg Peter Dalglish

Emma officieel bij SKI omdat hij haar niet voldoende onpartijdig vond jegens beide facties. Achteraf bezien had hij waarschijnlijk geen keus. Ze had zichzelf en SKI gecompromitteerd, zei hij. Emma was diep gekwetst door het bericht van Peter Dalglish en de manier waarop dat haar bereikte: per fax vanuit Nairobi. Hij schreef:

Na uitgebreid overleg zijn wij tot de conclusie gekomen dat wij je moeten verzoeken je functie als coördinatrice van het scholenprogramma van Street Kids International in Zuid-Soedan neer te leggen. De opzet van het programma is ambitieus; het beslaat een groot deel van Oost-Equatoria, dat grotendeels in handen is van de SPLA. De coördinator moet iemand zijn die vrij en onbeperkt toegang heeft tot een zo groot mogelijk deel van dit gebied. Aangezien de concrete realisatie van het programma mede het werk is van de SRRA [de Sudan Relief and Rehabilitation Association, de hulpverleningsafdeling van de SPLA], moet de coördinator bovendien iemand zijn met wie de SRRA van dag tot dag op een plezierige manier kan samenwerken.

Wij voeren ons programma niet op een andere planeet uit... We moeten kunnen garanderen dat het programma zonder onderbreking doorgaat en hopen dat jij ons wilt bijstaan bij het zoeken van een geschikte opvolger voor jouw functie en dat je je verantwoordelijkheden op 1 januari 1992 op een correcte wijze aan de desbetreffende persoon wilt overdragen... Wij erkennen dat je een zeer bijzondere bijdrage hebt geleverd aan het leven van de duizenden kinderen die de scholen bezoeken die onder ons programma vallen. Ik weet dat het welzijn van die kinderen voor jou vooropstaat. Ik bewonder je toewijding en je energie. Laten we hopen dat het scholenprogramma nog vele jaren kan doorgaan, hoe moeilijk de omstandigheden ook zullen zijn. Met vriendelijke groeten, Peter Dalglish

In een aparte brief aan Alastair Scott-Villiers van UNICEF schreef Peter: 'Het grootste deel van het succes van het programma was te danken aan de buitengewoon grote inzet van Emma McCune, die haar leven aan de kinderen wijdde.' Maar hij voegde eraan toe dat de band van Emma met

Riek en de Lam Akol-factie 'een complicatie vormde' en stelde Alastair op de hoogte van haar ontslag. Hij stelde voor dat Emma nu bij UNICEF en het Internationale Comité van het Rode Kruis zou komen te werken om in die functie haar bijdrage te blijven leveren aan het scholenprogramma, dat inmiddels zo'n twintigduizend kinderen bereikte; immers, 'zij kent het gebied goed en heeft veel contacten met de bevolking'.

Jaren later schreef hij:

> *Emma's zeer openlijke relatie met Riek bracht ons in een moeilijk parket... Emma werd 'de Yoko Ono van Zuid-Soedan' genoemd... Er werden vragen gesteld over de rol van Street Kids International. Uiteindelijk moest ik Emma wel ontslaan. Ik wilde haar vragen af te treden en slechts op informeel niveau actief te blijven als adviseuse van het scholenprogramma, maar ik wist dat ze dat verzoek zou weigeren. Ze was nooit iemand voor compromissen geweest. Toen ze mijn ontslagbrief per fax had ontvangen, belde ze me vanaf Wilson Airport in Nairobi. Het was een kort en pijnlijk gesprek. 'Je straft me omdat ik verliefd ben geworden,' zei ze verwijtend. Ik legde uit dat ik haar had ontslagen omwille van de twintigduizend kinderen die in ons scholenprogramma zaten en dat we niet verwikkeld wilden raken in de interne strubbelingen binnen de SPLA. Maar ze wilde niet luisteren en gooide de hoorn op de haak. Dat was de laatste keer dat we elkaar hebben gesproken.*

Peter had in één opzicht gelijk: Emma was razend op hem dat hij haar had ontslagen. Ze was dagenlang bezig met een cynische reactie waarin ze zich verdedigde en die ze keer op keer herschreef. Daarin zegt ze onder andere:

> *Ik heb begrip voor je reserves bij mijn functie als coördinatrice van SKI in het licht van de huidige politieke crisis in Zuid-Soedan. Ik heb je aangeraden geen overhaaste beslissing te nemen aangezien de situatie onduidelijk is en een beslissing op dit moment door beide SPLA-facties als politiek kan worden opgevat en kan worden uitgebuit. Kennelijk heb je deze raad niet ter harte*

genomen. Zoals ik je al door de telefoon zei: ik ben getrouwd met een man van wie ik hou en die toevallig ook een Soedanees is die een hoge rang bekleedt binnen de SPLA. Ik wist dat mijn huwelijk niet gemakkelijk zou zijn, maar wat moest ik doen? Je kunt niet wachten tot de omstandigheden ideaal zijn en dan zeggen: 'Oké, nu word ik verliefd.' Zo werkt het helaas niet in het leven.

Ze verweet hem dat zijn ontslagbrief onnodig zakelijk van toon was en wees erop dat zonder haar fondsenwerving het SKI-project het afgelopen halfjaar helemaal niet had kunnen draaien. Uit haar brief en dat telefoongesprek wordt duidelijk dat ze zich ernstig vernederd voelde door het ontslag, maar al haar smeekbeden haalden niets uit. Peter Dalglish trok zich haar boosheid erg aan en schreef een gedicht voor haar over de 'bewegende hand van de tijd'. Maar op instigatie van zijn directie bleef hij bij zijn standpunt, en er werd snel een opvolger voor Emma benoemd.

Emma was er kapot van. Nog helemaal los van het feit dat ze van haar werk hield en was gaan rekenen op haar jaarsalaris van twaalfduizend dollar om eten en kleren voor zichzelf te kopen (als ze het geld op tijd kreeg), was haar navelstreng met Zuid-Soedan van de ene op de andere dag doorgeknipt. Na haar ontslag had de VN haar er eveneens van beschuldigd niet meer onpartijdig te zijn en alle VN-medewerkers geïnstrueerd haar te mijden en haar verboden mee te vliegen met hulpverleningsvluchten van en naar Kenia. De VN-piloten mochten zelfs geen post of pakjes meer voor haar meenemen.

Zo zat ze, geïsoleerd en zonder bron van inkomsten, in het zuiden in de val. Zonder contact met Kenia kon haar officiële onderwijswerk niet doorgaan. Haast even erg was dat ze werd geboycot door mensen die ze eerder als vrienden had beschouwd, dat ze niet meer mee mocht vliegen met piloten die haar zo goed kenden dat ze haar foto's van hun kinderen hadden laten zien en werd bespot door sommigen van dezelfde hulpverleners met wie ze zo lang had gewerkt aan het opzetten van levensreddende projecten voor agrarische gemeenschappen. Eén ex-collega zei zelfs ijskoud tegen haar: 'Wat wil je, als je met zo'n zwarte trouwt?'

Het was een heel zware tijd voor Emma. Haar hele leven had ze in het middelpunt van de aandacht gestaan, was ze de opvallende vrouw geweest die iedereen wilde zien, ontmoeten en spreken. Ze wist dat ze mensen fascineerde en hoofden op hol bracht, ze flirtte en speelde graag met de mannen die ze ontmoette, stimuleerde mensen in actie te komen en prikkelde hen met haar verhalen uit de wildernis. Haar liefde voor de rebellenleider met wie ze had gezworen de rest van haar leven te delen, werd nooit zwaarder op de proef gesteld dan toen, toen ze door veel kennissen in de steek werd gelaten en ze zonder geld, status of het gezelschap waaraan ze zich altijd had gelaafd midden in de wildernis achterbleef.

Voorzover zij kon zien bleef haar maar één ding over: zich inzetten voor Rieks plan, hem ter zijde staan en zijn aanzien vergroten. Mocht hij de strijd om het leiderschap van de SPLA winnen, dan zou zij ook weer een gezaghebbende positie bekleden, weer het respect en de bewondering afdwingen van degenen die haar hadden verstoten en haar belangrijke werk voor de kinderen van Zuid-Soedan kunnen hervatten. Ze wijdde zich volledig aan Rieks strijd, steunde hem op alle mogelijke manieren, gaf hem raad en dacht met hem mee, deelde zijn visie op een land waar een pluralistische politiek mogelijk moest zijn en waar de mensen hetzelfde economische peil moesten kunnen bereiken als die in de buurlanden.

Ze besteedde menig uur aan het uittypen van nuttige richtlijnen voor bezoekende hulpverleningsinstanties (die vandaag de dag nog steeds worden gebruikt in dat gebied), het bevorderen van de communicatie tussen de dorpelingen en de mensen die hen probeerden te helpen en het opstellen van regelingen en memo's voor haar 'geliefde echtgenoot' op hun op zonnecellen werkende computer. Er woedden nog steeds verbeten gevechten tussen de mannen van Riek en die van Garang; hele dorpsgemeenschappen werden weggevaagd en de mensenrechten werden met voeten getreden. Bijna dagelijks werden ze met de dood bedreigd en Emma leefde met het voortdurende besef dat ze elk moment uit haar tukul kon worden gesleurd om te worden geëxecuteerd.

Ze gaf er de voorkeur aan zichzelf voor te houden dat ze er niets van begreep en haar ogen te sluiten voor de gruwelijke details van wat er om haar heen gebeurde. Ze zat midden in een oorlog, in de dorpen in de omgeving werden mensen die ze kende en op wie ze gesteld was, verminkt en vermoord. Vrouwen werden gebrutaliseerd, kinderen gekidnapt, oude mannen vermoord. Ze bevond zich op vele uren vliegen van de beschaving en van westerse medestanders, als enige blanke vrouw in een omtrek van honderden kilometers, gevangen in het brandpunt van een bloedig conflict waarvan ze de achtergronden nauwelijks begreep, met het geluid van geweervuur in haar oren. Ze beklaagde zich nooit. In de brieven die ze naar buiten wist te smokkelen schreef ze aan vrienden over het gevoel zelf vorm te geven aan de geschiedenis als ze na een vrijpartij met Riek uit bed stapte en aan een of ander nieuw politiek plan ging werken.

Ze betoonde zich een echte McCune door op momenten van hevige crisis te gaan graven. Emma ging bij wijze van troost de aarde van haar groentetuintje bewerken. Ze moest en zou het verse kordon zwaarbewapende soldaten die haar tukul permanent bewaakten ertoe brengen hun wapens neer te leggen en te gaan planten. Emma's jager-verzamelaarsinstincten kwamen naar boven, en onder haar leiding werden er inheemse zaden in de grond gestopt die ze had verzameld, en ook zaden die ze uit Engeland had gekregen. Omdat ze bang was dat haar geliefde plantjes zouden omkomen door gebrek aan aandacht als zij iets anders te doen had of met Riek in de moerassen patrouilleerde, maakte ze een rooster voor Rieks manschappen om de planten water te geven en onkruid te wieden, een taak die ze haast even ernstig opvatten als het verdedigen van haar leven bij een aanval van Garangs mannen.

Zoals het de vrouw van een commandant betaamt, nam Emma vaak enkele van Rieks taken als stamhoofd waar als hij het zelf druk had met oorlogszaken. Ze bemiddelde bij meningsverschillen, was aanwezig bij traditionele rechtszittingen en hield toezicht op (en hielp zelf mee bij) allerlei soorten hulp- en herstelwerkzaamheden. Ze had het vermogen mensen het conflict dat overal om hen heen woedde tijdelijk te laten vergeten, bracht werkloze timmerlieden ertoe meubels te maken van oude munitiekisten, deelde vishaken, lampen en gereedschappen uit die ze naar binnen had gesmokkeld en was altijd bezig de dorpelingen zelfredzaam te maken, op hoe kleine schaal ook.

Via de Southern Sudan Women's Association had ze veel geleerd over de samenleving waartoe ze nu behoorde, en ze moedigde vrouwen aan zich te organiseren in zelfhulpgroepen om dingen te maken die ze in Kenia aan toeristen konden verkopen zodat ze financieel iets onafhankelijker zouden worden. Ze wilde hun een stem geven. Ze had het romantische idee dat de vrouwen op een goede dag het lot van Soedan zouden bepalen. De Nuer-vrouwen aanbaden en vereerden haar. Urenlang lag ze voor haar hut terwijl de vrouwen haar insmeerden met een mengsel van citroen en gebrande suiker en de glimmende laag er vervolgens weer afpeuterden. Lichaamsbeharing wordt in Soedan raar gevonden, en Emma – die zich er nooit om had bekommerd of haar benen of oksels geschoren waren of niet – werd nu door haar nieuwe Soedanese vriendinnen voortdurend letterlijk op de huid gezeten.

Ondanks het feit dat ze bij veel westerlingen uit de gratie was, stond ze bij veel hulpverleningsinstanties nog steeds in hoog aanzien; ze had een diepgaander kennis van het Boven-Nijldistrict dan enige andere buitenlander in het gebied, en sommige instanties profiteerden in het geheim van die expertise en vroegen haar onder pseudoniem rapporten en berichten te schrijven. Als pseudoniem koos ze Alison Lewis, de tweede en derde naam waarmee Bunny en ik haar in Assam hadden laten dopen.

Als ze er gewoon eens uit wilde naar Kenia, haalde ze de VN-piloten over haar het land uit te smokkelen als ‘reservemotor’ of ‘tractoronderdeel’. Als ze dan stoffig en smerig in Nairobi aankwam, vroeg ze ergens om een bad en een bed voor de nacht, leende een van Sally’s modieuze jurken en kwam als chique dame weer te voorschijn om het gesprek van de dag te worden op de dichtstbijzijnde cocktailparty, en de kring van westerlingen, van wie enkelen haar zo wreed hadden verstoten, te choqueren. Ze gaf zichzelf de schertsende bijnaam ‘de *first lady* van dienst’ en wuifde alle bezorgdheid over haar welzijn en haar politieke toekomst weg.

Ze wist dat ze veel critici en ontelbare vijanden had. Velen vonden haar naïef, een idealistische romantica die misschien wel meer kwaad dan goed had gedaan. Zelfs haar naaste vrienden en familieleden vonden het vaak moeilijk haar liefde voor het volk van Zuid-Soedan te rijmen met de onvermijdelijke consequenties van de militaire acties van haar echtgenoot. Hoe kon ze een man trouw blijven die een breuk in de SPLA had veroorzaakt die meer dood en verderf in het gebied had gezaaid dan zelfs de ergste hongersnoden? Erica was vanaf het begin tegen het huwelijk geweest en was in de familiekring degene die de meeste kritiek op haar had; ze beschuldigde Emma van domheid en egoïsme.

Ik verkeerde nog steeds in tweestrijd en voelde me verscheurd. Ik had Riek nooit ontmoet en de plaats waar mijn dochter woonde nooit gezien. Ik meende dat als ik hem maar zou kunnen ontmoeten, hem in de ogen zou kunnen kijken, zou kunnen proberen om tot diep in zijn ziel te kijken, ik wel rust zou vinden. Ik wist als geen ander hoezeer Emma moest lijden onder wat ze had meegemaakt; in haar al te opgewekte brieven over tuinieren en het weer las ik tussen de regels dat niet alles koek en ei was, en ik vermoedde dat ze wel een opbeurend woord kon gebruiken.

Ik besloot dat alle andere dingen nu maar even moesten wachten en dat ik dat jaar met Kerstmis naar Kenia zou vliegen om bij Emma te zijn en zelf te kijken hoe het met haar ging. Toen ik in de vroege ochtend van 16 december 1991 aankwam, was ik zo uitgeput dat ik onmiddellijk met een verschrikkelijke migraine naar bed ging. Aanvankelijk zag ik mijn dolende dochter nauwelijks. Ze was pas weer uit Soedan gekomen, genoot van de drukte en relatieve veiligheid in Nairobi en had het druk met het kopen van kerstcadeaus voor Riek; ze pakte ze liefdevol in en stuurde ze per koerier naar Nasir. Ze vond het prachtig dat ze er ook een paar Engelse chocoladerepen bij kon doen die ik had meegebracht. Emma was vastbesloten optimaal te profiteren van mijn bezoek en haar kortstondige flirt met de beschaafde wereld en had alles tot in de puntjes georganiseerd. De eerste avond dat ik er was gaf Sally een dineetje; Emma was in topvorm. Om zes uur de volgende ochtend waren we op weg naar Mombasa om vandaar naar Watamu aan de kust van de Indische Oceaan te gaan; we jakkerden voort in de landcruiser van Roo en Simon om er voor donker te zijn.

Daarna volgden zes schitterende weken in Kilifi met Emma en een stuk of zes vrienden. We vierden oud en nieuw met Willie en zijn familie en vrienden – onder wie Annabel Ledgard, die speciaal voor de gelegenheid uit Engeland was overgekomen – op de kleine, verafgelegen en bijna onbewoonde eilandengroep Kiwaiyu. We gingen er midden in de nacht per *dhow* naartoe, slechts bijgelicht door één stormlamp en de sterrenhemel. We deinden zacht op de fluorescerende golven van de Indische Oceaan, waarvan de toppen het licht weerkaatsten, en werden geleid door een school dolfijnen. We kampeerden tussen de zandduinen in de warme nachtwind, onder een tamarinde, met uitzicht op een uitgestrekt gebied vol mangrovebomen. Het maakte een onuitwisbare indruk op me, en ik bracht er een fantastische tijd door samen met mijn dochter.

Dat was volgens mij ook het moment dat ik werkelijk verliefd werd op datgene wat Emma de magie van Afrika noemde en begon te begrijpen waarom zij dit gebied in haar hart had gesloten. We lagen naast elkaar op het strand te zonnen, praatten heel wat af, leerden elkaar opnieuw kennen en pakten de draad van vroeger weer op. Toen we een tijdje ontspannen samen waren geweest, legde ze haar waakzaamheid af en vertelde me in vertrouwen dat ze zich ernstige zorgen maakte over de toekomst. Al met al putte ik echter moed uit wat ze zei. Het was duidelijk dat ze nog steeds vreselijk verliefd was op Riek, want ze had het nooit over een toekomst zonder hem. Ik gaf haar naar beste weten advies en wenste haar veel moed en het allerbeste toe. Daar onder de sterrenhemel, tijdens die lange gesprekken, werden we de allerbeste vriendinnen en tegelijk ook moeder en dochter. Ik ben dankbaar dat we die tijd samen hebben gehad.

Willie was, begrijpelijkerwijs, minder enthousiast over deze vakantie. Hij had Emma haar machinaties van destijds nog niet vergeven en nam haar de onbeschaamdheid kwalijk waarmee ze zichzelf had uitgenodigd op het jaarwisselingsfeestje van zijn familie. Ik vond het nu niet bepaald fijnzinnig van haar zich zo nadrukkelijk in zijn gezelschap te presenteren terwijl de oude wonden nog lang niet geheeld waren, maar ik geloof waarachtig niet dat ze iets aan hem heeft gemerkt. Willie van zijn kant was zo kies onze vakantie niet te bederven door zijn diepere gevoelens te laten blijken. Het was in elk opzicht een geslaagd samenzijn van de Knockers en hun vrienden; een vakantie waaraan ieder van ons de herinnering in zijn hart kon bewaren.

Toen we terug waren in Nairobi, bewoog Emma hemel en aarde om mij in Soedan te krijgen voor een ontmoeting met mijn schoonzoon, maar het was onmogelijk. Ik wilde Riek graag ontmoeten, zeker na alles wat ze mij had verteld, maar de hulporganisaties wilden nog minder met Emma te maken hebben dan eerst en weigerden botweg om een familielid van Riek te vervoeren, met als argument dat ik een veiligheidsrisico zou vormen. We probeerden alles: we gebruikten in plaats van McCune mijn meisjesnaam Bruce, trachtten de piloten om te kopen, maar niets baatte. En zo vloog ik tot mijn grote leedwezen begin 1992 terug naar huis zonder Riek te hebben ontmoet of de plek te hebben gezien waar mijn dochter woonde. Voor Emma was dit de zoveelste steek in de rug.

Vlak na mijn thuiskomst kreeg ik een brief van haar waaruit bleek dat ze mijn gevoelens deelde. Ze schreef:

> *Ik heb ontzettend genoten van kerst en nieuwjaar. Voelde me tamelijk leeg toen ik iedereen had uitgezwaaid op het vliegveld... Ik was ook erg teleurgesteld dat je niet naar Soedan kon komen. Riek was helemaal verslagen; hij had speciaal voor jou een nieuwe hut gebouwd in het kamp. Nou ja, die blijft voor je gereserveerd voor volgende keer.*
>
> *Het begint er hier een beetje op te lijken. Met mijn bananenbomen gaat het uitstekend en alle zaden die ik heb geplant zijn opgekomen, alleen de rozenstekken en de jasmijn hebben de reis van Nairobi naar Lodwar niet overleefd; het Internationale Rode Kruis wordt bedankt. Alle dille is helaas door mieren opgegeten. Mijn groentetuin doet het ook prima, voornamelijk dankzij een troep soldaten die hem dagelijks bewerken. Het weer is op dit moment vrij aangenaam, het is 's avonds koel en er zijn geen muggen, al zijn daar wel wat vliegen voor in de plaats gekomen. Het is volle maan; gisteravond hebben we geschaakt bij maanlicht. Ik ben drie keer ingemaakt door Rieks radiotelegrafist.*

Een paar weken na mijn vertrek slaagde Annabel er, vermomd als journaliste, wel in Nasir te bezoeken. Ze had gezegd dat ze een stuk wilde schrijven over het onderwijs in een oorlogsgebied. Ik was gekwetst en jaloers dat het haar wel was gelukt en mij niet. Ze was echter wel zo attent om een aantal foto's te nemen van de omgeving waar Emma leefde, en die troostten me erg, want nu kon ik me tenminste een voorstelling maken van haar huis en haar tuin waar ze, net zoals ik thuis, aan het rommelen was.

Uit die foto's kon ik opmaken dat mijn dochter uiterst primitief leefde. Het garnizoenskamp was vrij klein, en zij was er de enige vrouw te midden van een militie die uit reuzen van gemiddeld twee meter bestond.

Ze had een hond, Come On (die zo heette omdat ze hem altijd met die woorden riep en de soldaten, die geen Engels kenden, meenden dat dat zijn naam was), en diverse katten, die ze eigenlijk had genomen om op ratten te jagen, maar die ze nu in bescherming had genomen tegen de medicijnman, die op hun vacht loerde, en de soldaten, die het zat waren dat hun kippen steeds werden opgegeten. Het meubilair in haar tukul was tot een minimum beperkt. Er stonden een tafel bestaande uit een lang stuk hout dat rustte op bakstenen, stoelen van oude munitiekisten, een paar boekenkasten van dezelfde herkomst en een bed met een klamboe. De vrouwen uit het dorp hadden met hun vingers plaatjes en Nuersymbolen op de muren geschilderd, zowel binnen als buiten, en een kuil in de hoek diende als latrine, maar er was stromend water noch verwarming. Ze leefde bezweet en verhit tussen het stof en het vuil en had maar zelden gelegenheid om een bad te nemen, haar tanden te poetsen of haar kleren te wassen. Ze had praktisch geen privacy; haar geheime voorraad tampons wekte bijvoorbeeld veel verbazing onder de plaatselijke bevolking toen hij uiteindelijk werd ontdekt. Haar 'garderobe' bestond uit een kleine zak die ze onder haar bed bewaarde; daarin zaten opvallende kledingstukken in alle denkbare kleuren en stijlen, die ze met de zwier van een bohémienne droeg.

Al het voedsel werd op houtvuren bereid, en Emma mocht als vrouw van de commandant zelden zelf iets klaarmaken. De vrouwen van het garnizoen waren een groot deel van de tijd bezig sorghum (suikerriet) fijn te stampen tot een dikke bruine brij, die ze vervolgens dun uitsmeerden op een stuk metaal dat boven een open vuur werd verhit. Zo werd er een *kisra* van gemaakt, een droog pannenkoekje dat kon worden opgevouwen als een zakdoek; die pannenkoekjes kon je in een stoofschotel met geitenvlees dopen, of in rijst die in geitenvet was gekookt, of je kon er stukken gratige nijlbaars mee opscheppen. Soms, als Emma's groentetuin in haar afwezigheid goed was verzorgd door de soldaten, kon ze er eens op z'n westers een tomaatje of een stuk okra bij doen voor een beetje variatie.

Ze smachtte naar kruiden en oude Engelse rozen; ze was dol op de ouderwetse Engelse tuin die ik bij Little Farthings had gemaakt op grond van mijn eigen herinneringen aan de romantische tuin van mijn grootmoeder in Schotland. Vaak zweefde ze als een moderne Gertrude Jekyll door haar eigen tuintje in een volkomen misplaatste Victoriaanse uitdossing, bestaande uit haar slappe vilten hoed, een blouse en rok met bloemenprint, blauwe schoentjes met psychedelische roze sokken en een parasol. De enige dingen die daar niet bij pasten, waren een halsketting van inheemse zaden en haar alomtegenwoordige kleurige kralen en armbanden van de schalen van struisvogeleieren.

Ze had alles keurig in kringen geplant met halve rode bakstenen eromheen, het geheel gerangschikt in een waaierpatroon dat je eerder in de graafschappen rondom Londen zou verwachten dan in het stof van Soedan. Toen we samen in Kenia waren, hadden we zaden verzameld die ze in Nasir wilde planten; ze had ambitieuze plannen om allerlei vruchtbare en zeldzame soorten te kweken, al hadden Rieks lijfwachten haar dringend afgeraden struiken in de buurt van haar tukul te planten, omdat ze bang waren dat die slangen zouden aantrekken.

Ik was blij dat ze haar draai in Nasir gevonden had en was opgekikkerd van mijn bezoek. We hadden afgesproken dat ik voortaan iedere winter naar Afrika zou komen en zij iedere zomer naar Engeland. Zo zouden we elkaar in ieder geval tweemaal per jaar zien, al misten we in de tussentijd dan ook soms wat hoogtijdagen. De eerste van die hoogtijdagen kwam voor mij in maart 1992, toen ik de rijpe leeftijd van vijftig jaar bereikte. Ik was trots op die mijlpaal, en we vierden het in Springwood met wat vrienden en familie. Een vriend van me, Guy Davenport, maakte een chocoladetaart in de vorm van een tukul voor me, met op de top een minuscuul Brits vlaggetje van rijstpapier. Sinds hij had gehoord dat Emma getrouwd was met de 'officieuze koning van Zuid-Soedan', zoals hij het noemde, werd ik als 'koningin-moeder' het doelwit van menige practical joke. Zo werd ik een keer zogenaamd officieel uitgenodigd voor een soiree ter ere van mijzelf waarbij onder andere zandtaart, 'speren op sap', hangop, 'bommetjes' en 'kalasjnikoffie' op het menu stonden.

Eind maart werd mijn vader tachtig. Hij was inmiddels voor de tweede keer weduwnaar geworden, na een kort maar gelukkig huwelijk met een aardige vrouw die Polly heette, woonde in Shropshire en was nog heel gezond en opgewekt. Bij de lunch die we ter ere van zijn verjaardag voor familie en vrienden gaven, droeg hij de rode geruite kilt van de familie Bruce. Ik had graag gewild dat Emma die bijzondere maand ook had kunnen meemaken, maar ik begreep dat dat niet kon en accepteerde dat. In april schreef ze vanuit Nasir een brief aan ons allemaal.

> *De regentijd is begonnen, iets waar iedereen naar verlangde. Het landbouwseizoen is dus aangebroken. Iedereen is druk met het bewerken van de harde, maar vruchtbare aarde. Voorafgaand aan een stortbui is het stil en heel vochtig; je zit zwetend te wachten op de verfrissende wolkbreuk. Ik ben de laatste twee maanden een beetje afgesneden geweest van de buitenwereld omdat er geen* VN-*vluchten naar Nasir waren, en dus ook geen brieven.*
>
> *Ik ontving mams brief uit februari pas twee weken geleden, samen met een hele stapel weekedities van* The Guardian. *Maar dankzij de* BBC *hebben we alles kunnen volgen: de Britse verkiezingen, de schandalen rondom het koningshuis, de verhalen uit de roddelbladen en het wereldnieuws. Vandaag hoorde ik dat de Britse schilder Francis Bacon is overleden... Het hulpverleningscircus (zoals ik het noem) reist voortdurend af en aan. Vanavond komen alle buitenlanders in Nasir eten. Ze zullen kunnen genieten van een aantal producten uit mijn groentetuin, waar het heel goed mee gaat. Gisteren heb ik flink wat tuinwerk verzet en nu zit ik onder de blaren, een duidelijk teken dat ik veel te weinig met mijn handen werk. Nu ben ik aan het wieden, wat iets minder vermoeiend is dan spitten. We hebben tomaten, sla, courgettes, papaja's, mango's, watermeloenen, okra's... In dit land groeit letterlijk álles.*

Vier maanden later, in juli, kwam ze naar Engeland voor haar jaarlijkse bezoek. Ik verheugde me er erg op haar terug te zien en we hadden een fijne tijd samen. Ik werkte nog steeds bij Bear Stearns; ik nam mijn vakantiedagen op in de tijd dat zij in Engeland was en trof opgewonden voorbereidingen voor haar bezoek. Ze zou mijn huis als uitvalsbasis gebruiken voor bezoeken aan vrienden in Londen en aan de nieuwste tentoonstellingen in de Tate Gallery en de National Gallery, en daarna zouden we samen een rondreis maken om bij allerlei mensen langs te gaan. Het was een beetje alsof er een wervelstorm kwam logeren in mijn geordende eenpersoonshuishoudentje, maar ik genoot ervan.

Toen ik haar van Heathrow ophaalde, schrok ik ervan hoe ze eruitzag: ze leek fragiel en abnormaal mager. Ze vertelde dat ze onlangs tyfeuze malaria had gehad. Sally had haar in Nairobi verzorgd tot ze sterk genoeg was om de reis naar Engeland te maken, waarna ik het zou kunnen overnemen. Ze was werkelijk vel over been en ik maakte me zorgen om haar. Ze lag nog bijna een week in bed, sliep het grootste deel van de tijd, maar sterkte wel langzaam weer aan. Toen ze volledig was uitgerust en weer op krachten was gekomen door het goede eten, begon ze alsnog op haar karakteristieke voortvarende wijze aan haar verblijf in Engeland met het bijwonen van drie bruiloften in één weekend: eerst die van Annabel Ledgard op vrijdagmiddag in Londen, daarna op zaterdagochtend in Wiltshire die van Madeleine Bunting, een oude schoolvriendin en journaliste, en ten slotte die van Jo Mostyn, een jeugdvriendin, diezelfde avond in Oxford. Maar het zou haar laatste bezoek aan Engeland zijn.

Omdat ze graag goed voor de dag wilde komen deed Emma zichzelf een schitterende, modieuze, mintgroene jurk cadeau waarin ze er verbluffend mooi uitzag en bezocht daarin alle drie de bruiloften; ze kwam laat, zoals dat hoort, wist aller ogen op zich gevestigd en was op alle drie de feesten de gangmaakster. Naar de eerste twee ging ik met haar mee, zodat we door velen samen werden gezien en ik de gelegenheid kreeg een heleboel oude vrienden weer eens te spreken. Emma genoot zichtbaar van haar exotische uitstraling en koesterde zich in alle aandacht die ze kreeg. Ze vertelde aan wie het maar horen wilde waar ze woonde en met wie ze getrouwd was. Ze pochte dat ze een fortuin zou kunnen verdienen als ze de verschillende reacties van de mensen op haar verhalen stiekem op video zou vastleggen.

'Ik woon in Zuid-Soedan en ben getrouwd met een Afrikaanse guerrillaleider met een eigen leger,' vertelde ze aan de vrouw van een Britse legerofficier; haar ogen schitterden in nieuwsgierige afwachting van haar reactie.

De vrouw glimlachte beleefd en knikte, terwijl ze aan haar glas champagne nipte en met haar parels speelde. 'Wat interessánt,' zei ze verstrooid. 'Welk regiment?'

Emma was sinds de glorieuze jaren in Cowling Hall altijd dol geweest op feestjes, en die laatste zomer in Engeland nam ze het er goed van. Ze danste, dronk, flirtte en vlinderde, herinnerde alle mannen die ooit verliefd op haar waren geweest eraan wat ze misten en verzekerde al haar vriendinnen dat ze intens gelukkig was, hen onderwijl hevige angst aanjagend met verhalen over muggen die zich 's nachts aan haar voorhoofd tegoed deden, pofadders onder haar bed en spinnen zo groot als etensborden.

'De mensen vragen vaak hoe het is om met een guerrillaleider getrouwd te zijn,' was een van haar succesvolste standaardopmerkingen, 'maar ik weet niet anders. Ik weet niet hoe het is om met een beurshandelaar getrouwd te zijn, dus ik heb geen vergelijkingsmateriaal.' Dan haalde ze quasi-nonchalant en met haar liefste glimlachje haar schouders op en zweefde weg om een dansje te gaan doen, een nieuw glas champagne in te schenken of de giechelende bruid apart te nemen voor een lekker potje ouderwets roddelen.

Toen alle bruiloften voorbij waren, zette ze het feestvieren met andere middelen voort; ze ging onder andere met mij, Sally en haar familie naar een concert van Genesis in Knebworth. Tussen alle drukte door kwam ze thuis in Little Farthings, waar ze haar vaste plekje op de tuinbank innam terwijl ik in de tuin werkte en soms bijna omviel van het lachen als ze grappen vertelde of herinneringen ophaalde.

Kort voordat ze terug zou vliegen naar Afrika vertrouwde ze me toe dat ze heel graag een kind van Riek wilde maar problemen had om zwanger te worden. Dat overviel me behoorlijk; ik was zelf net vijftig en er nog helemaal niet aan toe om grootmoeder te worden. Maar ik zei en deed wat er van me verwacht werd en probeerde haar zo goed mogelijk van advies te dienen. Ik zei dat ik dacht dat haar ziekte er iets mee te maken had, om maar te zwijgen van het feit dat ze broodmager was, en raadde haar aan een arts te raadplegen. Dat was het begin van een hele trits onderzoeken, waaruit ten slotte bleek dat haar hormonenbalans niet helemaal goed was. De artsen gaven haar vruchtbaarheidsmiddelen, en ze wilde er het liefst meteen mee naar Riek om hun pogingen om een kind te maken voort te zetten.

Tussen het winkelen door – ze kocht veel kleren en andere spullen om mee terug te nemen – vertelde Emma me dat ze een dagboek bijhield en van plan was ooit een boek te schrijven over haar belevenissen. Ik weet nog dat ik zei: 'Zet er alsjeblieft niks over mij in.'

'Natuurlijk niet, mam,' antwoordde ze. 'Over jouw leven ga ik een apart deel schrijven.'

Op 12 september 1992, een week voor haar vertrek, gaven we een zeer geslaagd feestje ter ere van haar in het huis van mijn zus Sue in Springwood. Het was een aangenaam samenzijn van Emma's Engelse vrienden, haar familie en een paar van mijn beste vrienden in Surrey. Met haar trage, relaxte manier van praten over Afrika maakte ze iedereen aan het lachen. Voor de meesten was het de laatste keer dat ze haar levend zouden zien. Ze vloog op zondag 20 september terug naar Nairobi en moest bij ons afscheid meer huilen dan gewoonlijk. Bij het zien van haar tranen begreep ik hoezeer ze heen en weer werd geslingerd tussen haar beide levens en hoe moeilijk het voor haar was geworden de grens daartussen te overschrijden.

Vanuit Kenia vloog ze naar Soedan met de huwelijksgeschenken van de familie voor Riek, waaronder een gastenboek en een gespikkelde zakdoek, en de twee nieuwe computers die ze voor hen beiden had gekocht. Terwijl Riek zich verdiepte in de handleidingen en leerboeken om met het programma Windows te leren omgaan, stortte Emma zich weer op haar werk en begon ze met veel concentratie en toewijding aan haar boek. Zo dacht ze niet meer aan de angsten waardoor ze de laatste tijd werd gekweld.

Maar al een paar dagen na haar terugkomst werd ze herinnerd aan haar kwetsbaarheid toen het onthutsende nieuws kwam dat Maung, de VN-functionaris die haar tijdens haar eerste reis naar Zuid-Soedan in levensgevaar had gebracht door zijn roekeloze rijstijl, samen met een Noorse journalist was doodgeschoten. Ze schreef in haar dagboek: 'Maung, die lieve Mynt Maung; wel de laatste die een kogel uit een Zuid-Soedanees geweer had verdiend. Hij had ze de laatste drie jaar trouw gediend.' En twee buitenlandse hulpverleners, Wilmer Gomez en Francis Ngure, allebei vrienden van Emma, waren door Garangs troepen uit hun auto gesleurd, uitgekleed en doodgeschoten. Twee anderen waren gewond. Emma was diep geschokt door het incident, waarover ze voor het eerst hoorde via de BBC, op de nieuwe radio die zij en Riek als huwelijksgeschenk hadden gekregen.

Ze was ook hevig van streek toen ze hoorde van de dood van James Chany Reer, de Soedanese onderwijscoördinator die met zijn vingers haar tranen had afgeveegd nadat ze in Leer voor het eerst een bombardement had meegemaakt. Hij was, op de vlucht voor Garangs mannen, door de moerassen op weg geweest naar Waat, maar was onderweg ziek geworden en gestorven aan *kala azar*, een parasitaire ziekte die wordt overgebracht door de beet van een zandvlieg en die dat jaar in Zuid-Soedan al duizenden slachtoffers had gemaakt. In haar eerste brief naar huis schreef ze: 'Mam, heel erg bedankt dat je me zo'n leuke vakantie in Engeland hebt bezorgd. Ik heb veel leuke dingen om aan terug te denken en voel me verfrist en opgewassen tegen Soedan.' Maar die sterfgevallen noemde ze een 'verschrikkelijke tragedie'.

Na de moord op de hulpverleners wist Emma dat haar eigen leven nu meer dan ooit in voortdurend gevaar was. Ze kon op ieder willekeurig moment worden ontvoerd of vermoord, zo groot was de wrok die de mannen van Garang tegen haar koesterden. En het gevaar hoefde niet per se van buiten te komen. Er kon heel goed een infiltrant onder Rieks mannen zijn die het op haar voorzien had. Verder was er de voortdurende dreiging van aanvallen van regeringstroepen op burgerdoelen, want de regering in Khartoem probeerde wanhopig de touwtjes in handen te houden.

Riek, die even bezorgd was als zijzelf, verdubbelde het aantal lijfwachten en zei dat ze voor een tijdje moesten verkassen naar Waat, ruim driehonderd kilometer ten westen van Nasir. Afgezien van het feit dat ze veiliger zouden zijn als ze niet op één plaats bleven, wilde Riek ook wat aandacht besteden aan de mensen in een andere streek, de Lou-stam, een oude volksstam die tot de Nuer behoorde. Een paar dagen na hun aankomst in Waat werden ze uitgenodigd om naar Ayod te komen, nog honderd kilometer verder naar het westen, om hun aankomst te vieren met een heilig 'luipaardvelritueel' ter verwelkoming van de leider en zijn bruid. De reis naar Ayod was lang en omslachtig en kon alleen te voet worden gemaakt. Het was oktober, midden in de regentijd, en het was uitzonderlijk nat. Overal was water; de moerassen waren één grote modderzee.

Riek schreef later dat Emma zich kranig weerde en het hoofd bood aan ziekte en slecht eten, ja zelfs honger.

> *Het was regentijd en ze waadde naast mij voort, tot haar knieën in de modder, door moerassen die waren vergeven van de bilharziawormen [parasitaire wormen die een bloedziekte overbren-*

gen]. De heen- en de terugreis duurden elk vijf dagen. Ze zei lachend dat ze haar spieren kennelijk nooit eerder echt had gebruikt, zoveel pijn deden ze... Ik had nog nooit zo'n lange afstand gelopen en ik vond het erg zwaar. Het was vreselijk vermoeiend om tot je knieën in het water te lopen, omdat je bij iedere stap die je zette een tegendruk tegen je onderbeen voelde als je het naar voren wilde bewegen.

Toen ze in Pathai waren, halverwege, was Emma zo ziek en zwak dat ze zelfs na een maaltijd van koeskoes en melk niet meer op krachten kwam. Riek vroeg via de radio of er een vliegtuig uit Waat kon komen om haar naar Ayod te brengen. Samen met zijn mannen maakte hij een geïmproviseerde landingsbaan tussen de mangrovebomen; toen de doodsbange piloot weigerde te landen omdat het te gevaarlijk was, nam een passagier die ook een vliegbrevet had de stuurknuppel over. Ze droegen Emma het vliegtuig in en vertrokken, maar waren binnen een uur terug omdat beide piloten te nerveus waren om in Ayod te landen, waar de landingsbaan heel kort was en bovendien ernstig beschadigd door regeringsaanvallen. Emma had dus geen keus: ze moest te voet verder door die 'helse moerassen', zoals Riek ze noemde.

De muggen waren ondraaglijk, de vergiftige doornbomen uiterst gevaarlijk, en op de ruwe grond onder het modderige wateroppervlak kon je maar al te gemakkelijk onverhoeds op een slang trappen. Ze werden aangevallen door een zwerm bijen, en alle soldaten raakten in paniek en sloegen op de vlucht. Riek vertelde: 'Ik pakte Emma's hand en zei: "Niet weghollen, dan word je juist gestoken." Ze bleef heel stil staan, en wij waren de enigen die niet werden gestoken.' Toen ze Ayod naderden, kon Emma haast niet meer; ze leunde zwaar op Rieks arm, huilde van uitputting en was helemaal van streek.

Ik fluisterde tegen haar: 'Volhouden, nog heel even volhouden. Je mag niet in elkaar zakken, je móét blijven staan.'

De soldaten boden aan Emma te dragen, maar dat weigerde ze; ze was een sterke vrouw. Ze raapte al haar kracht en moed bij elkaar en slaagde erin de voettocht te volbrengen; ze glimlachte zelfs toen ze zag wat een groots welkom haar wachtte. Duizenden en nog eens duizenden mensen hadden dagenlang gereisd om ons te begroeten, en iedereen was diep onder de indruk van haar wilskracht.

Emma schreef:

De vrouwen zongen en dansten, de kerkgroepen zwaaiden met spandoeken. De hele plaats was in rep en roer. Wij waren tot ons middel nat, modderig en moe. Ik was tot tranen toe geroerd door hun welkom. De dorpshoofden zongen in koor met diepe keelstemmen. Ik tuimelde in bed en sliep en sliep.

Riek en Emma bleven vier dagen in Ayod. De ontvangst die hun werd bereid was verbijsterend en hartverwarmend; het plaatselijke Nuer-bestuur had iedereen opgetrommeld om hen te verwelkomen. Op de tweede dag waren er nog meer mensen; ze bleven vanuit de wildernis toestromen. Riek wisselde van gedachten met de mannen, terwijl Emma de vrouwen gezelschap hield; zij schonken haar een koe, een prachtig beest met bleekbruine en witte vlekken, en ze noemden Emma 'Yan', hun naam voor de kleur van de bleekste en romigste koeien. Vanaf dat moment stond Emma in Ayod bekend onder die naam.

Twee dagen later kwamen de luipaardvelhoofdmannen of 'hoofdmannen van de aarde' (heilige mannen zonder politieke macht, zoiets als een clanhoofd in Schotland) bijeen om hun volmachten over te dragen op Riek. Een delegatie uit Ayod overhandigde hem een luipaardvel. Deze plechtigheid was een oude Nuer-traditie om de krachten van de luipaard over te dragen op Riek, die daarna de bevoegdheid had om bepaalde rituelen binnen de stam uit te voeren; zo kon hij mannen vrijspreken van moord en bloedtwisten schikken. Het was een zeer grote eer om in deze functie te worden verkozen – de luipaardmantel ging normaliter generaties lang van vader op zoon over – en ze verleende Riek een bijzondere status en macht. Emma schreef die ochtend, 13 oktober 1992, het volgende aan mij:

Ayod is een leuke plaats. De grote oude vijgenbomen geven veel schaduw, de vogels kwetteren en koeren. De grond is zanderig,

Ayod wordt omgeven door moerassen... Ik moet er niet aan denken daar nog eens dagenlang doorheen te lopen. Ik was zo stijf dat ik me een gehandicapte voelde; ik kon niet meer rechtovereind staan en niet meer bukken. Uren achter elkaar waden door kniehoog water is een zware belasting voor de dijspieren. We werden door de mensen van Ayod zo hartelijk verwelkomd dat dat de lange en vermoeiende tocht alweer bijna goedmaakte. Vandaag wordt Riek geëerd. De luipaardvelhoofdmannen zalven hem. Het is een plechtigheid die slechts zelden plaatsvindt en ik verheug me erop.

Riek werd tijdens het luipaardvelritueel de hoogst denkbare eer bewezen doordat hij Emma aan zijn zijde mocht hebben; normaliter mochten bij dit ritueel uitsluitend mannen aanwezig zijn, en er had nog nooit eerder een westerse vrouw aan deelgenomen. Een van Rieks veldadjudanten nam foto's, die ik later van Emma opgestuurd kreeg. Met haar slappe bruine hoed, haar Ray Ban-zonnebril en haar mooiste bloemetjesjurk had ze niet misstaan op Wimbledon of Ascot, maar ze was in Zuid-Soedan en weerde zich kranig. Riek had haar uitgelegd dat, als zij samen een zoon zouden krijgen, deze nu automatisch luipaardvelhoofdman zou worden.

Emma schreef over de plechtigheid:

Men verzocht Riek en mij op een luipaardvel te gaan staan; vervolgens werd er een tweede luipaardvel om Riek heen geslagen, waarna het vel waarop wij stonden werd weggehaald en als kledingstuk aan Riek werd overhandigd. Daarop spuugden alle Kuaar Muon, alle Nuer-meesters van de aarde, in onze handen; een van hen bracht de staart van zijn luipaardvel (het symbool van zijn functie) naar mijn lippen. Er werden jonge stieren gebracht, vier in totaal, om met één speersteek door het hart te worden geslacht. De manier waarop ze vielen, werd uitgelegd als teken van een vreedzame toekomst; de stieren stierven rustig.

Er werden in de loop van de dag nog meer dieren geslacht; ieder hoofd offerde een van zijn beste stieren. De feestelijkheden gingen tot diep in de nacht door; meer dan twee meter lange reuzen dansten zo goed als naakt op het dreunende geluid van de trommels. De mensen deden zich te goed aan de geslachte dieren.

Nadat ze nog een dag waren bijgekomen en met van alles en nog wat hadden geholpen, werd de lange terugreis aanvaard; het was iets minder zwaar dan op de heenweg, want ze konden nu hun eigen spoor terug volgen, ze kenden de markante punten en ze hoefden zich geen weg meer te kappen. Over haar lijfwachten schreef Emma:

> *Peter zong: 'Goedemorgen water,' en Chol antwoordde: 'Hallo modder.' De broekspijpen werden opgerold, er werden stokken uitgedeeld en we begaven ons voor tweeënhalf uur in het modderige water, dat soms tot ons middel reikte. De spieren in mijn liezen deden pijn en ik smachtte naar rust... De voetafdrukken in de modder waardoor we liepen waren door alle soldaten vóór ons gebruikt. Zesenveertig plukte een witte lelie en gaf hem aan mij als blijk van solidariteit... Ik schaamde me diep toen ik een Nuer-meisje van een jaar of negen zag dat te voet op weg was naar Waat om melk te verkopen.*

Ze rustten in Pathai en bleven er een paar dagen omdat ze in de verte het geluid van gevechten hoorden. Toen ze de reis voortzetten, werd Emma ziek; het lopen was een crime voor haar:

> *Alle energie wordt uit je weggezogen, enkel en alleen door de inspanning van het jezelf uit de modder trekken. Kuac Kang bood hoffelijk aan me te dragen, maar de vernedering niet zelf meer te kunnen lopen weerhield me ervan dit verleidelijke aanbod aan te nemen. De zon was meedogenloos en door gebrek aan voedsel, slaap en vocht had ik er bijna grienend de brui aan gegeven. Het was een heel zware dag.*

Eenmaal aangekomen in Rieks militaire hoofdkwartier in Waat, waar hun bagage door kinderen op het hoofd werd binnengedragen, hielden ze drie volle dagen en nachten rust in hun mooie nieuwe tukul, vol toewijding voor hen gebouwd door de plaatselijke vrouwen. Emma schreef:

Ons nieuwe huis, prachtig versierd met afbeeldingen van nijlpaarden, leeuwen, krokodillen, luipaarden en een neushoorn die een man achternazit over de hele muur van de tukul; twee tukuls, verbonden door een veranda. Bij de ingang salueert een beschilderde SPLA*-soldaat naar ons; naast hem staat in hanenpoten: 'Wel Kom in Lou Nuer'. Er zijn kleurige klamboes, gedrenkt in gentiaanviolet, er zijn bloemen op de krijttekeningen geplakt en er staan handafdrukken op de muren.*

Niet lang nadat ze in Waat waren teruggekeerd, verschenen er ernstig ondervoede vrouwen en kinderen in de plaats, afkomstig uit de woongebieden van de Dinka- en Nuer-stammen rond Ayod. De oogst was mislukt en tot overmaat van ramp waren er ook nog stammentwisten uitgebroken. Emma schreef:

Dit is de oogsttijd, de tijd dat er van alles meer dan genoeg hoort te zijn. Een vrouw drukte haar broodmagere baby'tje in mijn armen, maar wat kon ik doen? Ik wist wat ze me vroeg.

Ze deed wat ze kon voor de mensen en hielp Riek bij zijn pogingen om enkele van de problemen op te lossen die ten grondslag lagen aan deze hongersnood: de plundering van militaire rantsoenen door de soldaten, de onnodige veediefstallen, de ontvoering en verkrachting van vrouwen en meisjes.

Een paar weken later had Emma zelf hulp nodig: ze was geveld door hepatitis. Riek zorgde ervoor dat ze per vliegtuig naar Nairobi werd gebracht. Toen ze eindelijk in de kliniek voor tropische ziekten arriveerde, was ze doodziek. De artsen zeiden dat ze een nieuwe en tot dan toe onbekende soort hepatitis had en begonnen aan een behandeling die maanden zou duren. Ze herstelde eerst bij Sally thuis en later bij Willies moeder Jeannie; ze moest rust houden terwijl haar gele huid langzaam weer de normale kleur aannam. Daarna vloog ze terug naar Waat om Kerstmis 1992 samen met Riek te vieren; het was het eerste kerstfeest dat ze samen vierden, en het zou ook het laatste zijn.

Op zijn kerstkaart schreef mijn schoonzoon, die ik nog steeds niet had ontmoet, mij het volgende:

Maggie, prettige kerstdagen en gelukkig nieuwjaar. Ik had gehoopt dat we elkaar deze kerst zouden ontmoeten, maar het mag niet zo zijn... Ik zal mijn conditie op peil houden door te exerceren in de wildernis van Zuid-Soedan. Dit is in dit door oorlog verscheurde gebied een heel normale manier om Kerstmis te vieren. Ik verheug me erop je het komende jaar te leren kennen. Vrolijk kerstfeest, Riek

En in een brief die Emma me die kerst schreef, staat:

Ik kijk ernaar uit je weer te zien, mam. Veel geluk met je voornemens voor 1993. Ik hoop dat het een goed jaar voor je wordt.

12

De kerstdagen van 1992 en de jaarwisseling bracht ik thuis in Surrey door met mijn vader, mijn kinderen met uitzondering van Emma en een paar goede vrienden, terwijl Sue en Martin met vakantie waren in het Verre Oosten. Mijn reis naar Nairobi had ik uitgesteld tot februari 1993, en zelfs toen ik mijn ticket al had gekocht, wist ik niet zeker of Emma er in die tijd ook zou zijn. Ze had er wel rekening mee gehouden dat ik zou komen, maar had me met haar karakteristieke wispelturigheid laten weten dat ze misschien wel helemaal niet in Kenia zou zijn. Dus toen ik op een vroege februariochtend landde op Kenyatta Airport, wederom begroet door de grote Afrikaanse zonneschijf die boven de verre horizon uitsteeg, vroeg ik me af of ik haar wel te zien zou krijgen.

Ik was dan ook aangenaam verrast toen bleek dat ze op me stond te wachten en dat David Marrian, een met Emma bevriende kunstenaar, bij haar was. David is een blanke, blonde Keniaan, lang, knap en zeer onderhoudend en charmant. Ik had hem eerder ontmoet en vond het erg leuk hem weer te zien. Tot mijn verrassing en vreugde had Emma geregeld dat ik bij David kon logeren in zijn prachtige huis in Kitingella, midden in het wildpark van Nairobi. Davids vrouw Emma was in het buitenland en hij was nu in zijn eentje belast met de zorg voor hun drie zoontjes Jack, Hunter en Finlay. Maar mijn dochter had een verborgen agenda. Ze wist dat ik op David gesteld was en gebruikte hem daarom als 'buffer' voor de bomexplosie die ze voor me in petto had: Emmanuel.

Emmanuel was een Soedanese jongen, een vluchteling die ze eerder die week op de een of andere manier Kenia binnen had weten te smokkelen. Het duurde niet lang voor ik in de gaten had dat deze elfjarige jongen volstrekt stuurloos was. We hadden al meteen een slechte start doordat hij me vanaf het begin consequent 'oma' noemde, wat me razend maakte omdat ik begreep dat Emma hem daartoe moest hebben aangezet. We hadden het eerder gehad over mijn reserves bij het idee dat ik grootmoeder zou worden; nu speelde ze in op mijn ijdelheid.

Hoewel Emmanuel nog erg jong was, voelde hij zich al achttien. Hij was slim maar uitermate eigenwijs. Hij had nog nooit op een stoel gezeten of met mes en vork gegeten. Toen hij voor het eerst een telescoop zag staan op Davids veranda, zei hij dat hij wel wist wat dat was. Daarna begon hij aan een uitgebreide pantomime; hij pakte denkbeeldige voorwerpen op, verzette ze, draaide zich om en hield zijn handen voor zijn oren terwijl hij 'Bam!' riep. Hij dacht dat de telescoop een lanceerinstallatie voor mortiergranaten was.

Hij was verzot op Emma, sliep bij haar in bed en was voortdurend verwikkeld in hoogoplopende ruzies met haar. Als hij een meningsverschil met haar uitvocht, had hij de nare gewoonte zijn ogen in tegengestelde richtingen door zijn kassen te laten rollen. Ze behandelde hem erg goed, als een gelijke of een jongere broer, en nam hem overal mee naartoe: op wildtochten in het park, naar de Hurlingham Club in Nairobi om te sjoelen, en naar lunches en dineetjes met vrienden. Ze verwende hem verschrikkelijk, en hij wilde alles van haar hebben wat hij zag; hij richtte en schoot voortdurend met een denkbeeldig geweer op haar en op alles wat bewoog.

Op een gegeven moment moest Emma naar een bruiloft, en ze vertrouwde hem voor een dag en een nacht aan mijn zorgen toe. Ik zette me schrap voor een etmaal vol herrie, maar hij temperde zijn wilde gedrag een beetje, misschien geïntimideerd doordat ik zoveel ouder was. Soms moest Emma hem ook een poosje bij vrienden achterlaten. Hij liep dan onmiddellijk weg en wandelde in de brandende hitte de vijf of zes kilometer terug naar huis. Dan werd hij teruggebracht, maar even later stond hij weer voor de deur met de mededeling dat hij 'te voeten' was gekomen.

Op een keer tijdens een dineetje bij Sally thuis gooide hij een kippenbot over zijn schouder op het kleed. Sally en Emma besloten ter plekke dat ze hem enige tafelmanieren moesten bijbrengen voordat ze hem naar Willies moeder aan de kust zouden brengen. Samen leerden ze hem hoe hij met mes en vork moest eten, dat hij moest kauwen met zijn mond dicht, hoe hij netjes moest zitten en andere basisvaardigheden van de beschaafde omgang. En Emmanuel had de zee nog nooit gezien. Toen we de kust hadden bereikt, staarde hij over het water en vroeg waar de andere kust was, kennelijk in de veronderstelling dat hij voor een brede rivier stond. Ik moest ineens terugdenken aan Emma die aan de oever van de Brahmaputra had gevraagd of dit nu de zee was.

Emmanuels gedrag kwam vaak komisch over, maar er ging een tragedie achter schuil. Emmanuel was opgeleid tot kindsoldaat door een door Garang opgezette organisatie die de nogal misleidende naam Foundation for African Children's Education droeg. Evenmin als de andere kinderen die deze 'cursus' volgden zag hij ooit een boek, maar hij leerde wel geweren en raketten afschieten. Hij leerde mensen doden. Na maanden van gevechten en mishandeling, en één zeer heftige veldslag, besloot hij samen met tientallen anderen te deserteren en zich bij het vijandelijke leger van Riek te voegen. Daar hadden de soldaten het beter, hadden ze gehoord; Riek Machar zou een vriendelijker man zijn, en hij was ook nog een verre verwant van hem. Ze trokken dagen door een uiterst onherbergzaam gebied, de ruigste Afrikaanse wildernis, verweerden zich tegen wilde dieren, verzamelden voedsel en hielden zich gedeisd om niet de aandacht van de soldaten te trekken. Veel van de zwakste en jongste kinderen waren aan honger en ziekten gestorven; ze waren wanhopig, zakten ter plekke in elkaar en luisterden niet naar de smeekbeden van hun broertjes en vriendjes om weer op te staan. Slechts twaalf van hen hadden ten slotte Rieks militaire hoofdkwartier bereikt. Emmanuel was een van hen; hij droeg een geweer dat langer was dan hijzelf.

Emma was niet klein te krijgen en had hem als 'reserveonderdeel van een vliegtuigmotor' Soedan uit gesmokkeld en iemand opgetrommeld die zijn schoolopleiding wilde betalen. Ze troggelde mensen geld af door op hun schuldgevoel te werken, en als dat niet hielp, bedelde ze bij alle liefdadigheidsinstellingen die ze kon vinden om geld; ze bracht talloze malen de harde feiten van Emmanuels leven naar voren en vulde eindeloos formulieren in. Ik moest weer eens aan mijn eigen worsteling denken om het schoolgeld voor Emma en de andere kinderen bij elkaar te krijgen. Totdat er genoeg geld zou zijn, viel Emmanuel onder Emma's – en na mijn aankomst ook onder mijn – verantwoordelijkheid. Uiteindelijk betaalde zijzelf zijn school, zijn kleren en zijn onderkomen, waarvoor ze nauwelijks enige dank kreeg. Emmanuel was en is een wildebras, een uiterst eigenzinnig baasje. Hij is van geboorte en van nature een nomade, weet op de emoties van mensen in te spelen en situaties in zijn eigen voordeel uit te buiten. Een echte overlever.

Ik was bijzonder verontwaardigd over zijn aanwezigheid. Ik had zo graag eens alleen met mijn dochter willen praten en zat niet te wachten op een vroegrijpe 'kleinzoon' waar ik niet om gevraagd had. Het was geen geslaagde vakantie en ik had diverse aanvaringen met Emma. Zelfs Sally zei dat ze het niet netjes van Emma vond dat ze me zo behandelde. Toen de spanning steeds verder opliep, ging ik op een driedaagse kameelsafari in Laikipia, alleen maar om even weg te zijn. Toen ik terugkwam, had Emma mijn signaal begrepen en was Emmanuel naar school gestuurd.

De laatste dag van mijn vakantie, 2 maart, was ik jarig. Emma was het glad vergeten en we maakten vreselijk ruzie over iets onbenulligs, wat de stemming nog meer onder druk zette. Sues zoon Peter, Emma's neef, had een marathon gelopen om geld in te zamelen voor Zuid-Soedan. Emma had geopperd het geld te besteden aan voetballen voor de kinderen in de allerarmste dorpen om zo wat vreugde te brengen in hun verder zo kleurloze en gevaarlijke leven.

Een van Peters sponsors had tegen hem gezegd: 'Ik vind alles best, zolang het geld maar niet aan wapens wordt uitgegeven.' Dat was gezien de persoon met wie Emma getrouwd was geen uit de lucht gegrepen opmerking, maar ik was zo dom hem aan Emma over te brieven. Op de dag dat ik zou vertrekken reden we vanuit Langata naar de stad om voetballen in te slaan in een sportartikelenwinkel, en toen flapte ik het eruit. Emma bracht de auto tot stilstand en staarde me verbluft aan. Ze was verschrikkelijk gekwetst en razend, eerst op de sponsor, toen op Peter en ten slotte op mij. We hebben die winkel nooit bereikt. We reden in een ijzig stilzwijgen verder. Toen ze me later op het vliegveld afzette vanwaar ik 's avonds terug zou vliegen, was de lucht tussen ons nog steeds niet opgeklaard. Het was geen erg harmonieus afscheid, en dat nog wel op mijn verjaardag, hoewel Emma helemaal op het eind bijtrok en volgens mij ook wel heeft beseft dat de boodschap die ik had overgebriefd niet de mijne was.

'Dag mam,' zei ze bij de gate terwijl ze me omhelsde. 'Tot gauw.' Er werd deze keer niet gehuild; ik was aan de late kant en we waren allebei licht geïrriteerd. Toen ik me omdraaide, riep ze me nog na, alsof het haar toen pas te binnen schoot: 'O mam, ik ben je verjaardag vergeten!' Aan haar gezicht kon ik zien dat ze zich doodschaamde. Ik glimlachte en zei dat ze het zich niet moest aantrekken, dat het niet erg was.

Daar stond ze met haar grijze zijden rok, haar zwarte T-shirt, haar geknoopverfde blauw-witte katoenen jasje, haar enkellaarsjes en haar ceintuur van slakkenhuisjes. Over haar zonnebril heen keek ze me stralend aan. Eindelijk waren we weer vriendinnen. 'Ik hou van je,' riep ze. Ik keek om en glimlachte naar haar, blij dat de kou uit de lucht was. We wisten geen van beiden dat dit de laatste keer was dat ik haar levend zou zien.

Later die maand keerde Emma terug naar hun nieuwe huis in Waat, waar ze merkte dat de spanning tussen de Dinka en de Nuer tot ongekende hoogte was gestegen. De verwarring en achterdocht waren niet van de lucht, en er waren diverse akelige incidenten waarbij Rieks mannen – van wie sommigen Dinka waren die trouw waren aan hun stam – elkaar tijdens heftige ruzies doodschoten. Riek had nog steeds de hoop dat hij een verzoening tussen de twee stammen zou kunnen bewerkstelligen, maar in bepaalde afgelegen gebieden had hij zijn mannen niet meer in de hand, en het moorden ging door.

De berichten over wreedheden en moordpartijen hielden aan en wierpen een smet op de laatste maanden van Emma's leven. Ze had Riek altijd fel en trouw verdedigd en volgehouden dat hij niet verantwoordelijk was voor welke moord dan ook, maar kort na haar terugkeer slaagde ze er niet in Rieks mannen, die in haar bijzijn een officier hadden weggesleept om hem te executeren, ertoe te bewegen het leven van de man te sparen. Die officier heette Hakim Gabriel Aluong en werd ervan beschuldigd tegen Riek samen te zweren en ruzie te hebben gezocht met zijn medeofficieren. Hij werd terechtgesteld en toen kon Emma niet meer volhouden dat de mensen die haar na stonden schone handen hadden, hoewel ze de schuld bij Rieks mannen legde en niet bij hemzelf.

Ze bleef zich inzetten om zijn strijd te steunen en de aandacht van de media te trekken; ze zette alle zeilen bij en faxte en belde iedereen die ze te pakken kon krijgen om een paar minuten zendtijd te krijgen. Ze was een mediageniek lokaas, een goed in de markt liggende menselijke noot waarmee de journalisten de sombere verhalen over oorlog en hongersnood konden verluchten, en ze wist de pers te bespelen. De media kwamen erop af.

Begin 1993 kwam een Britse televisieploeg haar samen met Riek filmen voor een documentaire die *The Warlord's Wife* heette en dat voorjaar werd uitgezonden. In die film zwiert ze aan Rieks arm door het legerkamp rond; ze houdt glimlachend zijn hand vast en ziet eruit als een model voor *Vogue*. Op de achtergrond staan de gewapende reuzen die hen beschermden in volle gevechtsuitrusting, met hun kalasjnikovs in de aanslag. Het duurde niet lang of er verschenen artikelen over haar in *The Sunday Times*, de *Mail on Sunday*, vrouwentijdschriften en zelfs in *Hello!*. Emma werd steeds meer een beroemdheid die op de tv-schermen te zien was en de pers naar haar hand wist te zetten, een vaardigheid die ze had verworven tijdens haar vlucht naar Australië met Bill Hall. Maar toen was het puur egoïstisch geweest, voor haar eigen plezier en roem. Nu, zo kwam het mij voor, maakte ze zich zonder het zelf te merken steeds meer tot spreekbuis van Rieks persoonlijke belangen, en ik vroeg me angstig af waar dat toe zou leiden.

Zo vloog er op een keer een CNN-ploeg naar Waat om een reportage te maken over de 'hongersnood' ter plaatse; toen ze arriveerden, ontdekten ze tot hun ergernis dat er lang niet zoveel wanhopige, hongerige mensen waren als ze hadden gedacht. Omdat ze niet veel tijd hadden en toch iets wilden filmen, vroegen ze Emma om hulp, die zij naar het schijnt maar al te graag gaf. Ze verspreidde in de omringende dorpen het gerucht dat er op een bepaalde plaats een voedseldropping zou zijn, en honderden hongerigen stroomden toe vanuit de wildernis. Toen ze op de aangeduide plaats binnen de muren van het legerkamp kwamen, troffen ze daar slechts een filmploeg aan; ze moesten met lege handen naar huis terugkeren.

Toen Emma hierover later door een andere hulpverlener ter verantwoording werd geroepen, haalde ze grijnzend haar schouders op. 'Slecht nieuws is beter dan helemaal geen nieuws,' zei ze kortweg. 'Nu heeft Waat tenminste de aandacht van de wereld.' De logica van haar redeneringen had altijd wel iets aantrekkelijks, maar ik vroeg me soms af hoever ze bereid was te gaan voor haar idealen.

En al die tijd was haar leven in gevaar. Het gonsde van de geruchten dat Garang een prijs op haar hoofd had gezet; dat krabbelde ze tenminste in een hoek van een pagina van haar dagboek. Tegen vrienden zei ze: 'Er lopen hier in de buurt mensen rond die me met plezier een kogel door het hoofd zouden jagen.' Desondanks bleef ze aan Rieks zijde, wetende dat de dood om elke hoek op de loer lag. In april 1993 organiseerde Riek een topontmoeting in Kongor, een stadje dat zijn mannen hadden veroverd op Garang. Emma ging met hem mee; de nacht voorafgaand aan de conferentie overnachtten ze in een tukul. Maar de volgende ochtend vroeg werd hun garnizoenskamp aangevallen door Garangs mannen; hun verdedigingslinie werd binnen een paar minuten doorbroken. Zij en Riek moesten te midden van een gruwelijke veldslag rennen voor hun leven. In de volgende passage uit haar dagboek beschrijft Emma wat er gebeurde:

> *Bij de dageraad werden we opgeschrikt door geweervuur. Geschrokken keek ik Riek aan; we zaten aan tafel met dampende mokken zoete zwarte thee. We keken elkaar zwijgend aan, negeerden het geluid van de radio op tafel en luisterden gespannen naar de geluiden van buiten, het knetteren van AK-47's, het doffe gedreun van voetstappen, een fluittoon, geschreeuw, bevelen. Ik keek door de deuropening – er was geen deur – en zag onze soldaten met hun geweren rennen en verdekte posities innemen.*
>
> *'We krijgen een veldslag,' zei Riek, terwijl hij opstond en naar het vensterloze raam van ons tijdelijke verblijf, het casco van een nooit afgebouwd huis, liep. De vloer was van leem, het droge cement tussen de grote bouwstenen verbrokkelde en er huisden vleermuizen onder de dakranden.*
>
> *Riek had zijn gevechtsuitrusting al aan. Hij gluurde naar buiten en zag onze aanvallers te voorschijn komen uit het acaciabos aan de zuidkant en over de landingsbaan rennen. Hij draaide zich snel om, pakte mij bij de hand en trok me mee naar onze slaapkamer om dekking te zoeken. In zijn ogen stond woede te lezen. We zeiden niets. Hij bukte zich om zijn geweer te pakken, dat tegen de muur achter ons bed stond, waarbij hij mijn hand nog steeds stevig vasthield. Ik voelde me alsof ik door een*

onzichtbaar omhulsel werd beschermd. Ik voelde geen angst. Ik deed gewoon wat me gezegd werd.

Het geluid van zware artillerie en mortieren weergalmde door de lucht. Het geweervuur kwam dichterbij. We hoorden het getinkel van kogels die op het metalen dak boven ons ketsten. Gatnoor, een van de lijfwachten, kwam de hut binnengerend met een AK-47 *over zijn schouder.*

'Ga liggen!' Hij moest schreeuwen om zich verstaanbaar te maken. Hij begon onhandig de banden van Rieks rode epauletten los te knopen, schoof deze tekenen van een hoge militaire rang van diens armen af en liet ze in zijn eigen zakken glijden. Zesenveertig, een andere lijfwacht, kwam binnen.

'Ze zijn in aantocht, commandant. We moeten weg.'

Terwijl we de slaapkamer uit werden getrokken door degenen wier werk het was ons te beschermen, draaide ik me om en riep: 'Mijn laarzen, mijn laarzen!' Maar er was geen tijd meer en mijn uitroep ging verloren in het nu in volle hevigheid losgebarsten gevecht. Ik droeg teenslippers. Buiten het huis was het oorlogsgeweld oorverdovend. Duizenden kogels flitsten door de lucht, maar ik zag onze aanvallers niet, want ik keek niet om.

Riek zei zachtjes tegen me dat ik mijn hoofd moest buigen, terwijl hij me langs andere huizen en hutjes leidde die in 1982 door de Jonglei Canal Commission waren gebouwd maar vanwege de oorlog nooit waren voltooid. Lange rijen mensen renden net als wij voor hun leven, in de richting van het veilige oerwoud, met alles bij zich wat ze konden dragen: kinderen, munitie, klamboes, potten en dekens. We kwamen bij een weg. Ik keek op. Ik had geen idee welke kant we op gingen; ik liet me maar leiden. We holden naar een acaciabos ongeveer een halve kilometer verderop dat ons dekking zou verschaffen. Maar eerst moesten we over een stuk open land dat in de regentijd een moeras is maar nu droog, gebarsten en hobbelig was, een moeilijk terrein om overheen te hollen. Ik schopte mijn slippers uit. Het rennen ging gemakkelijker op blote voeten. De lucht was nog steeds vervuld van het niet-aflatende geweervuur.

Ik werd bij de hand gepakt door Zesenveertig en van Riek ge-

scheiden. Wij renden vooruit en lieten hem achter ons. Ik protesteerde niet; mijn man en ik vormden samen een te voor de hand liggend doelwit.

'Rennen, Emma, rennen!' zei Zesenveertig met klem, terwijl hij me meesleepte met zijn grote, sterke hand.

Zesenveertig is meer dan twee meter lang. Op zijn gezicht heeft hij de traditionele Nuer-mannelijkheidslittekens, een puntenpatroon rondom zijn ogen en mond en zes diepe, langwerpige insnijdingen op zijn voorhoofd. Hij was militair getraind op Cuba en was eerder de lijfwacht van John Garang geweest, de man die het nu op ons leven had voorzien. We werden nog steeds opgejaagd door geweervuur.

'Harder, Emma, je moet harder rennen!' drong Zesenveertig aan, terwijl hij mij, hijgend en naar adem happend, achter zich aan sleurde. We volgden een pad dat naar een dicht bos van stekelige acacia's met rode stammen leidde, waarvan de bladeren door gebrek aan regen waren verschrompeld. Het pad liep slingerend tussen de bomen door als een beekje van stof. Vóór me zag ik een rij tussen de bomen wegvluchtende mensen, wier hoofden op en neer gingen tijdens het rennen. We holden achter ze aan. Mijn keel was droog. Ik hoorde het schurende geluid van mijn eigen ademhaling. Mijn trommelvliezen barstten en mijn benen weigerden hardnekkig om nog harder te rennen. Dorens klauwden naar onze kleren en maakten er scheuren in als we ons bukten om boomtakken te ontwijken die ons de weg versperden. Soms kreeg ik een tak vol stekels midden in mijn gezicht als degene die voor mij door het struikgewas liep hem losliet.

Op een open plek stond een luak, *een grote hut met een rieten dak, op een heuveltje. Ervoor zaten drie oude vrouwen en een paar kinderen met uitgestrekte benen op de grond te kijken naar al die voorbijsnellende voeten. Ik vroeg me af wat ze dachten, waarom ze zelf niet vluchtten maar alleen maar zaten te kijken. Misschien hadden ze gewoon de moed opgegeven nu hun zonen en vaders er niet in slaagden vreedzaam samen te leven.*

Voor het eerst die ochtend was ik bang. Ik voelde het snelle bonzen van mijn hart en de pijn van mijn hevige angst diep in mijn buik. Ik wist dat ik van verre goed zichtbaar was: ik droeg een oranje rok en een blauw shirt; ik was blank; ik was de vrouw van Riek Machar, John Garangs aartsvijand. Ik hoefde niet op genade te rekenen. Als ze me te pakken kregen, was ik er geweest.

'Rennen, Emma, rennen!' riep Zesenveertig boos toen ik even bleef staan om op adem te komen. Mijn hele mond zat vol speeksel. Ik spuugde het uit om makkelijker te kunnen ademhalen. Mijn shirt plakte aan mijn lijf en was doorweekt van het zweet. Mijn wangen gloeiden. Ik had al mijn krachten verbruikt. Ik was nog maar net hersteld van die hepatitis. Ik begon weer te rennen, maar het leek of ik nauwelijks vooruitkwam.

Vóór ons zagen we opnieuw een luak. We keken binnen, maar er was niemand. Bij de ingang tot het donkere interieur stond een kalebasfles vol water. Zesenveertig pakte hem en bracht hem naar mijn lippen zodat ik een paar grote slokken kon nemen. Het water liep langs mijn kin en over mijn shirt. Maar voordat ik mijn dorst echt had kunnen lessen, werd de fles alweer weggetrokken.

'Genoeg,' gromde Zesenveertig, en hij greep mijn hand weer beet en trok me verder.

Ze achtervolgden ons. We haalden Marco, een andere lijfwacht, in. Zijn kaki broek zat onder de bloedvlekken. Hoewel hij een kogel in zijn rug had gekregen, bleef hij doorlopen. Zesenveertig mompelde een paar aanmoedigende woorden tegen hem, maar we hielden niet halt om hem te helpen. We moesten hem als gewonde held achterlaten.

De bomen stonden minder dicht op elkaar en weldra kwamen we op een open vlakte. Het olifantsgras was aan het begin van de regentijd in brand gestoken om nieuwe plantengroei te bevorderen. Maar nu was er alleen verschroeide aarde vol zwarte stoppels. Het voelde alsof we over een spijkerbed renden. Mijn mond was alweer kurkdroog, maar Zesenveertig bleef zeggen dat ik harder moest rennen. We waren nu in nog groter gevaar. Op deze vlakte zonder enige beschutting konden we als honden worden afgeknald.

De grillige rij op en neer deinende hoofden verdween achter een barrière van niet verbrand olifantsgras. Het vuur had dit gedeelte van de vlakte niet bereikt, en zo verdwenen ook wij tussen het manshoge, rietachtige gras. Ik ontdekte dat Omai, onze kok, naast mij holde en me eveneens tot spoed maande.

'Nog even volhouden! We zijn nu zo bij de vrachtwagens!'

Ik keek op, maar zag nergens auto's; dit was vast een trucje van de bewoners van het Nijldistrict: tegen iemand zeggen dat hij er bijna is om hem nieuwe kracht en moed te geven. Zesenveertig was nu ook verdwenen; hij was teruggegaan om Riek te zoeken. Ik bad dat Riek ongedeerd was en dat de aanvallers het aantrekkelijker zouden vinden om ons kamp te plunderen. Het schieten was opgehouden en daar putte ik moed uit. Maar ik bleef maar steeds stemmen horen die me aanspoorden te rennen.

'Alsjeblieft, het gaat niet, ik kan niet meer!' jammerde ik. 'Mijn voeten,' hijgde ik. Ze waren opgezwollen en zaten onder het bloed. Een soldaat bood mij zijn schoeisel aan: sandalen die van oude banden waren gemaakt.

'Kijk, daar heb je de vrachtwagens!' riep Omai triomfantelijk. Het was echt zo, het was geen trucje. Ik zag de gecamoufleerde wagens staan door een waas van gras heen. Met mijn laatste krachten strompelde ik ernaartoe. Ik hoorde het geluid van een motor die werd gestart en zag een blauwe damp uit de uitlaat komen. Mensen hesen zich dodelijk vermoeid aan boord en vielen achterin neer, totaal uitgeput. Omai dirigeerde mij naar de passagiersstoel in de cabine, duwde me naar binnen, gooide het portier dicht en sprong op de treeplank.

Naast mij in de bestuurdersstoel zat de commandant van de groep die als eerste was gevlucht. Feitelijk eigende hij zich de vrachtwagen toe zonder zich te bekommeren om zijn collega's die niet zo snel waren geweest. Maar ik was te moe om hem zijn lafheid voor de voeten te werpen. En ik begon me zorgen te maken om Riek. Alsof hij mijn gedachten had gelezen, wees Omai naar de tweede vrachtwagen en schreeuwde: 'Kijk, daar is de commandant! Hij is ongedeerd!'

De stank van zweet vulde de cabine. Een ogenblik lang ging mijn aandacht uit naar de vliegen die voortdurend tegen de voorruit botsten. Toen keek ik omlaag naar mijn gekneusde, bloedende voeten. Maar onder mijn stoel zag ik een gestolde plas bloed die niet van mij afkomstig was. Ik nam aan dat er iemand gewond was geraakt; ik vroeg me af wat er met die persoon was gebeurd.

De chauffeur, die een brandende sigaret tussen zijn lippen had, draaide aan het stuur, en we begonnen hobbelend door het ruige, uitgedroogde landschap te rijden, door het hoge gras en de stoppels, op weg naar de andere wagen. Overal op de vlakte zag ik gestalten die in onze richting holden. Toen we dichter bij de andere vrachtwagen kwamen, zag ik Riek in de cabine zitten met zijn rode baret scheef op zijn hoofd, dat hoofd waar ik zo van hield. Ik wist dat hij ongedeerd was, maar ik kon aan zijn gezicht zien dat hij boos was dat zijn troepen niet meer weerstand hadden geboden aan de aanvallers.

Ik deed mijn portier open. Riek sprong uit de cabine van zijn vrachtwagen en holde naar mij toe. Wat was ik opgelucht dat hij er was. Zijn sierlijke, lange vingers – die hij aan de toppen omhoog kan buigen – verstrengelden zich met de mijne. Zijn hand was warm en vochtig van het zweet. We keken elkaar aan maar spraken geen woord. Woorden waren immers ook niet nodig.

Emma beschrijft alles wat er daarna gebeurde op dezelfde beeldende, gedetailleerde manier. De weinige overlevenden begaven zich naar een modderige put om hun dorst te lessen en de gewonden te verzorgen:

Dokter Ochan, onze arts, begon de gewonden te onderzoeken en hun moed in te spreken. Ik zag dat zijn voeten net als de mijne vol schrammen en sneden zaten, maar hij besteedde geen aandacht aan zichzelf. Het was grotesk om de gretigheid te zien waarmee de vliegen zich op de open wonden stortten waarvan het vlees aan flarden was gescheurd door de kogels van onze vijanden. Onze arts kon hier, midden in de wildernis, zonder schoon water en medische voorzieningen, helaas weinig uitrichten.

We gaven een mok met moddergrijs water door en dronken ieder een slok met een stuk stof bij wijze van filter. Dat er dodelij-

ke parasieten in dat water konden zitten, leek er op dat moment totaal niet toe te doen. Een van onze soldaten kwam naar mij toe. Tot mijn verbijstering gaf hij me mijn slippers terug, die ik tijdens de vlucht uit ons kamp had uitgeschopt. Hij had achter me gerend en had ze opgepakt en ze aan zijn riem vastgemaakt.

Dat soort kleinigheden vergeet je nooit meer: dat een man van een totaal ander ras te midden van de rondfluitende kogels de attentheid en moed kan opbrengen om, in plaats van aan zijn eigen leven te denken, te bukken en een paar waardeloze dingen op te pakken die toevallig van mij zijn. Dat is wat ons tot mensen maakt, wat het leven de moeite waard maakt. Ik was bijna in tranen uitgebarsten; maar ik hield me in. In plaats daarvan glimlachte ik naar hem. Want een glimlach is iets positiefs.

Riek had inmiddels zijn krijgsraad bijeengeroepen om hun strategie voor een tegenaanval te bespreken. Ik keek verstrooid op mijn horloge en zag dat het bijna twaalf uur was. Dat verraste me: het betekende dat we ongeveer twee uur lang voor onze aanvallers op de vlucht waren geweest. De middagzon stond te branden in een wolkeloze, kobaltblauwe hemel. Maar een verkoelend briesje deed de bladeren van de nimebomen ritselen en streek als een zachte hand over de graslanden. Het gebied waar we terecht waren gekomen staat bekend om zijn vlakheid: als je te voet ergens naartoe onderweg bent, kun je je reisdoel al wel twee uur van tevoren zien liggen.

De Dinka, die dit gebied van oudsher bewonen, trekken samen met hun vee naar de toich, *de zompige graslanden langs de Nijl. Ze laten hun vee er grazen en leven op de vruchtbare oevers van de grote rivier totdat de grote regentijd komt; dan keren ze terug naar hun uitgangspunt, de velden die ze bebouwen. Het hete, schilderachtige vergezicht dat zich voor mij uitstrekte vertoonde de subtielste schakeringen kastanjebruin, bruin en oker. Maar binnenkort zou de regentijd komen en dan zou dit landschap verkleuren tot heldergroen onder een antracietgrijze hemel. Waar nu droogte heerste, zou er water in overvloed zijn.*

Ik keek naar de ongelukkigen om mij heen: vrouwen met kinderen op de arm, soldaten die met gebogen hoofden praatten over de gewelddadigheden van die dag. Maar ik zag ook mensen in elkaar gekropen liggen slapen, zich onbewust van hun omgeving; zij hadden de gruwelijke werkelijkheid vervangen door dromen. Ik keek naar hen en benijdde hen.

Twee gekko's zigzaggen tegen een boomstam op, de ene zit achter de staart van de andere aan. Morgen kan het andersom zijn: dan zit de achtervolgde achter de achtervolger aan. Ik vraag me af wat er met alle mensen uit het dorp is gebeurd: de ondervoede kinderen in de eetkeuken, de broodmagere oude mannen en vrouwen. Levens die op het punt stonden uit te doven. Waar zijn ze naartoe gevlucht? Dit nieuwe conflict in Panyagor had ogenblikkelijk een halt toegeroepen aan de bevoorrading van de bevolking met noodhulp. Ik dacht bij mezelf: is het nog niet genoeg, na twee jaar? Moet er nóg meer lijden komen? Zal het ons dan nooit lukken de oorlog tussen de strijdkrachten van John Garang en die van Riek te laten ophouden?

Riek was ongeveer een maand geleden naar Panyagor gekomen met de bedoeling de VN-hulpverleningsvliegtuigen bescherming en veiligheid te bieden. Vóór die tijd was dit hele gebied twee jaar lang verstoken geweest van noodhulp. Er waren een paar pogingen geweest om vrede te stichten tussen de Nuer- en de Dinka-stam. Er was weer enige schijn van normaliteit teruggekeerd in deze zwaar getroffen gemeenschap: er was een gezondheidscentrum geopend; men was bezig een school op poten te zetten; er draaide een eetkeuken. Al die voorzieningen liepen nu weer gevaar. Garang wilde geen vrede.

Nog maar twee dagen geleden hadden Riek en zijn collega's – Kerubino Kuanyin Bol, Arok Thon Arok, Lam Akol, oom Joseph Oduho en William Nyuon – een openbare bijeenkomst gehouden met de burgers van de streek. De mensen hadden gedanst en hun traditionele liederen gezongen. Ze hadden de afgelopen twee jaar niet vaak reden tot feestvieren gehad. Arok Thon Arok was net weer vrij na vijf jaar gevangen te hebben gezeten wegens het uiten van kritiek op John Garangs leiderschapsstijl. Kerubino, die in 1983 het eerste schot van de oorlog had afgevuurd, was gearresteerd en had zes jaar gevangengezeten, en oom Oduho zeven jaar.

'Ik hoop dat oom Oduho zich in het bos in veiligheid heeft weten te brengen,' zei ik. Hij was vijfenzestig en ziek en kon niet lang achter elkaar hard lopen. Toen zag ik zijn familielid Ben vlak bij me zitten. 'Weet jij wat er met oom is gebeurd?' vroeg ik.

'Nee, ik was niet bij hem toen ze het kamp aanvielen,' antwoordde Ben moedeloos. Ik wist dat iedereen het ergste vreesde en zichzelf verwijten maakte over de chaotische aftocht.

'SPLA Oyea, SPLA Oyea, wa, wa, wa, wa...' scandeerden de troepen die zich voorbereidden op het gevecht, terwijl ze in een kring om ons heen renden en hun geweren de lucht in priemden. De chauffeurs van de vrachtwagens stoeiden met hun gaspedaal terwijl de soldaten aan boord klauterden. We keken toe terwijl de wagens hotsend vooruitrolden en met veel geraas in een stofwolk wegreden. Wij bleven in de schaduw wachten op de terugkeer van onze krijgers, voor wier overwinning we baden.

Er werden een paar dekens gepakt en op de grond uitgespreid, zodat we een beetje konden uitrusten. Ik kon nu gaan inventariseren wat we kwijt waren, wat er in ons huis was achtergebleven: persoonlijke brieven, die Garang hoogstwaarschijnlijk zou publiceren, Rieks aktetas met waardevolle documenten, mijn radio en verrekijker, cadeaus van mijn moeder, mijn geld... er kwam geen eind aan de lijst.

'Alles goed met jou? Je voeten zullen wel vreselijk pijn doen,' zei Riek.

'Maak je geen zorgen, alles is goed. Ik ben alleen een beetje stijf.' Ik merkte dat Riek het zichzelf kwalijk nam dat hij me in zo'n gevaarlijke situatie had gebracht. Maar als hij zich niet geroepen had gevoeld om mijn veiligheid te garanderen, was hij vrijwel zeker achtergebleven om te vechten en was hij waarschijnlijk omgekomen. Ik wist hoe koppig en roekeloos hij kon zijn.

'Denk je dat Come On en het jonge hondje nog leven?' vroeg ik. Come On was Rieks hond. Ze was het leven aan de frontlinie gewend en had onlangs een jonkie gekregen. Daarom was ze waarschijnlijk achtergebleven.

'Ze zijn waarschijnlijk allebei doodgeschoten,' antwoordde Riek nogal afstandelijk.

Emma en haar man wachtten na de aanval op nieuws over het garnizoen en de toestand op de plek van de hinderlaag. Een paar soldaten die terug waren gegaan, waren erin geslaagd een rugzak en een paar laarzen uit hun slaapkamer te halen. De rugzak zat vol kleren; zelfs de rood-witte gespikkelde zakdoek die ik Riek uit Engeland had gestuurd, zat erin. Emma vertelde me later dat Riek zijn lijfwachten had berispt omdat ze die kleren wel hadden meegenomen maar zijn aktetas vol belangrijke militaire documenten niet.

Emma hoopte vurig dat een overlevingspakket dat onder andere medicijnen bevatte en dat ze in een winkel in de buurt van het Euston-station in Londen had gekocht bij haar laatste bezoek aan Engeland, in de zak zat, maar het was weg. Alles wat ze vond was een pakje met zakjes om hete kwast te maken als je last van je keel had. Welgemoed zette ze een pan water op, en weldra zat iedereen kwast te drinken bij wijze van thee.

De zon was aan het ondergaan, de schaduwen van de nimebomen werden langer en de rust van de avond daalde neer. Toen de vrachtwagen met de terugkerende soldaten naderde, hoorden ze de mannen zingen en wisten ze dat ze goed nieuws brachten. Ze klommen aan boord en Emma nam een jongetje van vier op schoot dat dodelijk geschrokken keek en nog helemaal verstijfd was na zijn eerste oorlogsdag. De soldaten zaten op het dak van de cabine en lieten hun benen voor de voorruit bungelen. Emma schreef:

Toen we Panyagor naderden, zagen we de gieren. Toen de vrachtwagen naderde, trokken ze zich terug en wachtten tot wij door zouden rijden, zodat zij hun feestmaal konden hervatten. Ze hadden het eerste lichaam van zijn kleding ontdaan en al zwaar toegetakeld. Er zaten geen ogen meer in de schedel. Naast het lijk lag een wandelstok. Het was een bejaarde Dinka-man geweest die was neergemaaid terwijl hij voor het gevecht wegvluchtte. We klommen uit de vrachtwagen om de andere lijken te inspecteren die op onze weg lagen, maar geen ervan leek op oom.

Het was moeilijk te bevatten dat deze lijken nog maar enkele uren geleden levende wezens waren geweest. Ze waren van hun kleren ontdaan en aan stukken gescheurd, een gruwelijke vernedering.

We namen het allemaal waar, maar niemand toonde enige emotie. We passeerden een eenzame vrouw die voor haar luak zat en in de verte staarde. Ben ging naar haar toe om haar te vragen of zij oom had gezien. Met wezenloze stem antwoordde ze van niet. Plotseling klonk er één enkel schot door de doodse stilte van de avond. De lijfwachten sprongen van de vrachtwagen en begonnen met hun geweren in de hand de bosrand te doorzoeken. Mijn hart begon hevig te kloppen. Dit was vast wéér een hinderlaag. Toen klonken er woedende kreten van de achterkant van de wagen. Het was een vergissing: een soldaat had per ongeluk zijn geweer afgeschoten. Opgelucht maar aangedaan klommen we weer aan boord; de adrenaline golfde nog door onze bloedbaan.

Spoedig kwam het handjevol gebouwen van Panyagor in zicht, en we stopten bij het VN-kampement. Het was er griezelig stil; er was geen mens te bekennen behalve de gewapende soldaten die in het plaatsje patrouilleerden. Alle burgers waren gevlucht, met achterlating van jerrycans, potten en brandhout onder de bomen. Het VN-kamp was verwoest, het canvas van de tenten was gescheurd zodat je de metalen staketsels zag. De grond was bezaaid met lege verpakkingen van energiebiscuits en de avondbries speelde met papieren en documenten. De bleke VN-vlag wapperde niet meer; hij was van de verbogen vlaggenstok gescheurd. Toen ik terugliep naar ons eigen kamp, zag ik onderweg twee ondervoede kinderen die onder een doornstruik gehurkt zaten. Ze waren waarschijnlijk die ochtend gekomen om naar de eetkeuken te gaan voor een maaltijd. In plaats daarvan waren ze getuige geweest van het bloedbad van vandaag.

Ik sloeg het pad naar ons huis in. Ineens dook Rieks hond Come On op om ons kwispelstaartend te begroeten alsof er niets aan de hand was. Haar jong dartelde rond, geheel onaangedaan door de gebeurtenissen van de dag. We vermoedden dat ze zich onder ons bed hadden verstopt, dat rustte op een platgelegde kast met een gat aan één kant. Voor onze voordeur lag een lijk met het gezicht omlaag, naakt op de onderbroek na. Hier waren het de vliegen, niet de gieren, die zich erop hadden gestort. Ik herkende de man niet.

Een paar mannen brachten ons stoelen zodat we konden uitrusten. Ik liet me uitgeput in de mijne vallen en deed mijn ogen eventjes dicht. Toen ik ze weer opendeed, was het lijk verdwenen. De soldaten vertelden me dat ze vier lijken in onze slaapkamer hadden aangetroffen. Een paar waren familieleden van Arok Thon, de anderen hadden kennelijk elkaar gedood in de roes van een plundertocht. De vloer lag bezaaid met papieren. We zochten de brieven en belangrijke documenten bij elkaar. Van onze verzameling weekedities van The Guardian vonden we zowat alle pagina's terug.

Ik pakte een van onze boeken, The Arctic Desert. Er was een kogel dwars doorheen gegaan. Er lag een kapotte aktetas op de grond, met geweld opengemaakt en weggegooid. Toen kwam Zesenveertig me met een triomfantelijk gezicht mijn zwarte handtas terugbrengen, die in de buurt van de landingsbaan was gevonden. Ik had verwacht dat hij leeg zou zijn, maar tot mijn verrassing bevatte hij mijn radio, mijn verrekijker, een hoed, een brief van Riek, een schaar uit Rieks toilettas, mijn chequeboek en bankpasje, wat munten in een plastic zak en nog wat andere spulletjes. Maar het gastenboek dat we als huwelijkscadeau hadden gekregen, was weg. Het stond vol met namen van mensen die bij ons hadden gelogeerd, en daarom, besefte ik ineens, was er waardevolle informatie over onze politieke sympathieën uit af te leiden. Het was nooit bij me opgekomen dat zoiets eenvoudigs als een gastenboek een wapen in een oorlog zou kunnen worden.

Ik stond op, voelde de pijn in mijn ledematen en liep naar de latrinekuil. Die kuil was het enige in de hut wat helemaal intact was gebleven. Ik tuurde door het raam naar onze slaapkamer. De lijken waren weggehaald, maar de hele vloer lag bezaaid met papieren zakdoekjes en tampons, vaak helemaal uit elkaar geplukt in een vergeefse poging te doorgronden wat de bedoeling *van deze onbekende dingetjes wel mocht zijn.*

Omai bracht een kop hete thee en een pakje sigaretten dat tussen het puin was gevonden. Ik stak er een op om mijn zenuwen tot bedaren te brengen. Riek staarde me aan.

'Waarom stop je niet met roken?' vroeg hij.

'Riek, dit is absoluut niet het goede moment.'

Vanachter het huis dook een bijbels uitziende gedaante op, gekleed in een gescheurd paars shirt en een witte onderbroek. Hij struikelde over een wandelstok. Zijn lange, spichtige benen waren donkerrood verbrand door de zon en zijn ongekamde blonde haar piekte rond zijn hoofd als dat van een vogelverschrikker. Ook zijn voeten waren zwaar gehavend door de Afrikaanse wildernis. Het bleek Jean François, de VN-vertegenwoordiger in Panyagor te zijn.

'Jean François!' riep ik uit. 'Kom hier, ga zitten. Wat is er met je gebeurd? We waren zo bezorgd over je.' Met hulp van Zesenveertig ging hij behoedzaam in een stoel zitten.

'Ze hebben geprobeerd me te vermoorden. Ze hebben acht keer op me geschoten – acht keer, kun je het je voorstellen? – en niet één keer raak geschoten. Wat bewijst wat een waardeloze schutters het zijn,' zei hij met zijn zware Franse accent. 'Ik kwam een soldaat tegen die tegen me schreeuwde en me vragen stelde. Ik liep achteruit en zei dat ik niets wist. Toen richtte hij zijn geweer op me. Ik stond zo dichtbij dat ik het vuur uit de geweerloop zag spatten, zoals in een slechte film. Toen sloeg ik op de vlucht, springend en dansend als... ik weet niet, als een konijn. En ik schreeuwde almaar: non, non, non!' vertelde hij geagiteerd en heftig gebarend.

Hij vertelde verder hoe hij het had overleefd, buiten adem van opwinding. Hij was het bos in gevlucht en had zich verstopt in een doornstruik. Een paar van Garangs soldaten liepen rakelings langs hem heen, de laatste op ongeveer een meter afstand. Hun blikken kruisten elkaar een fractie van een seconde, maar de soldaat holde verder. Toen verschenen er plotseling nog meer soldaten, maar Jean François begreep dat dit Rieks troepen waren en dat hij veilig was.

'Maar wat wilde die ene soldaat van je weten, voordat je het bos in vluchtte?'

Jean François keek me ernstig aan. 'Hij vroeg naar jou, Emma. Hij herhaalde steeds maar: "Waar is Emma?" Ik zei dat ik het niet wist, wat de waarheid was. Ik wist het niet. Hij zei dat je voor de CIA werkte. Hij zei dat de VN Riek van munitie voorzag.'

We bleven urenlang praten. Het was donker en heel stil, en de wassende maan stond boven de silhouetten van de bomen. We dronken thee met suiker en aten biscuits. De suiker en de biscuits waren op de een of andere manier over het hoofd gezien bij de plunderingen. Vanuit de duisternis dook Arok Thon Arok op; hij kwam bij ons zitten. Hij was weggeweest om met een aantal van zijn familieleden te praten.

'Moet je horen,' fluisterde hij, 'het schijnt dat onze aanvallers gisteravond al hadden willen toeslaan maar zijn verdwaald. Maar ik heb slecht nieuws. Héél slecht nieuws. Ze komen met versterkingen terug, vannacht of anders morgen. Ze willen ons allemaal koud maken.'

Ik begon over mijn hele lijf te trillen toen ik dat hoorde. Het vooruitzicht nog eens te moeten vluchten maakte me doodsbang. Ik zou niet nog een keer zo kunnen rennen. Tot dan toe had ik nog geen emoties gevoeld, maar ik wist inmiddels dat oom dood was. Zijn lichaam was gevonden. Ik wilde niet dat iemand de doodsangst in mijn ogen zag. Angst is zo ontzettend besmettelijk. Ik zou niet nog een keer zo kunnen rennen... Die nacht sliep ik voor de zekerheid met mijn schoenen aan.

Riek zorgde dat Emma, Jean François en de gewonden per vliegtuig naar de VN-basis Lokichoggio werden gebracht, maar de noodvlucht moest drie keer worden uitgesteld omdat er overal in het gebied gevechten woedden. Toen kon het vliegtuig eindelijk veilig landen; Emma kuste haar echtgenoot ten afscheid en vroeg zich af of ze hem ooit zou terugzien.

Ik keek naar beneden en zag Riek en zijn mannen, die ons nakeken, totdat ze niet meer dan stipjes op de grond waren. Een deel van mijn hart bleef daar bij Riek achter. Toen we omhoogzweefden, als door tovenarij opgetild uit de hel, werd ik overweldigd door de uitgestrektheid van dat enorme, vlakke land... Pas toen Lokichoggio in zicht kwam, knapten alle touwtjes die me de afgelopen twee dagen bij elkaar hadden gehouden. De tranen stroomden langs mijn wangen en wasten al mijn schrik, doodsangst en verdriet weg. Ik huilde om oom en alle anderen die in deze eindeloze strijd waren gestorven en nog zouden sterven. Ik kon niet geloven dat die oude man op wie ik zo gesteld was geraakt en die gisteren nog had geleefd, er nu niet meer was. Hij had het niet verdiend om zo te sterven. Hij had Zuid-Soedan zijn leven lang gediend, om uiteindelijk te worden gedood door mensen van zijn eigen volk.

Emma vloog de hele zomer van 1993 heen en weer: naar Soedan als de toestand er iets verbeterde en de andere kant op als het weer te erg werd. De doodsbedreigingen en de geruchten over banden tussen Riek en Khartoem gingen door, en de echtelieden waren vaak erg bezorgd over elkaars welzijn.

Altijd als ze bij hem was probeerde Emma een paar zalige dagen met hem alleen door te brengen; dat wil zeggen, alleen afgezien van de immer aanwezige lijfwachten, de soldaten en de tallozen die in hun kielzog meetrokken. Maar ze slaagden er toch in om af en toe samen te zijn. Ze maakten lange wandelingen in het bos met Come On en haar jong, Freedom Fighter, zaten bij de rivier en brachten de nacht samen door in hun tukul. Daar waren ze trouwens niet altijd alleen: op een nacht hoorden ze een vreemd geluid onder het bed, waar een levensgevaarlijke rode cobra bleek te zitten, en elke nacht zaten er gekko's op hun klamboe te azen op voedsel; hun silhouetten staken af tegen de maanverlichte hemel. Die gekko's waren de enige levende wezens in Zuid-Soedan die regelmatig goed te eten kregen.

Gedurende juni en een deel van juli was Emma niet zoals gewoonlijk bij ons, maar was ze zes weken achter elkaar bij Riek. Ze reisden voor het eerst sinds een jaar naar Nasir, hun oude woonplaats. Toen ze terug was, schreef ze me:

Het was een leuke reis, ondanks de spanningen van de oorlog. We voeren over de Sobat naar Ulang, een kleine nederzetting tussen Nasir en Malakal. Plaatselijke bevolkingsgroepen hadden onlangs onenigheid gehad over visrechten en elkaars koeien geroofd. Riek moest de twist bijleggen en zorgen dat de geroofde koeien weer bij hun eigenaars terugkwamen. De regentijd is nog niet echt begonnen, al ziet het landschap al wel groen, een welkome afwisseling na de herfstkleuren van de droge tijd. In Ulang staken we de rivier over en reisden over land verder naar Waat, totdat we drie uur voor ons reisdoel in de modder bleven steken. We lieten onze vrachtwagens staan en gingen te voet verder door de modder. We kwamen in Waat aan toen de maan opkwam.

Ik heb me nu eens echt moeite getroost om Nuer, de plaatselijke taal, te leren, en met enig succes. Ik kan nu met de vrouwen kletsen en zelfs tolken voor de hulpverleners... Mam, ik ben van plan om rond september weer naar Engeland te komen, als de tickets weer wat goedkoper zijn. We hebben veel aan je gedacht in Zuid-Soedan terwijl we op de BBC *de hoogtepunten van Wimbledon volgden. Ze zeiden dat het prachtig weer was en dat er twee weken lang geen spatje regen is gevallen. Doe iedereen de groeten van me. Veel liefs zoals altijd, Em* XXX

Als ze in Nairobi was, communiceerden zij en Riek per brief of radio. Hun wederzijdse berichten waren vaak openlijk intiem, hoewel ze wel altijd codenamen gebruikten: zij was Nefertete, de mooie Egyptische koningin uit de veertiende eeuw voor Christus, en hij Sennar, naar een oude provincie van Soedan. In een brief aan haar schrijft Riek die zomer:

Ik voel me soms eenzaam. Mijn gedachten dwalen dan snel af naar jou en er komen allerlei beelden boven. Ik dagdroom dat we een boerderij hebben met land en vee en dat we samen kinderen krijgen. Mijn lief, zullen we de volgende keer dat we elkaar zien een kindje maken?

Emma was telkens opnieuw zwaar teleurgesteld over de reacties die zij als echtgenote van Riek opriep bij sommigen in Zuid-Soedan en binnen de SPLA. In een radiobericht aan Riek zei ze:

Ik ben erg geschokt door het gedrag van Lam Akol, John Luke en Taban. Toen ik hun vroeg of ik met een vliegtuig met journalisten mee mocht naar Kongor, zodat ik één nacht bij jou kon zijn, weigerden ze dat met het argument dat ik je bij je werk zou storen. Daarna betoogden ze dat ik een politiek blok aan jouw been ben en dat ik je maar een tijd niet meer moet zien, misschien wel een paar jaar; dat het gevaarlijk is als journalisten mij aan jouw zijde zien; en dat ik werk moet zoeken in plaats van mijn tijd in Nairobi te verlummelen. Het kwam er feitelijk op neer dat ik jou in de steek moet laten en weg moet gaan.

Riek antwoordde per brief. Hij keurde de opstelling van zijn naaste medewerkers af maar drukte haar op het hart zich niet op te winden. Hij schreef:

Ze mogen helemaal niet zo'n toon tegen jou aanslaan. Je moet terugvechten. Ze treiteren jou en proberen mij klein te krijgen. Ze zinnen waarschijnlijk op manieren om je gefrustreerd te maken in de hoop dat je er de brui aan geeft. Dat mag niet gebeuren. Mijn liefde voor jou zal nooit worden aangetast door dat soort politieke chantage. Ik hou van je en zal altijd van je houden. Luister niet naar die onzin. Als je naar me toe wilt komen kan niemand je tegenhouden, waar ik ook ben.

Op 23 juli besloot Emma een poging te doen haar populariteit op te vijzelen door samen met Kerubino, een Dinka-collega van haar man, naar Rieks geboorteplaats Leer te vliegen om haar familieleden en de andere dorpelingen te ontmoeten en hen voor zich in te nemen. Ze had zich geen zorgen hoeven maken. In haar dagboek beschrijft ze de zeer bijzondere ontvangst die haar wachtte toen ze uit het vliegtuig stapte:

Ik werd begroet door vele handen en een zee van onbekende gezichten. In de verte hoorde ik een groep vrouwen naderen. Ik voelde me zonder Riek misplaatst tussen al die soldaten. De vrouwen stelden me op mijn gemak en ik wilde me bij hen voegen. Ik stond op en liep naar buiten om hen te begroeten. Ze tilden me op en droegen me ergens naartoe, over velden vol durrah *en langs luaks. Een van de vrouwen gleed uit en viel, en anderen namen haar plaats in. Ze zongen en joelden, kletsten met elkaar en schreeuwden aanwijzingen. Ze zwoegden om mij te dragen, het zweet liep langs hun gezichten. Ik bezwoer hun dat het niet nodig was dat ik gedragen werd, maar zij zeiden dat ik niet naar Leer mocht lopen voordat ik mijn eigen luak had betreden.*

Ik werd voor een grote luak voorzichtig op de grond gezet, op een soort erf dat werd geflankeerd door twee samml, *lemen hutten. De vrouwen dromden om mij heen, van alle kanten werden begroetende handen uitgestoken. Een groep zong en danste, zwaaiend met nimetakken en ritmisch stampend. Er werd een stoel voor me neergezet bestaande uit takken en een dierenvel die op primitieve wijze bijeen werden gehouden. Ik kon niet zien wat er ging gebeuren. Ze zeiden dat ik moest wachten. Plotseling week de menigte uiteen. Vóór mij lag een zwartbonte koe op de grond waarvan de poten en de kop door mannen werden vastgehouden; ik zag hun spieren spannen terwijl ze het tegenstribbelende en trappende beest met moeite in bedwang hielden. Ze hielden haar kop achterover en er werd een speer in haar keel gestoken. Er spoot bloed uit, dat schuimend wegsijpelde in de stoffige aarde. Toen het beest dood was, werd ik door de mensenmassa naar voren geduwd. Ik wist wat ik moest doen: over het geslachte dier heen stappen om te worden gezegend. Terwijl ik over de maag heen stapte op de met bloed bevlekte grond, schreeuwden en joelden de vrouwen. Ik werd bij de hand genomen en naar de donkere ingang van de luak geleid. We bukten ons om naar binnen te gaan en waren na het felle buitenlicht ineens in de duisternis. Een paar seconden lang kon ik niets onderscheiden. Ik werd naar het midden geleid en zag een hoop as die nog rood nagloeide: de bron van het familievuur. Toen ik een beetje aan het don-*

ker gewend was, volgde ik met mijn ogen de knoestige takken waarop de zoldering van de grote hut rustte. Ik zag donkere gezichten vlak bij me en voelde de aanwezigheid van vele zwijgende mensen. Dit was mijn nieuwe familie.

Emma werd voorgesteld aan Rieks familieleden, van wie velen op hem leken: lange mensen met hoge jukbeenderen en diepliggende ogen. Tot Emma's verbazing droegen velen van hen in die verzengende hitte wollen mutsen; desgevraagd bleken dat geschenken van een buitenlandse kerk te zijn die alleen door de oudste mannen van de stam mochten worden gedragen. Eén oudere man met uiteenstaande tanden droeg de muts van een gevangengenomen Arabische generaal, een witte polotrui en een blauwe blazer. Ze vond dat hij eruitzag als een lid van de koninklijke jachtclub.

Ze vertelde hun via een tolk iets over zichzelf en haar familie. Ze noemde Yorkshire, haar jeugd in Cowling Hall, mij en Bunny en haar broers en zussen. Ze was erg ontroerd door hun warme ontvangst en het feit dat ze onvoorwaardelijk werd opgenomen in hun familiekring. Ze vroeg zich af hoe wij een van hen in het Westen zouden hebben verwelkomd. Ze werd getrakteerd op een stoofschotel met geitenvlees, pindasaus, een groente die op spinazie leek en een tweede stoofschotel met de maag en ingewanden van een geit. Ze mocht bij hen aan tafel zitten, mee-eten en deel zijn van hun leven. En al die tijd bleven ze glimlachen, net als zij.

Tot haar grote verrassing verscheen Riek ook, onaangekondigd, en de feestelijkheden begonnen van voren af aan. Het was voor het eerst sinds vier jaar dat hij weer eens in Leer was en de mensen waren door het dolle heen. Er werden nog meer koeien geslacht en vier stieren werden op een rij gezet om één voor één te worden gedood. Emma moest haar ogen afwenden omdat ze de stuiptrekkingen van de stervende dieren niet kon aanzien.

Riek bracht haar naar Kuduk, een dorp acht kilometer ten oosten van Leer. Ze maakten de tocht te voet in de brandende zon, zonder proviand, en toen werd Emma eindelijk voorgesteld aan haar schoonouders: zijn vader, die vijf vrouwen had, en zijn moeder, de derde van de vijf. Ze schreef:

Riek was zeer aangedaan dat hij zijn ouders terugzag. Hij was erg aan zijn moeder gehecht. Het was een sterke vrouw, die in opstand was gekomen tegen de traditie en erop had gestaan dat haar jongste twee zoons een goede opleiding kregen. 'Dit is mijn vrouw, moeder,' zei Riek in het donker. 'Ik houd van haar en heb haar daarom naar jou toe gebracht.'

Riek had Emma al eerder verteld hoe vastbesloten zijn moeder was geweest om haar twee zoons naar school te sturen nadat een neef van haar als een van de eerste Nuer een universitaire opleiding had gevolgd. Ze liet ze in de presbyteriaanse kerk dopen, zodat ze naar de plaatselijke missieschool konden, en verhuisde vervolgens naar Khartoem, waar ze op straat bier verkocht om het schoolgeld voor de jongens te verdienen. Riek promoveerde uiteindelijk als technisch ingenieur, en zijn broer werd hoogleraar diergeneeskunde. Zij waren de enige twee van de eenendertig kinderen van Rieks vader die naar school waren gegaan. Doordat ze vanwege de opleiding die ze hadden gevolgd in hun puberteit niet in Leer waren geweest, hadden ze geen van beiden de traditionele mannelijkheidslittekens in hun voorhoofd gekerfd. Het was gegaan zoals in de Nuer-profetie was voorzegd: 'Op een dag zal een linkshandige Nuer-hoofdman zonder mannelijkheidstekenen trouwen met een blanke vrouw.'

De volgende dag had Emma de gelegenheid om, voorafgaand aan een volgende plechtigheid waarbij opnieuw dieren werden geslacht, even in het dorp rond te kijken. Ze schreef:

Er werd maïs verbouwd op een veld waar een hek van aan elkaar gebonden dounpalmtakken omheen stond. Kong, een van Rieks broers, klopte zijn koeien op de rug die naast de luak werden gemolken en gewassen. Kinderen verzamelden de mest om die te drogen; de lucht was vervuld van de muffe stank. Er waren boshoppen. Er stond een statige dadelpalm met enorme trossen nog onrijpe dadels eraan. De mensen vouwden hun beddengoed op en kletsten met vrienden en familieleden die ze een poos niet gezien hadden. We ontbeten met kobèhnup, *een plaatselijk graanproduct. Het zou weer een hete, vochtige dag worden.*

Bij de plechtigheid in de drukkende hitte die volgde, riepen de ouderen de profeet Teny, een voorouder van Riek, aan en vroegen hem om vrede en eensgezindheid. Emma schreef:

> *Ze wreven onze voeten in met as, gooiden met tabak en spuugden op ons hoofd en borst. Ze vroegen Teny om Riek en mij een zoon te schenken met het lied: 'Ai, ai, een zoon, een zoon; wij willen een zoon van jullie, een zoon die ons later kan helpen.'*

Zij noch Emma konden vermoeden dat zij op dat moment al vier weken zwanger was van Riek.

13

Emma wilde al heel lang dolgraag een kind van Riek hebben, maar had na een aantal vergeefse pogingen de moed opgegeven. Ik was altijd zonder enige moeite zwanger geworden, en ik vermoed dat zij dacht dat het bij haar ook vanzelf zou gaan. Toen ze weer eens in Nairobi was en haar arts om advies vroeg, had hij haar aangeraden althans een deel van haar leven onder minder spanningsvolle omstandigheden door te brengen. 'Leven in een oorlogsgebied is niet bepaald bevorderlijk om snel zwanger te worden,' zei hij.

Emma lachte om dat idee en zei dat ze honderden Nuer-vrouwen kinderen had zien baren te midden van gewapende aanvallen en bombardementen, en dat ze werk te doen had.

Maar ondanks haar positieve instelling ging het lichamelijk niet zo goed met haar als ze graag had gewild. Ze vermoedde dat ze niet zwanger werd omdat ze nog niet volledig was hersteld van haar eerdere ziekten: de hepatitis en de malaria-aanvallen. Toen ze voor de tweede keer naar Leer ging, werd ze opnieuw ziek. Het was op de avond dat er een plechtigheid zou worden gehouden om voor een baby te bidden. Ze schreef:

> *Ik had een barstende koppijn en er liepen koude rillingen over mijn rug. Ik wist dat ik malaria had. Malaria is in dit deel van de wereld zoiets als een verkoudheid. We gingen naar huis en Riek zei dat ik een douche moest nemen om een beetje af te koelen.*
>
> *'Ik heb het zo koud,' zei ik, 'ik wil niet.' Maar hij zei dat ik het toch moest doen en dat ik me daarna veel beter zou voelen.*
>
> *Ik holde naar de douche net op het moment dat er een storm*

losbrak. Ik kreeg de deur niet meer dicht; hij werd opengerukt door de hevige regen en wind. Ik rende terug, gehuld in een kanga; het had geen zin meer om kleren aan te trekken, ik was al doorweekt toen ik bij de deur was. Ik rilde en klappertandde en mijn gewrichten deden zeer. Ik warmde me aan Rieks lijf, het rillen hield op en ik ontspande me en ging op ons bed liggen in een katoenen Ethiopische jabi.

Die nacht had ik koortsaanvallen. Mijn kniegewrichten deden pijn. Ik lag of zat naast Rieks koele, ontspannen lichaam. Ik had kippenvel, het was een vervelende nacht.

'Je bent zwanger,' zei Riek. 'Je borsten worden groter, ik voel het.'

Emma slikte drie dagen lang het nieuwe wondermiddel Halfan, maar de malaria kwam terug. Ze begon zich nu zorgen te maken en vroeg Riek een vliegtuig naar Nairobi voor haar te regelen zodat ze naar het ziekenhuis kon. Hij wilde dat ze bleef, verzekerde haar dat alles goed zou komen, maar zoals altijd won Emma uiteindelijk het pleit. Ze voelde zich vreselijk beroerd tijdens de vlucht. Ze werd in Nairobi opgenomen op de afdeling eerste hulp van het ziekenhuis; de malariatest was positief. Ze schreef:

De charmante, grijze dokter Saio verscheen aan mijn bed en vroeg waar ik was geweest. Hij is een in Italië geboren, internationaal erkend malariaspecialist en alleen in je geïnteresseerd als je ziek bent. Toen ik hem vertelde dat er een kans was dat ik zwanger was, besloot hij een test te doen. Als die positief was, waren er bepaalde medicijnen die ik niet mocht hebben.

'Zelfs Halfan is gevaarlijk,' zei hij. 'Er bestaat een kans dat het de ongeboren vrucht doodt.' Toen hij mijn hevig geschrokken gezicht zag, voegde hij er bij wijze van geruststelling aan toe: 'We kunnen een echo maken om er zeker van te zijn dat u geen monster in uw buik hebt.'

Toen ze inderdaad zwanger bleek te zijn nam Emma, bang geworden dat ze misschien al iets fout had gedaan, eindelijk het advies van de artsen ter harte het rustiger aan te doen en voorlopig in Nairobi te blijven. Ze stopte met roken en begon plannen te maken om met Kerstmis 1993 naar Engeland te komen. Ze zou haar kind in Surrey krijgen en het het volgend voorjaar mee terug nemen naar Afrika. Ze wist dat als ze het allemaal goed uitmikte, haar kind een Brits paspoort zou kunnen krijgen, wat anders misschien nog problemen zou geven voor het half blanke, half zwarte kind van een vrouw die in India was geboren, getrouwd was met een Soedanees en in Kenia woonde. Maar eerst moest ze mij het nieuws vertellen.

In een opgewonden brief die ze me op 18 augustus faxte, schreef ze:

> *Lieve mam, afgelopen maandag ben ik inderhaast van Zuid-Soedan naar Nairobi overgevlogen en in het ziekenhuis opgenomen met malaria. Ik voel me nu fit, gezond en weer helemaal de oude... Het goede nieuws is dat ik tweeënhalve maand zwanger ben. Riek is verrukt. Ik heb besloten mijn plannen te veranderen: ik kom met de kerst terug naar Engeland en blijf daar tot de baby is geboren. Ik wil heel graag dat jij in de buurt bent als hij geboren wordt, want je hebt vast heel veel ideeën en goede raad. Wat vind je ervan?... Mam, als je kunt, bel me dan vandaag, als het kan vanmiddag nog. Heel veel liefs, Emma* XXX

In een brief aan haar tante Sue waarin ze haar plannen uiteenzet, voegde ze er nog aan toe: 'Het zal fijn zijn als mam erbij is, ik zal veel steun aan haar hebben.'

Ik heb er nog steeds vreselijk spijt van dat ik in eerste instantie niet erg verheugd reageerde op Emma's nieuws. Ze had me op haar bekende naïeve manier volledig overvallen met het nieuws door de fax naar mijn werk te sturen. Hoewel ik wist dat ze al een hele tijd zwanger probeerde te worden, was ik zo volstrekt verpletterd door het idee dat ik nu toch echt grootmoeder zou worden dat ik niet zo vertederd reageerde als je van een moeder zou mogen verwachten. Ik belde haar inderdaad dezelfde middag terug, zoals ze gevraagd had. Toen ze me vroeg wat ik ervan vond dat ze een kind kreeg, reageerde ik gepikeerd en ijdel, iets wat ik mezelf de rest van mijn leven kwalijk zal nemen.

'En, mam? Hoe voel je je nu je écht "oma" wordt?' vroeg ze met een verwachtingsvolle stem. Al mijn stekels gingen overeind staan toen ze dat woord gebruikte waarmee Emmanuel mij destijds had aangesproken.

'Nou eh...,' stamelde ik, 'om eerlijk te zijn staat het idee me niet zo erg aan, geloof ik.' En op koele toon vervolgde ik: 'Zeg nu zelf, Emma, vind je me niet een beetje jong om grootmoeder te worden?' Ik ging ervan uit dat ze de vruchtbaarheidsmiddelen had genomen die ze van de artsen had gekregen en had me de hele ochtend angstig afgevraagd hoeveel kleine Soedaneesjes er straks in mijn tuin zouden rondkruipen en wat de buren daar wel van zouden vinden. Aan de andere kant van de lijn werd het ijzig stil. Ik wist meteen dat ik iets verkeerds had gezegd. De sfeer was om te snijden. Emma beëindigde het gesprek met een smoesje en hing op, en ik voelde me meer een boze stiefmoeder dan een lieve oma.

Hoe dan ook, ik weet nu dat mijn reactie een hevige teleurstelling was voor mijn dochter. In een lange brief die ze kort daarna aan Riek schreef, klaagt ze: 'Ik heb mam verteld dat ik zwanger ben, maar ze was niet erg blij, al probeerde ze wel te doen alsof. Ik voel me nu erg alleen en kan nergens heen. Alsjeblieft, help me.'

Gelukkig kreeg ik na de eerste schrik mildere gevoelens toen ik eenmaal aan het idee gewend raakte, en ik besloot het weer goed te maken met Emma als ze met Kerstmis naar huis kwam. Ik richtte Johnny's voormalige kamer bij mij thuis in als kinderkamer voor de baby die op komst was. Ik had al wat meubels verplaatst en wat oude prenten opgediept die nog op de kinderkamer in Cowling Hall hadden gehangen: kleine handgeschilderde afbeeldingen van de vier jaargetijden, die ik aan mijn vier kinderen had gegeven, die ieder in een ander jaargetijde waren geboren. Emma was de winter, Erica de zomer, Jennie de herfst en Johnny de lente. Ik zou zorgen dat ze er hingen als Emma kwam en verheugde me erop samen met haar te gaan winkelen om babykleertjes en spullen voor in de kinderkamer te kopen.

Emma hoorde dit alles via Johnny en was verrukt. Ze kon haast niet meer wachten om naar huis te komen. Ze vertelde vol trots aan haar vrienden dat ik een kinderkamer aan het inrichten was. Ze was inmiddels helemaal aan het 'nestelen'; ze was gestopt met roken, verbood anderen in haar bijzijn te roken en genoot intens van deze eerste fase van het moederschap. Haar meest acute probleem was echter waar ze moest logeren zolang ze in Nairobi was. Ze had een hekel aan hotels en wilde niet voor langere tijd een beroep doen op vrienden vanwege de complicaties die haar persoonlijke bescherming met zich meebracht, en daarom verzocht ze Riek een eigen huis voor hen te regelen, waar ze veilig zouden zijn en dat tevens dienst zou kunnen doen als SPLA-hoofdkwartier.

In een lange brief aan Riek over haar hoop en haar dromen voor de toekomst, gedateerd 5 september 1993, schreef Emma:

> *Ik heb 's nachts al wakker gelegen omdat ik me zorgen maakte over de toekomst van ons kind en de vraag of jij er wel zou zijn om me te helpen. Ik vraag me af of ik ooit een huis zal hebben waar ik mijn kinderen kan opvoeden en waar genoeg te eten is, en of ik totaal onverantwoordelijk ben om een kind op de wereld te zetten dat zo'n onzekere toekomst heeft... Ik weet dat het niet gemakkelijk voor je zal zijn, maar je moet een actievere rol spelen in de toekomst van je kind. Geen van de vrouwen van jouw oudere collega's hoeft rond te komen van tienduizend Keniaanse shilling [ongeveer driehonderdvijftig gulden] per maand. Je moet naar Nairobi komen om me te helpen dit probleem op te lossen. Je gezin is net zo belangrijk als de SPLA... Toen ik met je trouwde, had ik wat geld gespaard van mijn salaris, en twee jaar lang heb ik je nooit ergens om gevraagd en alles wat ik had met jou gedeeld. Dat geld is nu op en ik heb je hulp nodig. Je weet dat ik veel van je hou en dat we samen veel moeilijkheden hebben doorstaan. Maar je kunt niet altijd maar bezig blijven met het oplossen van de problemen van anderen en geen aandacht besteden aan je eigen problemen... Je baby heeft jouw hand nodig die haar aanraakt en streelt (ik denk dat het een meisje wordt). Ik heb twee weken geleden, toen het kind acht weken was, een echo laten maken, en ik kon het hartje zien kloppen.*

Riek beloofde later die maand naar Nairobi te komen – het zou de eerste keer in vier jaar worden dat hij buiten Soedan kwam – als Emma beloofde naar Mankien te vliegen om hem te begeleiden. Hij zorgde ook voor de noodzakelijke vergunningen en financiële middelen om haar in een veilige woning onder te brengen. Hoe hij het voor elkaar kreeg weet ik niet, maar het geld voor het opknappen en inrichten van het huis werd grif betaald door de Lutherse Wereldfederatie, de hulpverleningstak van de Scandinavische en Duitse lutherse kerken, en de organisatie Lonhro, geleid door de omstreden zakenman Tiny Rowland, een langetermijninvesteerder in Soedan die zich ook met de politiek in Afrika bemoeide.

Emma ging op huizenjacht en vond algauw een prachtig huis, de Ngong Dairy, in Karen, een voorstad van Nairobi. Het was het huis dat was gebruikt voor de film *Out of Africa*, het levensverhaal van de Deense schrijfster Karen Blixen. Emma was weg van het huis en wilde er dolgraag wonen, maar Rieks veiligheidsadviseurs, die het samen met haar gingen bekijken, keurden het af.

'Het is vanuit beveiligingsoogpunt een nachtmerrie,' legde een van hen haar uit. 'Het staat geïsoleerd midden in de velden; een moordenaar zou zich letterlijk overal kunnen verstoppen.' Na de gruwelijke belevenissen in Kongor – die haar nog steeds nachtmerries bezorgden – wist Emma dat ze in gevaar was, en ze volgde het advies met tegenzin op. Ze was bitter teleurgesteld maar vastbesloten een gouden kans als deze niet te laten lopen, dus ze haastte zich naar het huisje van Sally in Langata en sleepte haar mee naar de Dairy.

'Je moet het kopen,' drong Emma aan. 'Ik zal een kamer huren zodat je de rekeningen kunt betalen, en je kunt nog iemand op kamers nemen.' Sally lachte en vond het goed.

Emma vond kort daarna een geschikt huis voor zichzelf, Riek en de baby dat ook de goedkeuring van de veiligheidsadviseurs kon wegdragen. Het was een wit stenen huis in Riverside, een beveiligde wijk van Nairobi waar alle ambassadeurs en diplomaten wonen. Nadat ze het huurcontract had getekend haalde ze de sleutels op en begon haar eerste echte huis in te richten en te meubileren. Terwijl ze Sally trots het perceel liet zien, verklaarde ze: 'Dit wordt een gelukkig thuis. Ik zal het Peace House noemen.'

Voor korte tijd was Emma's wereld volmaakt; dit was wel even iets anders dan de felbeschilderde lemen hutten waar ze de afgelopen paar jaar in gewoond had. Riek kwam inderdaad uit Soedan, zodat ze hem eindelijk aan haar vele vrienden in Nairobi kon voorstellen. 'Zie je wel, hij bestaat echt,' zei ze verrukt tegen hen terwijl ze hem stevig tegen zich aan drukte.

Riek begon in Nairobi aan vredesonderhandelingen op hoog niveau en vloog vervolgens op uitnodiging van de voormalige Amerikaanse president Jimmy Carter door naar Washington en Atlanta om de presidenten van Kenia, Oeganda, Ethiopië en Eritrea te ontmoeten en deel te nemen aan door de VN georganiseerde besprekingen. Emma mobiliseerde haar vrienden overal ter wereld om ervoor te zorgen dat hij een net pak droeg en niet zijn gevechtsuitrusting. In oktober, na de mislukking van de onderhandelingen, vloog Riek naar Londen voor nog meer besprekingen; het was zijn eerste bezoek aan Engeland sinds vele jaren en een gelegenheid om Angelina en zijn drie kinderen weer eens te zien. En verder konden hij en ik elkaar voor het eerst de hand schudden.

Emma belde Johnny op vanuit Nairobi om door te geven dat Riek op bezoek zou komen en vroeg hem een etentje met zoveel mogelijk familieleden te organiseren. Mijn aardige, zorgeloze zoon deed wat hem was gevraagd; hij organiseerde het etentje in het huis dat hij met een vriend deelde en nodigde zoveel familieleden uit als hij kon herbergen. Mijn zus Sue en haar zoon Peter kwamen samen met mij uit Surrey, Johnny's vriend Clare was er, evenals de twee potige lijfwachten van Riek en een Soedanese collega, Majok. Jennie woonde op dat moment in Egypte en kon er niet bij zijn. Omdat het midden in de week was, zag Erica geen kans om vanuit Bristol naar Londen te komen om haar nieuwe zwager te ontmoeten. Johnny meende dat Riek misschien wat zenuwachtig zou zijn omdat hij met de oude Engelse gewoonte had gebroken de familie van de bruid altijd als eerste om toestemming voor het huwelijk te vragen. Hij wilde Riek meteen laten weten dat hij zich daar niet al te veel zorgen over hoefde te maken.

'In onze familie zijn we nogal ruimdenkend,' zei hij niet lang nadat zijn zwager was gearriveerd. 'Als Emma gelukkig is, zijn wij het ook.' Riek glimlachte en klopte Johnny amicaal op zijn schouder.

De eerste indruk die ik van mijn schoonzoon had, die toen eenenveertig was, was die van een reusachtige zwarte man. Hij was ruim twee meter lang, bijna een halve meter langer dan ik, droeg een flitsend pak, en als hij glimlachte, werd je gewoonweg verblind door de witheid van zijn tanden. Hij was zeer charismatisch en zelfverzekerd en had warme donkerbruine ogen met lange wimpers, waarmee hij tijdens het spreken vaak knipperde. Zijn hoofd en nek waren stevig en hij had een brede neus en een rond gezicht. En dan was er het fluweelzachte, zangerige geluid van zijn stem.

'Maggie, wat fijn dat ik je eindelijk ontmoet,' zei hij beleefd terwijl hij mijn hand vastpakte en lichtjes samenkneep. 'Door je brieven is het net alsof ik je al lang ken.' Hij grijnsde zijn ver uit elkaar staande tanden bloot. Ik begreep wat Emma zo in hem aantrok. Hij was volgens mij zo'n beetje met me aan het flirten, en ik voelde zowaar dat ik bloosde. Dit is een man die weet hoe hij vrouwen moet aanpakken, dacht ik. Zelfs mijn dochter.

Er was totaal niet aan hem te merken dat hij zenuwachtig was of ertegen op had gezien de familie van zijn vrouw voor het eerst te ontmoeten. Hij was beheerst en kalm, had alles onder controle, voelde zich volledig op zijn gemak tussen westerlingen en was bereid al onze vragen te beantwoorden. Toen ik hem een paar dingen vroeg over de huidige politieke situatie in Soedan, bleef hij charmant en beleefd, maar hij vertelde niet meer dan hij kwijt wilde. Hij was een echte warlord en een volleerd politicus, net als zijn vrouw inmiddels was geworden.

Johnny maakte een heerlijke ovenschotel met kip en Sue had pruimenkruimeltaart met amandelen meegebracht. We schaarden ons bij kaarslicht rond de tafel en aten in een ongedwongen en gezellige sfeer; zo op het oog een heel gewoon familie-etentje. Het verschil was echter dat we een rebellenleider in ons midden hadden op wiens hoofd een prijs stond en dat zijn lijfwachten dreigend bij de deur stonden. Ondanks dat was de avond een groot succes. Riek vertelde ons iets van zijn familiegeschiedenis – we waren verbaasd toen we hoorden dat hij het zesentwintigste kind van zijn vader was – en verzekerde ons nog eens dat hij van Emma hield en alles zou doen om te voorkomen dat haar iets overkwam. Vlak na het eten, toen het gesprek even stilviel, stond hij plotseling op; hij gaf zijn lijfwachten een teken en deelde met beleefde beslistheid mee dat hij moest gaan. We schudden elkaar de hand en namen afscheid.

'Ik nodig jullie uiteraard allemaal uit naar mijn vaderland te komen als het daar een beetje minder... verhit toegaat,' zei hij stralend, ingenomen met zijn eigen woordspeling. De lijfwachten hielden de deur voor hem open en verlieten het vertrek met Riek tussen zich in. Weg was hij.

Emma was in haar nopjes toen ze hoorde hoe de avond was verlopen, al vond ze het jammer dat Erica en Jennie er niet bij hadden kunnen zijn. Ze vond het een leuk idee dat wij allemaal samen waren geweest in dezelfde kamer in West-Londen, was heel blij dat ik Riek eindelijk had ontmoet en opgelucht dat de avond zonder incidenten was verlopen. Haar enige wens was dat ze erbij had kunnen zijn om dat moment met ons te delen. Riek vertrok uit Londen en bracht bezoeken aan Frankrijk, Duitsland en Noorwegen om de vredesbesprekingen voort te zetten, terwijl Emma vanuit Nairobi zijn reisschema regelde, telefoneerde, hotelkamers boekte en hem en zijn afgevaardigden faxen stuurde met het laatste nieuws uit Soedan. Hij zou nu eerst voor korte tijd naar Kenia terugkeren en dan naar Oeganda reizen voor nieuwe besprekingen; daarna hoopte Emma hem een poosje voor zichzelf te hebben.

Ze had het ook heel druk met de projecten die haar het meest na aan het hart lagen. Vanuit haar hotelkamer in Nairobi, waar ze wachtte tot ze Peace House zou kunnen betrekken, was ze bezig een nieuwe onafhankelijke organisatie op te zetten die in Nairobi moest worden geregistreerd en Woman Aid zou gaan heten, een initiatief dat een vervolg was op de Southern Sudan Women's Association (SSWA). Ze stelde de registratiedocumenten en een conceptmanifest op, waarin ze schreef dat er nauwelijks internationale organisaties waren die direct bijstand verleenden aan de vrouwen in Zuid-Soedan. Ze schreef:

> *Vrouwen zijn in de steek gelaten door hun mannen en kinderen, door hun vaders en broers die in de oorlog zijn gaan vechten. Vrouwen dragen in hun eentje de verantwoordelijkheid voor het huishouden, de huizenbouw, het vinden van voedsel en de verzorging van het vee. Duizenden vrouwen waren gedwongen hun toevlucht te nemen tot vluchtelingenkampen. Women Aid wil vrouwen en hun gezinnen die door oorlog en hongersnood zijn verdreven helpen. Women Aid zal zich specialiseren in kleine projecten die inkomsten genereren waarmee vrouwen zowel in als buiten Soedan een beter leven kunnen leiden.*

Het was een baanbrekend idee en Emma hoopte er internationale sponsors voor te interesseren, met name de VN. Verder zette ze zich in voor liefdadigheidsprojecten voor de ontwikkeling van onderwijsprogramma's, een uitgebreid inentingsprogramma van UNICEF, projecten op het gebied van de zelfredzaamheid voor de Southern Sudan Women's Association en hulp aan de oorlogsinvaliden.

Emma meubileerde Peace House binnen een paar weken door bij veilingen goedkoop meubels op de kop te tikken en verlevendigde de ruime kamers van haar nieuwe huis met felgekleurde divans, kussens en gordijnen. Verder had ze de kunstenaar David Marrian opdracht gegeven een groot ijzeren bed te maken voor haarzelf en Riek. Ze was, kortom, bezig een nestje te bouwen. Ze had ook grootse plannen met het erf en de tuin, waar ze haar geliefde groente en fruit wilde planten tussen de welig tierende bougainvilles en tuinplanten met een strook blauwe tuberozen eromheen. Haar tuin zou een Engelse toets krijgen, pochte ze, met rozen en kruiden. Het zou een plek van rust en inkeer worden voor haar en haar kindje.

Emma was gelukkig; ze had haar beste vrienden om zich heen en was na de gevaren van Soedan op een veilige plek. Ze had Riek graag vaker gezien, vond het beveiligingscircus dat zich rond haar afspeelde maar niks en miste mij soms, maar in het algemeen was ze tevreden. Ze werd nog meer opgemonterd door het nieuws dat haar broer Johnny van plan was haar samen met een goede vriend in Kenia op te komen zoeken; hun jongste zus Jennie, die in Egypte kokkin was op een duikboot, had besloten om ook van de partij te zijn. En Johnny had de voetballen bij zich die waren gekocht met het geld dat de marathon van Emma's neef Peter had opgebracht. Ze werden meteen doorgestuurd naar Zuid-Soedan en onder de kinderen verdeeld. Geholpen door Jennie en Johnny verhuisde Emma op 1 november 1993 naar Peace House. Die laatste drie weken van haar leven vond ze er de rust en beslotenheid die ze zocht. Nu er een kind op komst was, iets waar ze naar had verlangd en een verantwoordelijkheid die ze op zich wilde nemen, wist ze dat ze haar zwervende en rusteloze bestaan moest veranderen. Ze moest het kind een veilig en beschermd leven bieden, met dokters en andere voorzieningen in de buurt die belangrijk zijn voor een gezin. Hoewel ze ervan had gedroomd haar kind frank en vrij in Leer te zien opgroeien en in het stof te zien spelen met de andere kinderen, wilde ze althans voor de eerste paar jaar van zijn leven iets veiligers. Ze was zich er na de jaren in Zuid-Soedan pijnlijk van bewust hoe bevoorrecht zij was dat ze de keuze had.

Als ik haar brieven las of haar aan de telefoon had en ze me alles over haar nieuwe huis vertelde, was ik geweldig opgelucht dat ze niet meer midden in het levensgevaarlijke Zuid-Soedan woonde, al merkte ik wel dat ze emotioneel nog steeds heel wankel was. Hoewel ze soms de indruk wekte een kat met negen levens te zijn, had ze in het verleden haar leven zo vaak achteloos op het spel gezet dat ik bang was dat ze zichzelf als onkwetsbaar zou gaan beschouwen. Maar in Nairobi zou ze in ieder geval veilig zijn, zo meende ik.

Wees mij nabij, God, in de donk're nacht,
De koude nacht, als mij mijn kracht
Verlaat in deze lange, lange nacht.
Wees mij nabij, God, geef mij kracht.

uit 'A Soldier – His Prayer', anoniem

Ik was alleen in mijn huis in Surrey. Het was donderdag 25 november 1993 en nog vroeg, drie minuten voor halfzes 's ochtends, toen de telefoon naast mijn bed rinkelde en me uit een diepe slaap wekte. Ik tastte naar het apparaat om de hoorn op te nemen, maar sliep nog half. Ik was totaal niet voorbereid op slecht nieuws. Het was Johnny, vanuit Kenia.

'Waar ben je?' vroeg ik verward, verbaasd maar ook blij dat ik zijn stem hoorde. Die gekke Johnny, dacht ik nog, hij heeft zich zeker verrekend met het tijdsverschil.

'Aan de kust,' antwoordde hij, en ik herinnerde me dat hij een paar dagen bij Willie Knockers familie in Watamu logeerde terwijl Emma in Nairobi was gebleven. Beelden van de zalige vakantie die ik daar eerder dat jaar had doorgebracht verschenen voor mijn slaperige ogen. Johnny begon rustig en duidelijk te praten.

'Mam, er is een ongeluk gebeurd, een dodelijk ongeluk.'

Ik hoorde wat hij zei, maar het drong nog niet tot me door. Toen opeens schrok ik abrupt wakker en mijn eerste gedachte, voordat hij nog meer had gezegd, was: er is iets met Jennie gebeurd. Ik schoot rechtovereind in bed en mijn hart bonsde luid; ik dacht dat Jennie was verdronken, want ik wist dat ze graag in zee dook.

'Jennie,' bracht ik met moeite uit. Ik kreeg een steeds grotere brok in mijn keel.

'Nee,' zei Johnny resoluut. 'Met Jennie is alles goed.'

Mijn gedachten raasden verder. Wie dan? Toch niet... Voordat ik mijn afschuwelijke redenering had kunnen afmaken, maakte hij een eind aan mijn onzekerheid.

'Emma... Het is Emma,' wist hij dan eindelijk uit te brengen. 'Ze is om het leven gekomen.' Ineens kon hij het niet meer aan dat hij degene was die mij het gruwelijke nieuws moest vertellen en ik hoorde hem zwaar ademhalen.

Emma. Emma. Ik krijg hier te horen dat mijn oudste dochter, mijn eerstgeborene, die gekke, waanzinnige meid van me, die na de dood van Bunny mijn beste vriendin was geworden, er voorgoed niet meer is.

Vanaf het allereerste moment dat ze zich voor Afrika en de Afrikaanse politiek begon te interesseren had ik het knagende gevoel gehad dat Emma zichzelf in gevaar bracht. De afgelopen maanden, voordat ze naar Nairobi verhuisde, had ik voortdurend voor haar leven gevreesd, bang dat ze zou bezwijken aan de een of andere ernstige tropische ziekte of slachtoffer zou worden van een sluipmoordenaar. Maar nu was ik met stomheid geslagen, want voorzover ik wist was ze nu ergens waar het veilig was, ver van de malaria en de geweerkogels in het Zuid-Soedanese oorlogsgebied.

'Hoe is ze gestorven?' fluisterde ik. Mijn keel was ineens kurkdroog. Beelden van een bloedige moordaanslag verschenen voor mijn geestesoog.

'Bij een auto-ongeluk.'

Ik moest bijna lachen. Wat een wrede speling van het lot, na al die bommen, kogels en ziekten. Ik had moeite om het te geloven.

De arme Johnny kon nog slechts stamelend spreken, overmand als hij was door pijn en verdriet. De vorige keer dat ik zo'n soort bericht had gekregen, had ik als een gekooid dier heen en weer gerend en machteloos gegild. Nu deed ik weer hetzelfde. Ik liet de hoorn vallen en rende jammerend en grommend rond om mijn verdriet te uiten.

Ik huilde aanvankelijk niet. Geen tranen, geen uitputtend gesnik.

Slechts de kreet van een dier dat ondraaglijke pijn voelt, de pijn van het verlies van een dierbare. Ik weet niet meer wat ik daarna heb gedaan, alleen dat ik naar beneden ging om iets te pakken, terwijl dat merkwaardige gejank nog steeds uit mijn mond kwam. Mijn zoon, nog maar drieëntwintig jaar oud, was nog steeds aan de lijn en riep, van een afstand van zesenhalfduizend kilometer, om zijn moeder.

Ik liep terug, pakte de hoorn weer en luisterde naar zijn angstige geroep. Ik deed een halfslachtige poging het gesprek netjes af te sluiten. Hij drukte me op het hart mijn zus Sue te bellen, die vlak bij me woonde, zodat ik niet alleen zou zijn. Ik was wat kalmer geworden en voelde mezelf langzaam verstarren; ik wierp tegen dat het nog te vroeg was.

'Het gaat best,' loog ik. 'Ik zal nog een uurtje wachten, tot alles hier tot leven komt.' Er viel een stilte tussen ons, een holle, lege stilte. 'Waar is het ongeluk gebeurd?' vroeg ik zwakjes.

'In Nairobi, gisteravond,' zei Johnny met een van tranen verstikte stem. 'O mam, ik vind het zo erg, zo erg.'

Weer stilte, een gapende kloof tussen ons, onmogelijk te overbruggen. Ten slotte stamelde ik: 'Ik... ik neem in de loop van de dag het vliegtuig naar Nairobi. Je... je hoort nog wanneer ik kom.' Er kwam geen antwoord, alleen een gesmoord gesnik. 'Dag,' zei ik, en voorzichtig, héél voorzichtig, legde ik de hoorn terug op de haak.

Langzaam drong de waarheid tot me door. Het is echt zo. Mijn Emma is dood.

Ik begon vreselijk te huilen. Het verdriet overweldigde me en slokte me op. Ik lag op bed, niet in staat iets te zien door mijn tranen, niet in staat te spreken door het heftige schokken van mijn lichaam. Toen hield het huilen ook opeens weer op, bijna even plotseling als het was begonnen. Ik kleedde me op de automatische piloot aan en maakte een mok thee voor mezelf; er zouden er die ochtend nog vele volgen. Het drong tot me door dat er een berg voor me was verrezen en dat me niets anders overbleef dan hem te beklimmen. En hoewel ik op dat moment nog als verlamd was, begon er tegelijkertijd binnen in me al iets te klimmen; een soort oer-wilskracht.

De deurbel rukte me uit mijn overpeinzingen. Het was Sue; Jennie had haar direct na Johnny's telefoontje opgebeld. Er viel niet veel te zeggen, het duizelde me nog steeds van het nieuws en van de beelden die ik voor mijn geestesoog zag en die me niet meer loslieten. Toen ik Sues tranen zag kreeg ik het zelf ook weer te kwaad en we omklemden elkaar stevig en wiegden elkaar snikkend heen en weer. Om zes uur zaten we samen aan mijn eettafel, Sue met koffie en ik met thee, trachtten ons groot te houden en een actieplan op te stellen. Er moest zoveel gedaan worden.

Hoewel het pas heel kort geleden was dat ik het nieuws had gehoord, werd ik merkwaardig rustig en helder, geheel geconcentreerd op wat me te doen stond: zo snel mogelijk naar Nairobi zien te komen. Sue maakte lijsten van iedereen die we moesten bellen, alles wat er te regelen viel en de dingen die ik per se niet mocht vergeten mee te nemen op reis. Om zeven uur waren we zover dat we konden beginnen aan de uitvoering van de plannen. Mijn eerste prioriteit was Erica thuis in Bristol te spreken te krijgen. Johnny, Jennie, ikzelf en Sue waren op de hoogte, maar de arme Yo wist nog van niets. Ze lag waarschijnlijk nog te slapen, in afwachting van een heel gewone donderdag op haar werk. Ik keek op mijn horloge en zag dat het nog geen halfacht was.

'Zullen we nog heel even wachten en haar gewoon rustig wakker laten worden?' vroeg ik aan Sue, die instemmend knikte.

We besloten ons eerst bezig te houden met het regelen van mijn vlucht naar Nairobi. Ik belde James Basnett, een vriend van Johnny die piloot is bij een internationale luchtvaartmaatschappij. Ik ging ervan uit dat hij me wel een plaats op een vlucht naar Nairobi voor diezelfde dag kon bezorgen. Ik smeekte hem letterlijk om een plaats voor me te reserveren.

Ik bleef het opbellen van Erica maar voor me uit schuiven, wetend wat een schok en een verdriet het bericht haar – en mij – zou bezorgen. Ik was er haast bang voor. Maar na vriendelijk aandringen van Sue draaide ik ten slotte het nummer. Gelukkig kwam haar vriend Hugh aan de lijn, die ik erg graag mocht, en kon ik hem waarschuwen voor wat ze te wachten stond. Yo kwam aan de telefoon, met onvaste stem, geschrokken van de blik in Hughs ogen. Ik vertelde wat ik moest vertellen en er viel een lange stilte. Aanvankelijk leek ze het rustig op te nemen, hoewel ze er zo vroeg in de ochtend duidelijk moeite mee had om helder te denken.

'Ik vlieg vandaag naar Nairobi,' voegde ik er toonloos aan toe. 'Wil je mee?'

Opnieuw stilte. 'Ik kom naar Surrey,' zei ze zachtjes, 'en dan beslis ik, als je het goedvindt, mam.'

De klok tikte verder, de dag kwam op gang, en Sue haastte zich naar huis om haar kinderen naar school te helpen. Ik bleef alleen in mijn huis achter. Meer dan een uur bleef ik zwijgend in de kamer zitten; ik maakte heel bewust iedere seconde mee die door de wijzer van de klok werd aangegeven.

Zet alle klokken stil, leg de telefoon van de haak
En geef de hond een kluif, dat hij geen leven maakt.
Laat de piano zwijgen, sla d'omfloerste trom,
En breng binnen de kist, o dragers, kom.

uit 'Funeral Blues' van W.H. Auden

Sue kwam terug, ik zette verse thee en we begonnen kennissen, vrienden en peetouders te bellen om het nieuws te vertellen. Bij sommigen leek niet door te dringen wat ik vertelde. We beëindigden het gesprek en een paar tellen later belden zij dan terug omdat ze gewoon niet konden geloven dat het waar was. Bij Emma's beste vrienden belde ik eerst hun ouders en vroeg hun de boodschap voorzichtig over te brengen. Het nieuws was begonnen zich te verspreiden; zodra ik de hoorn neerlegde, ging de telefoon alweer. Mijn vader, die toen eenentachtig was, was natuurlijk hevig aangedaan. Hij luisterde, leek goed te hebben verwerkt wat ik zei en was nog meer van zijn stuk gebracht toen ik vertelde dat ik diezelfde avond op het vliegtuig naar Afrika zou stappen. 'Ik vind het zo erg, konijntje,' zei hij, en hij legde neer.

Ook Wendy Burton, Emma's peetmoeder, was stomverbaasd over mijn snelle vertrek en vroeg: 'Maar wat ga je dan doen als je daar bent?'

'Geen idee,' antwoordde ik.

En dat was de waarheid: ik had geen duidelijke voorstelling van wat er zou gebeuren of wat ik dacht te bereiken door erheen te gaan. Ik wist alleen dat ik erheen moest. Het was een dierlijk instinct. Alles begon nu steeds sneller te gaan. De telefoon bleef rinkelen. Sue nam de gesprekken aan terwijl ik mijn koffers pakte en de reis verder regelde. Ik probeerde me te concentreren op de praktische details. Mijn werkgever moest op de hoogte worden gebracht, het geld moest geregeld worden en ik moest herhalingsvaccinaties en malariatabletten ophalen bij het ziekenhuis en spullen inpakken. Ik weet nog dat ik de wachtkamer in het ziekenhuis binnenkwam en de enige andere patiënt, een man van in de vijftig, even aankeek. Ik huilde niet maar zat stil, doodstil, te wachten. Toen mijn naam werd omgeroepen, richtte de man het woord tot me toen ik langs hem heen liep. 'Het hart spreekt met heldere stem,' zei hij. Hij begreep het.

Eerst dacht ik dat ik alles wel aankon, maar na een tijdje kreeg ik het gevoel dat ik tegen de richting in over een lopende band liep, trachtend alles te verwerken terwijl de gebeurtenissen steeds sneller over elkaar heen buitelden. Ik begreep dat ik me met de stroom mee moest laten voeren omdat ik anders het gevaar liep pardoes van de band af te vallen.

Toen ik weer thuiskwam, waren Erica en Hugh daar al. Ze zaten me sniffend en met behuilde ogen op te wachten, maar we kregen nauwelijks de kans om samen te rouwen. We werden inmiddels bestookt met telefoontjes; journalisten uit de hele wereld hadden van Emma's dood gehoord via een nieuwsbericht op BBC World Service en vroegen me naar details van haar leven. De politie belde, en daarna het ministerie van buitenlandse zaken. Er was veel verwarring, want wij wisten ook niet wat er precies was gebeurd of hoe het was gebeurd. Maar de telefoon bleef maar rinkelen.

Een verslaggever van een van de boulevardbladen bonsde op de voordeur. Yo deed hem open en kreeg te horen dat het hem speet dat hij onze privacy stoorde maar dat hij op zoek was naar de 'mens achter het nieuws'. Erica richtte zich in haar volle lengte op, voegde hem uit de hoogte toe: 'Wij hebben geen enkele behoefte aan een verhaal in *The Express*,' en stuurde hem weg.

Om te voorkomen dat we met nog meer van dit soort bezoekers zouden moeten praten, vroegen we de journaliste Madeleine Bunting, een oude schoolvriendin van Emma, de pers – inclusief de man voor de deur – te woord te staan over Emma's achtergrond.

Toen kwam dan eindelijk het telefoontje waar ik op had zitten wachten. James Basnett was erin geslaagd een plaats voor me te reserveren op een vlucht van Kenyan Airways die later die avond van Heathrow zou vertrekken. Ik had geen idee wat me in Nairobi te wachten stond. Ik maakte de reis, zoals zoveel andere reizen in mijn leven, alleen.

Erica verkeerde nog steeds in een shocktoestand en had wat meer tijd nodig om alles weer op een rijtje te krijgen. Ze was die ochtend in Bristol van huis gegaan met alleen maar de kleren die ze aanhad en haar paspoort. Het was geen moment bij haar opgekomen dat ze de volgende dag misschien wel niet naar haar werk zou gaan. Zelfs op dit soort tragische momenten gaat het dagelijks leven gewoon door. Sue had een gezin met drie kinderen, en ook zij kon niet zomaar alles in de steek laten. Erica beloofde dat ze op een later tijdstip ook naar Afrika zou komen, en Sue drukte me bij het afscheid twee dichtbundels in handen om tijdens de reis te lezen.

Roep haar eenmaal voordat je gaat,
En dan nóg eenmaal, met
Een stem, jouw stem, die zij verstaat:
'Margaret! Margaret!'
Kinderstemmen vinden steeds gehoor
(Roep nog eens) in hun moeders oor.

uit 'The Forsaken Merman' van Matthew Arnold

Erica, Hugh en ik gingen nog even in een bar op Heathrow zitten nadat ik had ingecheckt. Ik had genoeg van thee en was overgeschakeld op een paar stevige glazen whisky, en die overstap deed me goed. Erica liep naar de boekwinkel op het vliegveld om een spannend boek voor me te kopen voor onderweg (het werd *The Firm*), kennelijk in de veronderstelling dat ik afleiding nodig had. Ik heb er nooit een letter in gelezen. Ik haalde de dichtbundels te voorschijn die ik van Sue had gekregen, koos er een uit en gaf de andere aan Hugh met het verzoek hem aan Sue terug te geven. Mijn vlucht werd omgeroepen, we lieten de bar en de lege glazen achter ons en liepen naar de gate. We kusten elkaar ten afscheid, ik voelde hun tranen op mijn wangen, en ik verdween.

Aan boord van het vliegtuig had ik het eigenaardige gevoel dat ik op de hoogte was van een streng bewaakt geheim. Hoewel een heleboel mensen inmiddels van Emma's dood hadden gehoord, wist niemand wie ik was of waarom ik in dit vliegtuig naar Kenia zat. De komende acht uur was ik alleen met mezelf en de gedachten die door mijn hoofd raasden. Ik dacht meer aan het verleden dan aan de toekomst; de toekomst bestond voor mij niet, toen niet. In die drukcabine liet ik mijn gedachten de vrije loop; ik dacht na over het leven, over mijn eigen leven en dat van Emma. De dood had me haar leven ontstolen, me in de vroege ochtend uit mijn slaap gewekt om me in de ergst denkbare nachtmerrie te storten: het verlies van mijn kind.

Ik dreef langzaam terug in de tijd. Ik kon aan niets anders denken dan aan Emma en haar leven. Ik zag haar als naakte hummel dansen en kraaien van plezier op het gras in Assam. Ik zag haar chaotische slaapkamer in Cowling Hall, vol gymnastiekrozetten en andere kinderspulletjes. Ik zag haar te paard vertrekken met de West of Yore-jachtstoet, haar haar wapperend in de wind, met wijdopen ogen luisterend naar het opwekkende geluid van de jachthoorn. En ik zag haar voor me zoals ze uit Australië was teruggekomen, bruinverbrand en lachend en met een stuk prachtige turkooisblauwe zijde uit een ver land als cadeau voor mij.

Ik dacht aan de laatste keer dat we elkaar gesproken hadden, in een kort telefoongesprek ongeveer tien dagen geleden; ze had gezegd dat ze zich verheugde op de vakantie die Johnny en Jennie bij haar in Kenia kwamen doorbrengen. Tijdens het gesprek had ik gedachteloos wat dingen neergekrabbeld; het briefje hing nog op het prikbord in mijn keuken. Er was iets in haar stem geweest waarover ik me zorgen had gemaakt. Ze was nog niet verhuisd naar Peace House en belde vanuit haar hotelkamer. Ze klonk als een gekooid dier dat geen plek voor zichzelf heeft, was permanent in gezelschap van haar lijfwachten en andere Soedanezen en smachtte naar een plekje helemaal voor zichzelf.

'Ik voel me goed, alleen een beetje moe,' zei ze treurig. Ik merkte dat er nog meer was; misschien was ze gewoon wat huilerig door de hormonen en voelde ze zich neerslachtig. Dat was heel begrijpelijk: ze was negenentwintig, vijf maanden zwanger van haar eerste kind, opgesloten in een hotelkamer zonder haar man en haar moeder, en ze kon vanwege haar veiligheid niet gaan en staan waar ze wilde.

'Zou je graag willen dat ik naar je toe kom en een poosje bij je blijf?' vroeg ik.

Het was even stil. Ik begreep dat ze er serieus over nadacht en dat het voorstel haar even opbeurde. Maar toen zuchtte ze; ze besefte dat het noch voor haar, noch voor mij een goed moment was. Ik was net aan een nieuwe baan begonnen als secretaresse bij St. Paul's Cathedral en kon niet zomaar een paar weken weggaan. En zij zou sowieso over een paar weken naar huis komen – ze had al opgevraagd wat de laatst mogelijke datum was waarop ze nog kon vliegen – en bovendien zouden Johnny en Jennie weldra komen.

'Nee... het is goed zo, mam,' zei ze langzaam. 'Bedankt voor het aanbod. Ik vind het heel lief van je, maar... het gaat wel.' Weer die toon, die matheid in haar stem. Ik begon me echt zorgen te maken. Ze moet daar iets van gemerkt hebben, want ze klaarde ineens op; ze was er altijd goed in haar diepere gevoelens te verbergen. 'Maak je geen zorgen,' zei ze. 'Het zal wel weer beter gaan als ik eenmaal in mijn nieuwe huis zit en weer wat om handen heb... Heus, het komt goed.'

Ik zei dat ze goed op zichzelf moest passen en dat ik van haar hield. Nadat ik de telefoon had neergelegd, besloot ik standby te blijven. Ik voelde instinctief aan dat ik misschien wel onverwachts op reis zou moeten.

Ik herinner me dat ik in het vliegtuig een hele tijd stilletjes heb zitten huilen. Maar in het gedempte licht in de cabine zag niemand hoe ik mijn tranen wegveegde. Ik was geïsoleerd in mijn verdriet en kon niet meer helder denken. Ik las wat gedichten en wat korte prozafragmenten, teksten waarvoor ik me niet lang achter elkaar hoefde te concentreren en waarvan de woorden allerlei nieuwe, schrijnende betekenissen kregen. Ze sloegen op mij, op wat ik doormaakte. Het enige gevolg daarvan was dat ik nog meer huilde.

> *Als ik dood ben, huil dan een beetje om mij, maar niet te veel. Denk af en toe aan mij zoals ik tijdens mijn leven was. Soms is het prettig om terug te denken, maar niet te lang. Laat mij met rust, dan zal ik jou met rust laten. Laat je gedachten, zolang je leeft, bij de levenden zijn.*
>
> uit 'Indian Prayer', anoniem

Het was in sommige opzichten een eindeloze reis, maar in andere opzichten helemaal niet. Half in slaap gesust door de pulserende beweging van het vliegtuig dat me hoog boven de aarde naar een donkerder werelddeel bracht, gesterkt door een paar drankjes, kon ik gedurende die acht uur aan de tijd ontsnappen en hem naar believen stilzetten, terugspoelen en opnieuw starten. Dat gaf me de moed die ik nodig had om mijn zielenpijn onder ogen te zien. Die uren had ik nodig om in het donker alleen te zijn met mijn gedachten, terwijl het vliegtuig onverbiddelijk voortraasde, op weg naar de plek waar mijn dochter vredig lag te slapen.

Bij het krieken van de dag landde het vliegtuig op Kenyatta Airport; we taxieden van de landingsbaan weg. Het was geen erg zonnige ochtend, maar wel erg heet en vochtig, en ik stond dodelijk vermoeid tussen de andere passagiers in de rij voor diverse balies om mijn documenten te laten afstempelen en goedkeuren. Ik had nog steeds met niemand gepraat; niemand wist nog waarom ik helemaal vanuit Engeland hiernaartoe was gekomen.

'Wat is het doel van uw bezoek? Zakenreis of vakantie?' vroegen de beambten vermoeid toen mijn beurt gekomen was, nauwelijks opkijkend van hun papieren.

Zonder enige emotie antwoordde ik: 'Ik ben gekomen om mijn dochter te begraven.' Ik keek hoe ze zouden reageren. Toen de boodschap tot hen was doorgedrongen, keken ze me oprecht bedroefd aan en wuifden dat ik door mocht lopen. Zonder te zien wat er om me heen gebeurde liep ik over een rolbaan naar de bagagehal en stond naar het me voorkwam eindeloos te wachten op mijn bagage. De band draaide en draaide maar, tot ik als laatst overgebleven passagier in mijn eentje stond te wachten op mijn koffer. Daar kwam hij eindelijk, uitgespuugd door een vierkant gat in de muur, en ik pakte hem en liep naar de aankomsthal waar Emma me zo vaak had staan opwachten.

Ik ging door de douane zonder iets aan te geven en liep doelloos rond tussen de door elkaar krioelende mensen zonder te weten waar ik heen moest. Toen doken er godzijdank twee gezichten uit de mensenmenigte op die ik herkende: het waren Jennie en Johnny, die met lijkbleke gezichten naar me toe kwamen. We omhelsden elkaar zwijgend, niet in staat om iets te zeggen. We vonden een plek om te zitten en ploften neer. Jennie sloeg haar arm om mijn schouder en hield met de andere mijn hand vast; Johnny zat dicht tegen me aan. Zo zaten we een poosje met zijn drieën te treuren. Ze werden vergezeld door Sally, Emma's beste vriendin. Ik had hen altijd als een soort zussen beschouwd, en nu ik haar daar zo op de achtergrond zag staan met een van verdriet vertrokken gezicht, wist ik dat ze dat in hun hart ook waren. Iedereen deed zijn best, maar het gesprek wilde niet vlotten. Niemand kon de juiste woorden vinden, want die waren er niet.

Sally bracht ons met de auto naar Riverside. De rit, door de drukke ochtendspits, verliep in stilte. Buiten was alles stoffig, lawaaiig en chaotisch. Er werd woedend en ongeduldig getoeterd, en *matatu's*, overvolle passagiersbusjes, sneden ons plotseling of stopten zonder enige waarschuwing vooraf vlak voor ons, waarna de mensen voor de auto langs in- en uitstapten. Dat alles droeg niet bepaald bij tot onze zielenrust.

Ik had van alle kanten uitnodigingen gekregen om te komen logeren, maar ik wist waar ik heen wilde: naar Roo en Simon, de laatste twee mensen die mijn dochter had gesproken voor ze stierf. We werden er hartelijk ontvangen. Iedere volgende ontmoeting verliep net zo houterig als de eerste, niemand wist wat hij moest zeggen, niemand kon het nog geloven, iedereen was geschokt en verdoofd. Er werd opnieuw gehuild. Daarna gingen we ontbijten, trachtend onze emoties in bedwang te houden. Er kwamen nog meer vrienden langs, aan wie ik werd voorgesteld terwijl ik totaal uitgeput op een divan in de gastenvleugel zat.

Gij wenst het geheim van de dood te kennen.
Maar hoe zult ge het ooit vinden als ge het niet zoekt in het hart van het leven...?
Wilt ge werkelijk de geest van de dood aanschouwen, stel uw hart dan open voor de volle rijkdom van het leven.
Want leven en dood zijn één, evenals de rivier en de zee één zijn.

uit *De profeet* van Kahlil Gibran

Tijdens die eerste paar uur in Kenia hoorde ik hoe de laatste paar dagen van Emma's leven precies waren verlopen. Johnny en Jennie waren een week bij haar geweest en zeiden dat ze erg gelukkig was. Johnny had de drie dingen uit Engeland voor haar meegebracht waar ze om had gevraagd: een zout- en pepermolen, het nieuwe kookboek van Delia

Smith, *Summer Cooking*, en een antwoordapparaat. Na die week hadden ze haar alleen gelaten om haar de tijd te geven om haar spullen uit te pakken, de kussens op te schudden en een poosje alleen te zijn met Riek, die onlangs was teruggekeerd van zijn omzwervingen over de wereld; Johnny en Jennie waren naar de kust gegaan om vakantie te gaan vieren bij de familie Knocker. De laatste keer dat ze haar hadden gezien had Emma het druk gehad in huis; haar karakteristieke lach had door Peace House geschald terwijl ze de huisknechten opdrachten gaf en bezig was met de organisatie van een groot diner – voor niemand minder dan de voltallige ministerraad – waarvoor een geit moest worden geslacht en klaargemaakt. De avond was een groot succes geweest en Emma had geschitterd in haar nieuwe rol als de vrouw van de diplomaat.

Op de dag dat ze stierf was Riek naar een vergadering, en zij had de hele ochtend gewerkt aan haar voorstellen voor de Southern Sudan Women's Association. 's Middags was ze op bezoek gegaan bij Roo, die op loopafstand van Peace House woonde. Toen Emma rond theetijd bij haar was verschenen, werd Roo zozeer getroffen door de schoonheid van haar zwangere lichaam dat ze zich voornam een foto van haar te nemen. Roo zei later: 'Ze had een wonderbaarlijke rust over zich, een tevredenheid met zichzelf. Ze was gelukkig, écht gelukkig, en verliefd, en ze verheugde zich op haar kind en haar toekomst.'

De vriendinnen begonnen te kletsen en Roo vergat de foto. Ze zou er de rest van haar leven spijt van hebben.

De telefoon ging. Het was Willie Knocker, die pas in de stad was aangekomen op doorreis naar de kust. 'Raad eens wie hier bij me zit?' zei zijn zus Roo plagerig door de telefoon. 'Emma.'

Emma nam de hoorn over en sprak met Willie af dat ze elkaar later die avond voor een drankje zouden ontmoeten bij Sally in de Ngong Dairy in de voorstad Karen. Ondanks haar vervelende gedrag tegen Willie was er altijd iets in hem gebleven wat haar aantrok. Vanaf het moment dat ze waren begonnen met elkaar uit te gaan had ze hem weggeduwd, aangetrokken en weer weggeduwd. Ze had behoefte aan zijn geruststellende aanwezigheid. Ik denk dat ze, op haar manier, van hem hield; ze wilde alleen niet zijn vrouw zijn. Maar na dit telefoongesprek was ze opgewonden omdat ze hem die avond zou zien, en omdat ze weer eens bij haar beste vriendin Sally langs zou gaan. Maar zij en Willie zouden elkaar niet meer zien.

Pas laat in de middag maakte Emma zich op om weg te gaan, en Roo bood haar aan Simons landcruiser te nemen, die Emma wel vaker leende als ze geen eigen vervoer had. Bij uitzondering werd Emma die keer niet begeleid door Zesenveertig, haar trouwe lijfwacht, die normaal altijd reed. Emma had hem een poosje vrijaf gegeven zodat hij op bezoek kon gaan bij zijn familie in Waat, en ze had het aanbod van een andere lijfwacht om zijn plaats in te nemen afgewezen, blij dat ze voor even was verlost van de knellende ketenen van het veiligheidsregime. Roo overhandigde haar de sleuteltjes met de woorden: 'Tot later.' Emma beloofde de auto rond acht uur terug te brengen.

Toen ze om negen uur nog niet was komen opdagen, begon Roo zich zorgen te maken. Dit was ongebruikelijk; ze had zich nog nooit zorgen gemaakt om Emma. Ze belde naar de Ngong Dairy, en Sally deelde haar mee dat Emma ook daar niet was verschenen. Simon wuifde de bezorgdheid van zijn vrouw weg, zeggende dat Emma een zeer onafhankelijke vrouw was, en maakte aanstalten om naar bed te gaan. 'Ze heeft haar plannen waarschijnlijk veranderd,' zei hij. 'Maak je geen zorgen, ze komt die auto morgen wel terugbrengen.'

Maar Roo had een akelig gevoel in haar buik en stapte in haar eigen auto om op zoek te gaan naar Emma, maar zonder succes. 'Ergens wist ik het, ik wist diep vanbinnen heel zeker dat ik haar moest gaan zoeken,' zei ze later. 'Ik kon niet thuis blijven zitten en al helemaal niet gaan slapen. Ik weet nog dat ik me in het donker vreselijk alleen voelde omdat ik meende dat niemand wist of begreep wat ik doormaakte.'

Ze kwam weer thuis en ging uiteindelijk op bed liggen, maar bleef lezen omdat ze de slaap niet kon vatten. Op een gegeven moment werd er op het raam getikt. Het was haar *askari* (nachtwaker), die haar vertelde dat Riek voor het hek stond. Ze ging naar buiten, en na één enkele blik op Emma's man wist ze dat er iets verschrikkelijks gebeurd moest zijn. 'Ik zie het nog heel duidelijk voor me, zijn lange zwarte silhouet en het wit van zijn ogen, wijd opengesperd en angstig in de nacht.' Ze ging hem voor naar binnen en schonk hun beiden een stevige whisky in, en hij vertelde haar wat er was gebeurd.

Nadat ze van Roo's huis was vertrokken, naderde Emma al snel het beruchte gevaarlijke kruispunt van de Gitanga Road en de James Gichuru Road. Ze keek recht in de ondergaande zon. Er waren geen verkeerslichten en ze had geen voorrang. Ze had eerst vaart geminderd en daarna weer gas gegeven. Kennelijk had ze de matatu die met volle vaart haar kant op kwam niet gezien; ze belandde er precies recht voor. Ze droeg geen veiligheidsriem (dat deed ze bijna nooit, het is niet wettelijk verplicht in Kenia), en ze werd uit de auto geslingerd en belandde op een strook gras in de voortuin van een huis. Daarna kwam ze onder de zware auto terecht, die op zijn kant was gerold.

Ze had ernstige inwendige verwondingen omdat de klap van de botsing haar vol op de borstkas had getroffen. Ze was verkeerd neergekomen op het gras en had een poos onder de auto gelegen, waarbij ze haar been had verwond, maar de rest van haar lichaam en haar gezicht waren ongedeerd en er was geen spoortje bloed. Emma raakte niet geheel buiten bewustzijn, en in haar ijltoestand riep ze steeds maar weer: 'Mijn kindje, mijn kindje.' Ze riep ook nog: 'SPLA, SPLA,' in een poging te laten weten wie ze was en wie er moest worden gewaarschuwd.

De Indiase vrouw in wier voortuin Emma terecht was gekomen deed wat ze kon voor Emma; ze wikkelde haar in een deken, maar het was duidelijk dat ze ernstig gewond was en nog steeds in de rats zat om haar baby. Omdat ze zo lang en slank was, begrepen de omstanders niet dat ze vijf maanden zwanger was en gingen er kostbare minuten verloren met het zoeken naar de baby, van wie men aannam dat die ook uit de auto was geslingerd. Terwijl er steeds meer mensen stopten en meehielpen met het uitkammen van de omgeving op zoek naar het kind, vloeide het leven langzaam uit Emma weg.

Toen er toevallig een Keniaans politicus voorbijkwam en uitstapte, werd het hem duidelijk dat de eerste prioriteit was om Emma snel in het ziekenhuis te krijgen. Hij tilde haar op, nog steeds gewikkeld in de deken, legde haar op de achterbank van zijn auto en reed zo snel als hij kon naar het ziekenhuis van Nairobi, maar ze stierf voor ze daar aankwam. Het was te laat. De artsen konden niets meer doen om haar te redden; ze overleed aan ernstige inwendige verwondingen in haar borstkas en maag, waardoor ook haar ongeboren kind was gestorven. Het was een jongetje.

Direct na Emma's dood, en in de jaren die sindsdien zijn verstreken, hebben in Nairobi en Soedan allerlei wilde geruchten de ronde gedaan dat ze vermoord zou zijn, dat haar dood geen ongeluk was. Het zou te toevallig zijn dat ze was gestorven op de avond dat haar lijfwacht niet bij haar was en in een week dat ze diverse malen met de dood was bedreigd. Volgens sommige theorieën werd de matatu bestuurd door een huurmoordenaar, volgens andere stond er een andere auto vlak achter haar, die haar op het kruispunt voor de bus zou hebben geduwd. Mijn drie andere kinderen geloven allemaal in de moordtheorie, maar volgens de Keniaanse autoriteiten was het gewoon een ongeluk. Zelf ben ik van mening dat, ongeacht de werkelijke toedracht, speculeren geen zin heeft omdat we haar daarmee niet terugkrijgen. Ze is dood, en niemand schiet er iets mee op als hij gelooft dat het iets anders was dan een tragisch ongeluk; een van vele.

Toen Emma officieel dood was verklaard, stonden de ziekenhuisautoriteiten voor de moeilijke taak erachter te komen wie ze was. Ze doorzochten haar bemodderde spullen en vonden haar dagboek en het visitekaartje van een vriend. Uiteindelijk kregen ze, na een aantal omslachtige telefoongesprekken, Riek te pakken, die inderhaast met een paar adjudanten naar het ziekenhuis kwam. 'Ik kom hier voor mijn vrouw,' zei hij met haperende stem tegen de verpleegsters op de afdeling eerste hulp. 'Ze heeft een auto-ongeluk gehad.'

De verpleegsters keken de boomlange zwarte man niet-begrijpend aan en zeiden tegen hem dat hij zich moest vergissen, dat zijn vrouw hier niet was. Er was die avond geen zwarte vrouw binnengebracht die een auto-ongeluk had gehad. Riek zuchtte ongeduldig.

'Nee, mijn vrouw is blank,' legde hij uit, zich met moeite beheersend. Toen viel eindelijk het kwartje, en hij werd naar een kamertje gebracht om op de dokter te wachten die Emma officieel dood had verklaard. Riek ging zitten met zijn ellebogen op zijn knieën en zijn hoofd in zijn handen en snikte zachtjes. Zijn enorme lijf trilde. Toen hij opkeek, zag hij Emma's zonnebril netjes opgevouwen naast een stapeltje spullen van haar liggen; de glazen zaten vol moddervlekken. Op dat moment wist hij dat ze dood was.

Sta mij bij, God, in de ure des gevaars,
De woeste grijns der vreze te weerstaan,
Dat, mocht ik sneven in dit vreemde land,
Mijn ziel moog' zegevieren in het zand.

uit 'A Soldier – His Prayer', anoniem

Ik wilde dolgraag slapen, langzaam wegzinken in die verdoofde, emotieloze toestand waarin de pijngolven binnen in me me niet langer zouden kunnen kwellen. Maar eerst moest ik mijn schoonzoon Riek nog ontmoeten. Ik moest zijn handen vasthouden en zien hoe hij het verlies van zijn vrouw en kameraad verwerkte. Sally bood aan me een lift te geven naar Peace House, het huis waar Emma had willen wonen, maar ik zei tegen haar dat ik er liever naartoe liep. Het was niet ver, het was een warme dag en een beetje lichaamsbeweging zou me goed doen. Jennie, Johnny en Sally liepen met me mee, en toen we bij het huis waren verzamelde ik al mijn moed en liep het pad naar de voordeur op.

Ik keek om me heen om de schoonheid van dat witte gebouw in die weelderige tropische tuin in me op te nemen, de tuin waar ze zo van had gehouden en waar ze me al over had verteld, toen mijn oog plotseling op iets viel waardoor mijn adem stokte. Aan een hoge boom in een beschaduwd hoekje van de tuin hing een brede houten schommel, precies zo een als Emma zelf als kind in Assam en bij Cowling Hall had gehad. Meteen schoot me weer te binnen hoeveel Emma van schommelen had gehouden, hoe ze steeds maar hoger ging en mij aanstekelijk giechelend vroeg haar nóg een beetje harder te duwen.

Eenmaal binnen de koele muren van het huis kreeg ik mijn kalmte terug. Riek verscheen voor me, sterk en rustig. We omhelsden elkaar even, maar ik merkte dat hij zich in het bijzijn van zoveel van zijn volgelingen inhield en de rol van de leider speelde. Hij bracht me naar een grote, ruime kamer, en ik moest me beheersen om niet gefascineerd te gaan rondneuzen in mijn dochters huis en me in plaats daarvan op mijn schoonzoon te concentreren. Overal zaten en stonden tientallen mensen, wat in Afrika de gewoonte is bij een sterfgeval. Ik was overweldigd door het aantal aanwezigen. Eén voor één liepen ze langs mij en Riek om ons te condoleren; ze pakten onze handen, zeiden 'Paalèh, paalèh' (Wat erg) en bleven daarna in eerbiedig stilzwijgen bij ons zitten, soms wel twintig minuten lang.

Nadat de mensen hun medeleven hadden betuigd werden ze naar de tuin geleid, waar haastig een zonnescherm was opgericht met tafeltjes en stoelen eronder en waar huisknechten thee en andere verversingen serveerden. Sally vertelde me dat het gebruikelijk was dat het gezamenlijk rouwen vier dagen duurde. Ik werd ineens overmand door vermoeidheid, nam afscheid van Riek en zijn mensen en besloot terug te gaan naar het huis van Roo en Simon om een bad te nemen en wat te slapen.

Er moesten een heleboel beslissingen worden genomen, maar iedereen was heel begripvol en niemand zette me onder zware druk. Het had iets ontroerends dat ze wachtten totdat ik zover was terwijl zij natuurlijk veel beter wisten wat in dit land de beste manier was om dit soort dingen aan te pakken. Op de terugweg naar huis probeerden Sally en mijn jongste twee kinderen me ertoe te brengen na te denken over een geschikte plaats voor een rouwdienst en de plek waar Emma moest worden begraven, maar dat soort zaken kon ik natuurlijk niet zomaar eventjes beslissen.

Toen ik in het huis van de Woods een bad had genomen en tussen de lakens kroop, hoorde ik dat er nog steeds mensen langskwamen en belden die mij wilden spreken, meer wilden weten en hun verdriet wilden delen. Maar ik kon nu even niemand meer zien, deed mijn slaapkamerdeur dicht en kon me eindelijk ontspannen om althans voor een paar uur weg te zinken in vergetelheid.

Het moet laat in de middag zijn geweest toen iemand me wakker maakte. We dronken thee, en toen probeerde Sally me opnieuw zover te krijgen dat ik naar een paar kerken ging kijken die in aanmerking kwamen voor een rouwdienst. Dominee Matthews, zelf een Nuer, wilde heel graag dat die dienst zou worden gehouden in de presbyteriaanse kerk in Nairobi, een Soedanees bolwerk. Dominee Matthews kende Emma en was vaak bij haar en Riek in Zuid-Soedan geweest; zij besprak haar plannen voor de vrouwen en kinderen van het dorp altijd met hem en luisterde naar zijn raad. Ik mocht hem wel, hoewel hij nogal nadrukkelijk aanwezig was. De kerk was gigantisch groot, maar ik had mijn bedenkingen: Emma noch ik waren presbyteriaans, en ik was bang dat een dienst in die kerk door anderen zou worden geannexeerd en ons uit handen zou glippen.

Sally bracht ons vervolgens in haar Suzuki naar de All Saints Cathedral in Nairobi, en vanaf het moment dat ik door de grote houten deuren het koele interieur betrad, wist ik dat dat de juiste plek was. De kathedraal was opgetrokken uit de rood-grijze steen die ik zo goed kende uit Yorkshire. Aan weerszijden van het middenpad stonden met houtsnijwerk versierde kerkbanken, en het gotische kerkdak was volmaakt symmetrisch. Aan de overkant viel het licht, gefilterd door één enkel roosvenster met gebrandschilderd blauw glas, op het gouden kruis op het hoge altaar. Het glas had dezelfde turquoise kleur als het stuk zijde dat Emma destijds voor me uit Australië had meegebracht.

Er was een koorrepetitie aan de gang en we bleven luisteren naar de mooie muziek terwijl we wachtten tot er iemand zou komen. Na een tijdje verscheen de blanke missiepriester Andrew Gandon om met ons te praten. Hij beloofde ons later die middag in Riverside te komen bezoeken om over de dienst te spreken. Ik was vreselijk opgelucht dat er eindelijk iets was besloten.

De rouwdienst zou drie dagen later plaatsvinden, op maandag 29 november om twee uur. Andrew Gandon leidde ons door een oerwoud van voorstellen en plannen, en wij zochten met behulp van een van de kokkin geleende, beduimelde bijbel geschikte schriftlezingen en liederen uit. Roo leende me de volgende dag haar computer om de liturgie uit te typen; ik had nooit gedacht dat ik mijn op de secretaresseopleiding aangeleerde vaardigheden nog eens zou gebruiken ter gelegenheid van de begrafenis van mijn eigen dochter. Het viel me erg zwaar me te concentreren en te proberen er iets begrijpelijks van te maken.

Hoewel Riek bereid was desgevraagd adviezen te geven, koos hij ervoor op de achtergrond te blijven. Achteraf denk ik dat hij even verdoofd was als ik en opgelucht dat er iemand was gekomen om de cultuurkloof te overbruggen en hem te vertellen hoe Emma het zou hebben gewild.

Het was al moeilijk genoeg om al die beslissingen zo snel te nemen, maar we waren ook nog in Afrika, waar je nergens van op aankon. De kennis die Catherine Bond, de met Emma bevriende journaliste uit Nairobi, van de plaatselijke eigenaardigheden had, bleek van onschatbare waarde. Maar eerst moest ik nog beslissen waar Emma moest worden begraven. In Engeland? En zo ja, waar dan? In Surrey of in Yorkshire? In Kenia, waar ze het gelukkigst was geweest en zoveel vrienden had? Of in Zuid-Soedan, waar ze was getrouwd en waar ze woonde en werkte? Iedereen leek af te wachten wat ík zou beslissen. Ten slotte hakte ik de knoop door. 'In Zuid-Soedan,' deelde ik mee, en toen ik het eenmaal hardop gezegd had, twijfelde ik ook niet meer aan mijn keuze.

Zodra ik dat besluit had genomen, doemde er meteen een enorm aantal problemen op. Als we haar in Zuid-Soedan wilden begraven, zouden we een vijf uur durende vliegreis door een gevaarlijk gebied moeten maken, waarvoor we mogelijk geen toestemming zouden krijgen. Het aantal mensen dat erbij zou kunnen zijn, zou geheel en al afhangen van het aantal vliegtuigjes dat we zouden kunnen charteren, en overigens zou ik dat allemaal nooit in mijn eentje kunnen betalen. En dan: moesten we haar eerst in Soedan begraven en dan een rouwdienst in Nairobi houden, of andersom? Geconfronteerd met al deze onzekere factoren zette iedereen zijn beste beentje voor. De saamhorigheid was onvoorstelbaar groot.

Op zaterdag was ik klaar met de liturgie. Voldaan begaf ik me naar het Norfolk-hotel voor een schoonheidsbehandeling, enigszins merkwaardig op zo'n moment, maar op de een of andere manier werd ik er heel rustig van. Johnny had het contact met de vrienden en familie thuis onderhouden en van Erica gehoord dat zij zondag zou komen. Johnny had zijn tante Sue per fax een briefje gestuurd dat luidde: 'Volgens mij moet jij er ook bij zijn, want je hebt een grote rol gespeeld in Emma's leven. Kom alsjeblieft naar haar dienst.'

Kort daarna ging de telefoon in het huis van Roo en Simon. Het was Sue. Het was eenvoudigweg niet bij haar opgekomen om naar Afrika te vliegen, maar Johnny bleef erbij dat het een goed idee was, zowel voor haarzelf als voor mij. Binnen een uur was haar ticket geregeld.

De volgende dag bood Willie aan mij mee te nemen op een safari om mijn gedachten te verzetten. Ik greep de kans met beide handen aan. We picknickten bij de bedding van een drooggevallen rivier en praatten heel open en eerlijk met elkaar over Emma en hun relatie. Willie was verdrietig en verontwaardigd, maar treurde ook nog steeds om het leven dat ze samen hadden kunnen hebben. We trokken een fles wijn open, maar ontdekten dat hij – hoe symbolisch – zuur was geworden. Toen gingen we maar door het bos wandelen, en bij het vallen van de avond reden we dwars door het wildpark van Nairobi weer naar huis. We zagen de wilde dieren in de vredige avond grazen.

Toen we terug waren in het huis van Roo en Simon, waren Erica, Sue en Annabel Ledgard inmiddels aangekomen uit Engeland. Ze hadden passende kleding voor mij meegebracht, en ook een exemplaar van het

Requiem van Fauré, een muziekstuk dat ik een keer bij een andere rouwdienst had gehoord en zo mooi vond dat ik hun expliciet per fax had verzocht het mee te nemen. Annabel had een gebed bij zich dat ze tijdens de dienst wilde voorlezen en dat was geschreven door haar vader Frank, de dominee en huisvriend die destijds was voorgegaan in de rouwdienst voor Bunny. Ineens moest ik weer denken aan de vijf narcissen die ik toen, op die natte en trieste dag, had gekocht.

14

Zo brak dan ten slotte de dag aan waarop ik me voorbereidde op wat moest komen: de rouwdienst voor Emma en haar begrafenis. Ik ging al vroeg naar de kathedraal om af te spreken welke muziek er aan het begin en het einde van de dienst zou worden gedraaid, in de hoop dat ik ook nog wat tijd zou hebben om alleen te zijn met mezelf en mijn gedachten en even tot mezelf te komen. Maar er waren al tientallen mensen, mensen die mij niet kenden maar die erg op Emma gesteld waren geweest, en de kathedraal lag al vol bloemen, enorme, weelderige boeketten felgekleurde en geurende lelies, rozen, anjers en grote blauwe tuberozen. Sue verscheen met haar armen vol bossen bloemen die ze op de buurtmarkt had gekocht en die bijeengebonden waren met kanga's, de met kleurige patronen bedrukte stukken stof die de Afrikaanse vrouwen als rok of hoofdtooi gebruiken. We legden ze op de grond bij de eenvoudige houten schragen waarop weldra Emma's kist zou rusten.

Ik slaagde er niet in de geluidsinstallatie de muziek te laten afspelen die ik wilde draaien en greep een jonge Afrikaan in zijn nekvel, die beloofde me te helpen. 'Momentje,' zei hij, en hij sprintte het gebouw uit.

Twintig minuten later was hij terug met een enorme gettoblaster van chroom en zwart plastic, totaal misplaatst in deze omgeving, maar uitstekend geschikt voor wat ik wilde. Op de een of andere manier slaagde hij erin het ding aan te sluiten op de geluidsinstallatie van de kerk, en als door een wonder galmde ineens Faurés betoverende *Requiem* door het hoge gewelf.

Toen dat voor elkaar was, ging ik terug naar het huis van Roo en Simon om wat te eten en me te verkleden. Ik koos een eenvoudige rok en een jasje van groen linnen met een witte blouse. Het waren de kleren waar Emma me altijd het liefst in had gezien. Toen ik voor de spiegel in mijn slaapkamer stond en de kreukels in mijn rok gladstreek, ving ik de blik van mijn eigen spiegelbeeld. Ik vroeg me af wie die bleke, gekwelde, grijze vrouw met die kringen onder haar ogen was. Het was iemand die ik niet herkende. Ik zat in een tijdcapsule, wat gebeuren moest zou gebeuren. Ik kon er niets meer aan veranderen.

Ik was te vroeg bij de kathedraal, en omdat ik niet goed wist wat ik in mijn eentje moest doen wachtte ik buiten, totdat David Marrian, die een van de gebeden zou lezen, me bij de arm nam en me door het lange middenpad de kerk in leidde. Ik zat op de voorste rij naar het roosvenster te staren, terwijl de kathedraal achter me langzaam volliep met schuifelende en fluisterende mensen. Ik was niet in staat me om te draaien en luisterde naar de op gedempte toon uitgesproken begroetingen en de gefluisterde woorden van troost die de zacht kabbelende achtergrond vormden bij de orgelmuziek. Ik wachtte op Emma.

Ze werd binnengedragen door Jennie, Johnny, Sally en Rieks adjudant Kwong. Haar kist had een andere vorm dan bij ons gebruikelijk is: hij was langwerpig en rechthoekig, smal en uiterst plat, met aan beide kanten drie sierlijke metalen handvatten. Een paar van haar vrienden, onder wie David Marrian, die de vorige avond de rouwkamer hadden bezocht waar ze lag opgebaard, vonden die sobere kist veel te fantasieloos voor Emma en hadden de buitenkant ervan beschilderd met een groen gevlekt, tempera-achtig patroon. Het zag er exotisch uit. Later vertelden ze me in tranen dat ze er heel vredig uitzag, hoewel ze gebalsemd was, en dat ze gekleed was in net zo'n soort Ethiopische jurk als ze op haar huwelijksdag had gedragen. Haar vrienden hadden ook een aantal grassoorten in haar kist gelegd en lokken van hun eigen haar. Ik had het niet kunnen opbrengen om naar haar te gaan kijken.

Ik ging staan toen de kist op de houten schragen werd gezet en de bloemen eromheen werden gelegd, terwijl ik mijn handen in elkaar klemde om te voorkomen dat ze trilden. Ik moest moeite doen om te blijven kijken. Toen trad er een Soedanees naar voren met een enorme ingelijste foto van Emma die in het zonlicht zat, van oor tot oor grijnzend vanonder haar favoriete slappe vilten hoed. Hij zette de foto rechtop voor de kist, tussen de bloemen. Ik was er totaal niet op voorbereid om op deze hardhandige wijze aan mijn dochter te worden herinnerd, en gedurende een paar minuten trilde ik hevig en kon ik niet meer naar de foto kijken. Ten slotte haalde ik diep adem, raapte al mijn moed bij elkaar en keek naar haar. Wat was ze mooi. Springlevend en overduidelijk gelukkig. De foto was genomen tijdens het luipaardvelritueel in Ayod. Ik herkende het van de foto's die ze mij had laten zien. Langzamerhand, naarmate de dienst verderging, voelde ik me steeds meer in staat ernaar te kijken, iedere keer iets langer, tot ik mijn ogen ten slotte niet meer van haar kon afhouden.

De kathedraal was gevuld met muziek en de geur van tientallen bloesems. Blank en zwart zaten door elkaar in de uitpuilende kerkbanken achter mij, verenigd in hun verdriet en in een sfeer van overweldigende liefde en toeneiging. Emma had ons allemaal samengebonden met een onzichtbaar lint. Dominee Gandon stond in zijn gewaad bij het altaar samen met zes bisschoppen, de hoofden van de anglicaanse, de katholieke en de presbyteriaanse kerk van Zuid-Soedan, en ze hielden allemaal toespraken waarin ze met groot ontzag spraken over Emma's leven en werk.

Willie sprak een paar woorden, en Annabel las het gebed van haar vader voor en kreeg het helemaal te kwaad, waarna ook anderen hun emoties de vrije loop lieten. Andrew Gandon trad naar voren en pakte Annabels arm vast, en samen lazen ze het gebed ten einde. Ik had met haar te doen zoals ze daar stond te hakkelen met wangen die nat waren van de tranen. Ik dacht aan de arme Johnny, die de volgende spreker was. Hij was vanaf het begin vastbesloten geweest om *Dona Nobis Pacem* (Schenk ons vrede) voor Emma te zingen, een liedje dat hij kende van de lagere school. Ik stootte hem zachtjes aan en fluisterde: 'Gaat het? Kun je het aan?'

Johnny hief zijn hoofd op en keek strak naar de foto van Emma. 'Ja mam,' zei hij beslist, en hij stond op. Hij had zich al sinds de dood van Bunny een beetje het gezinshoofd gevoeld en zich vast voorgenomen het publiek nu niet teleur te stellen. Hij ging bij de katheder staan en zong het lied samen met twee koorknapen. Het klonk prachtig, de hoge kathedraal was vervuld van zijn onvaste stemgeluid.

David Marrian, de kunstenaar die met Emma bevriend was geweest, dezelfde die de kist had beschilderd, las een mooi gebed voor dat hij ergens had gevonden en dat precies de goede toon trof:

Wat is sterven?

Ik sta aan de kust van de zee.

Er vaart een schip uit in de ochtendwind; het gaat de oceaan op. Het is een mooi schip, en ik staar het bewonderend na tot het aan de einder verdwijnt. Iemand naast mij zegt: 'Nu is het weg.'

Weg! Waarheen? Ik zie het alleen niet meer, dat is alles...

Dat het heel klein werd en uit het gezicht verdween, dat ligt aan mij, niet aan het schip; en op hetzelfde moment waarop iemand hier zegt: 'Het is weg,' staan elders anderen die het juist zien naderen, en daar klinken stemmen op die het met vreugdegeroep begroeten: 'Kijk, daar!'

Dat nu is sterven.

uit 'What is Dying?' van bisschop Brent

De dienst was bijna afgelopen en het Soedanese koor stond op om te gaan zingen. Het geluid van hun sonore stemmen dat aanzwol tot een harmonieus crescendo, was zo mooi dat de rillingen ervan over je rug liepen. En juist op dat moment viel er, als door godenhand gestuurd, een baan zonlicht door het roosvenster van de kathedraal naar binnen die het koor in een blauwe gloed zette.

De plechtigheid was voorbij en Emma werd de kerk uit gedragen; buiten werd haar kist opnieuw op houten schragen gezet. Ik liep er vlak achter aan Rieks arm, met droge ogen, maar mijn hart bonsde zo luid in mijn oren dat ik de muziek die ik speciaal voor dit moment had uitgezocht haast niet hoorde. Er was me van tevoren verteld wat er nu zou gaan gebeuren; het was een Afrikaanse traditie. Het deksel werd van Emma's kist gehaald, en vervolgens moest ik samen met Riek de treurenden langzaam langs Emma leiden, zodat iedereen haar nog één keer kon zien. Zoals Emma ooit zelf in haar dagboek had geschreven over een overleden vrouw die ze in Bor had gezien: 'Haar gezicht was geheel ongeschonden, haar gezichtsuitdrukking merkwaardig vredig. Ik had bijna de neiging haar zachtjes heen en weer te schudden om haar wakker te maken.'

Ik wilde me haar graag herinneren zoals ik haar had gekend, dus ik keek niet; ik kon het niet. Ik bleef maar enkele ogenblikken naast Riek, toen strompelde ik naar een paar struiken en liet me huilend op de grond vallen. Uit de kathedraal klonken vaag en ijl de klanken van Faurés *Requiem*, maar ik kon me niet meer goed houden. Ik had de kracht niet meer. Ik was alleen nog maar Maggie McCune, wier hart brak om het verlies van haar innig geliefde kind.

Van wat er daarna gebeurde, herinner ik me niet veel. Ik werd gevonden, vastgehouden, overeind geholpen. Ik werd de kathedraal weer binnengebracht en op een kerkbank neergezet. Iemand wilde me spreken, hoorde ik, de Indiase vrouw die Emma in haar tuin had gevonden; iemand anders was bezig de bloemen te verzamelen, die allemaal mee moesten naar Zuid-Soedan.

Het volgende dat ik me herinner is dat we op de dodenwake in de Ngong Dairy in Karen waren, dertig kilometer buiten Nairobi; van de reis erheen weet ik niets meer. Het was een sprookjesachtig huis waar een onwerkelijke sfeer hing, als in een speelfilm. Alles was geregeld; Emma's vrienden hadden het huis versierd met papyrusgras, palmtakken, bloemen en kaarsen. Onder een afdak in de tuin werd thee met gebak geserveerd aan de menigte Europeanen en Afrikanen. Er waren rijken en armen, nederigen en groten, mensen van alle politieke groeperingen en rassen. Ik zag leden van Rieks SPLA, iemand van de Soedanese regering, Emma's arts, dokter Saio, en de vrouw die haar in haar laatste minuten had getroost. Eén vriend die graag had willen komen was verhinderd en had zijn chauffeur gestuurd. Al die mensen, en al die gebaren, waren evenzovele uitingen van menselijkheid en genegenheid.

Toen ik daar tussen die mensen stond en luisterde naar wat ze zeiden, begon ik te beseffen dat Emma haar eigen lot had bepaald en dat ze met haar positieve instelling een heleboel mensen had geïnspireerd. Ze was het symbool geworden van zorg en medemenselijkheid te midden van een burgeroorlog; ze had haar status als echtgenote van Riek gebruikt om te proberen de levens van honderdduizenden gewone mensen te veranderen. En nu eerden ze haar. Ik herinnerde me weer wat ik tegen Bunny had gezegd toen Emma werd geboren: 'Ik heb het gevoel dat zij later echt iets met haar leven gaat doen.'

Toen de avond begon te vallen en de schemering de tuin in een lavendelblauwe gloed zette, gingen we naar binnen en verzamelden ons in de huiskamer, waar Emma's vrienden en naasten één voor één op de treden van de houten trap gingen staan om voor te lezen uit Emma's geschriften. Door haar kleurrijke beschrijvingen van het kamp, het vee, de vogels, de wilde dieren bij de rivier de Sobat en haar geliefde groentetuintje kwam Zuid-Soedan voor ons tot leven en voelden we de leegte in ons hart iets minder.

Jennie, Annabel en Sally vertelden van hun herinneringen aan Emma, en het Soedanese koor wisselde die af met zijn zangerige liederen. We klampten ons aan elkaar vast als overlevenden van een schipbreuk die wachten tot er hulp komt opdagen. Ik wist dat ik ook iets moest zeggen en wilde dat ook graag; ik glipte even de kamer uit om rustig mijn gedachten te ordenen. Daarna ging ik onder aan de brede houten trap staan en bedankte Emma's vrienden en familie voor alles wat ze hadden gedaan en voor het organiseren van die bijzondere rouwdienst. Ik had geen idee, zei ik, dat ze gedurende die vijf jaar in Afrika zóveel mensen had geïnspireerd.

'Toen Emma klein was, hield ze erg van vliegeren,' vertelde ik het aandachtig luisterende gezelschap. En voor mijn geestesoog zag ik haar weer zoals ze toen had gestaan, haar gezicht omhooggeheven naar de hemel, een blik van pure verrukking in haar ogen, terwijl ze haar rode vlieger als een gevangene liet dansen aan het andere eind van het touw. 'Emma heeft zoveel vrienden,' ging ik verder, 'die zielsveel van haar houden. Wij moeten voor haar allemaal in gedachten doorgaan met vliegeren. We moeten onze vliegers heel hoog in de lucht laten dansen. Dat is wat zij zou hebben gewild.'

Toen iedereen zijn zegje gezegd had, werd er een overheerlijk diner geserveerd, een fijn gekruid Swahili-gerecht dat was klaargemaakt door een paar vrienden. Het was precies wat we nodig hadden. Opgemonterd door een paar glazen wijn of whisky, en opgelucht dat de dienst voorbij was, ontspanden we ons, zelfs zozeer dat we (tot afgrijzen van Rieks lijfwachten) spontaan een paar nummertjes Schots dansen weggaven, vrolijk door het vertrek zwierend en zwalkend op het op zo'n dag tamelijk ongepaste geluid van doedelzakken. Toen ik Riek bij de hand nam en hem de dansvloer op trok, bedacht ik hoe bijzonder het was dat onze culturen op deze manier waren samengekomen en dat we nu bezig waren aan een traditionele Afrikaanse dodenwake begeleid door doedelzakmuziek. Emma zou trots op ons zijn geweest. Ik kon haar bijna horen lachen.

Toen het dansen voorbij was en de muziek ophield, voelden we ons gelouterd en dankbaar. We gingen naar bed, want we zouden de volgende ochtend al vroeg van Wilson Airport naar Leer vertrekken om Emma te begraven. Ik deelde een kamer met Sue. Ik denk dat ik die nacht maar een uurtje heb geslapen; de rest van de nacht lag ik naast mijn zus stilletjes in het donker te huilen.

En toen vlogen we dus naar Leer om er mijn dochter te begraven.

Nadat ik nog even was teruggegaan naar Emma's graf om voor het laatst, en helemaal alleen, afscheid van haar te nemen, klom ik weer in het vliegtuigje van Heather Stewart voor de terugreis naar Nairobi. Ik had gedaan wat ik doen moest en hoefde alleen nog maar terug te vliegen naar Engeland. Op de avond van mijn vertrek bood Riek aan me naar Kenyatta Airport te brengen en me uit te zwaaien. Ik reisde alleen: mijn familieleden waren al eerder vertrokken of zouden nog een poosje blijven. Riek haalde me op bij het huis van Roo en Simon, geëscorteerd door twee extra auto's, en net op dat moment barstte er een tropische wolkbreuk los, zo heftig als ze bij ons nooit voorkomen. De ruitenwissers van de auto's waren simpelweg niet opgewassen tegen zoveel water, en ik was na een paar seconden buiten volkomen doorweekt.

Toen ik achter in de limousine zat, op weg naar het vliegveld, en keek hoe het water langs de ramen omlaag stroomde, kon ik me niet meer goed houden. Heftig snikkend vlijde ik mijn hoofd tegen mijn schoonzoon aan en huilde zonder schaamte, en hij troostte me zo goed hij kon en streelde teder over mijn haar. Dit zou de laatste keer zijn dat ik contact had met Emma. Het flitste door mijn hoofd dat ik misschien wel nooit meer in Afrika zou komen en Riek nooit meer terug zou zien. Op dat moment, in die in de stromende regen voortsnellende auto, kon ik de martelende pijn van het verlies niet verdragen.

Riek gedroeg zich voorbeeldig. Hij ving zijn huilende schoonmoeder, die hij nauwelijks kende, op een bewonderenswaardige manier op en bracht me veilig naar mijn vliegtuig. We namen afscheid en ik verdween uit zijn gezichtsveld, strompelde het vliegtuig in en plofte neer op mijn plaats bij het raam. Het vliegtuig vertrok. Het was mijn zoveelste eenzame reis, de laatste die met Emma te maken had, maar toen ik vanaf mijn plaats achter in het vliegtuig de lichten van Nairobi onder me zag wegzinken en in de verte zag verdwijnen, voelde ik me merkwaardig kalm en niet meer bang om alleen te reizen.

Thuis in Surrey wachtte mijn lege huis. Ik duwde de deur achter me dicht, liet mijn bagage staan en dwaalde door het huis; overal stonden bloemen van vrienden, waardoor het gevoel van eenzaamheid en een toekomst zonder Emma langzaam werd verdreven. Op tafel lag een stapel brieven met condoleances uit de hele wereld. Die wilde ik nu niet lezen; ik duwde ze aan de kant.

In de eerste tijd na haar dood was er weinig ruimte in mijn hoofd om mijn verdriet goed te verwerken. Ik had al mijn kracht nodig voor mijn worsteling om op de been te blijven, nuchter te denken en de toekomst onder ogen te zien. Ik leefde bij de dag en het uur en zei voortdurend: 'Gisteren om deze tijd... Vorige week om deze tijd... Vorige maand om deze tijd...' Iedere dag was een herdenkingsdag. Ik was niet in staat te denken aan een tijd in het verleden of de toekomst waarin mijn leven níét werd bepaald door de afstand tot de dag van Emma's dood. Het eerste jaar nadat je een geliefd iemand hebt verloren is altijd het ergste, want bij iedere stap die je zet word je aan je pijn herinnerd. Ik klampte me voortdurend vast aan alles wat op de een of andere manier verband hield met mijn herinneringen aan Emma.

De buitenwereld zorgde er trouwens ook wel voor dat ik haar niet vergat. Toen het nieuws van haar dood eenmaal bekend was geworden, verschenen er talloze uitgebreide necrologieën in de kranten; sommige ervan waren kritisch, maar de meeste spraken met eerbied over mijn dochter en alles wat ze omwille van Soedan had opgeofferd. Peter Dalglish, haar voormalige baas bij Street Kids International, schreef het volgende over haar:

> *In onze tijd is geen buitenlander ooit zo volledig geaccepteerd in de wereld van de Zuid-Soedanezen... Op het eind, toen ze besloot met Riek te trouwen en in Zuid-Soedan te gaan wonen, begrepen de mensen in dat gebied haar beweegredenen. Ze had hun kinderen beschermd, scholen voor hen gebouwd en hun leesboeken bezorgd. Ze had hun vertrouwen en hun respect gewonnen. De kinderen van Zuid-Soedan zullen Emma McCune gedenken als een van de moedigste medestanders die ze ooit hebben gehad.*

Er kwam een stortvloed van condoleancebrieven, letterlijk honderden. Ik beantwoordde ze allemaal persoonlijk; dat gaf heel wat emoties, maar het was in meerdere opzichten een verheffende en louterende ervaring. De woorden waarin mijn dochter werd beschreven waren welsprekend en vriendelijk; de omschrijvingen die me het meest zijn bijgebleven, zijn: betrokken, koppig, kalm, volhardend, ruimhartig, dapper, energiek, onbevooroordeeld, gracieus en licht in akelige omstandigheden, mooi en grappig. In bijna alle brieven werden haar glimlach en haar schaterlach genoemd.

De volgende stap was het organiseren van een herdenkingsdienst in Londen. Het thema was 'Een onvoltooid leven', en we regelden alles zelf. Riek kwam er speciaal voor uit Afrika, waaruit wel bleek hoe belangrijk hij het vond, want hij verlaat zijn land maar zelden. Ik vond het prettig hem terug te zien. Rieks eerste vrouw Angelina woonde de dienst ook bij; ze bleek zwanger van hem te zijn, wat bij ons insloeg als een bom op de dag dat we rouwden om het verlies van Emma en het ongeboren kind.

De herdenkingsdienst werd op 29 januari 1994 gehouden in de fraaie door Christopher Wren ontworpen kerk St. Martin's-within-Ludgate in het centrum van Londen, op een steenworp afstand van St. Paul's Cathedral, en werd aangekondigd als een van de grootste Engels-Soedanese bijeenkomsten die ooit in Groot-Brittannië waren gehouden. De liturgie was verlucht met een van Emma's eigen tekeningen uit de tijd dat ze kunstgeschiedenis studeerde in Oxford. Er was een vrouw op te zien die haar hoofd beschermde tegen de stralen van een zon die misschien wel de Afrikaanse zon was.

De dienst werd geopend door een Soedanees koor. Frank Ledgard en Madeleine Bunting spraken, Annabel las voor uit Emma's dagboek en mijn zus Sue las een eenvoudig gebed van Frank voor. Het luidde als volgt:

Wij vertrouwen Emma aan U toe, met al haar liefde en toewijding voor de mensen in Afrika en de kinderen van Soedan. Wij danken God voor haar vele talenten, haar moed, haar warme hart, haar vrijgevigheid en haar diepe bezorgdheid voor alle noodlijdenden. Wij danken Hem voor al wat er vandaag de dag nog van haar voortleeft en bidden dat haar opgewektheid en levensvreugde ons mogen steunen op de weg die wij moeten gaan.

De dienst eindigde met een paar lange lofredes van Soedanezen. De muziek varieerde van gezangen en psalmen tot een lied van Van Morrison, dat sinds Emma's dood op de een of andere manier háár lied was geworden:

Als God zijn licht op mij laat schijnen,
Open mij dan de ogen, dat ik zie.
Als ik omhoogkijk in de duist're nacht,
Weet ik dat Hij geeft mij kracht.
Als ik in mijn wanhoop en verdriet
Tot Hem mij wend, dan zwijgt Hij niet.

uit 'Whenever God Shines His Light' van Van Morrison

Het was om allerlei redenen een uitputtende dag, niet in de laatste plaats door die enorme massa mensen in die kleine barokkerk, en later in de kapittelzaal van St. Paul's Cathedral, die een afspiegeling vormde van mijn leven en dat van mijn dochter, twee levens die nu onverbrekelijk met elkaar verbonden waren. In een paar uur tijd trokken de vijftig jaar van mijn leven aan me voorbij: gezichten uit Assam, Yorkshire, Londen, Surrey en Afrika; gezichten van Emma's vrienden uit al die plaatsen, en uit Oxford, Londen en Soedan. Iedereen wilde zijn eigen verhaal, zijn eigen herinneringen, zijn eigen persoonlijke verdriet met me delen. Het was een bijzondere bijeenkomst van bijzondere mensen, verenigd door hun liefde voor een bijzondere jonge vrouw. Emma zou er dolgraag bij zijn geweest.

Maar uit alle duisternis kwam ook licht voort. Emma's vrienden besloten iets positiefs te doen met hun verdriet en richtten het 'Emma Fund' op. Het wordt beheerd door Christian Aid en geeft hulp aan vrouwen en kinderen in alle delen van Soedan. Er kwamen vele giften binnen en er werd geld opgehaald met diverse gesponsorde projecten, wat onder andere een aantal naaimachines en zo'n vijftien kilometer stof voor klamboes opleverde. Er waren ook plannen voor de aankoop van gieters, fietsen voor onderwijzers, handmolens om sorghum fijn te malen en, het allerbelangrijkste, voor scholen en onderwijsprojecten. Tegenwoordig steunt het Emma Fund nog steeds de goede doelen waarvoor Emma zich met zoveel vasthoudendheid inzette.

Maar ondanks al het goede en positieve dat was voortgekomen uit de dood van mijn dochter bleef ik het gevoel houden dat ik méér moest doen. Bij het bladeren door Emma's dagboeken, aantekeningen en verslagen van haar belevenissen in Afrika voelde ik een drang om verder te schrijven op het punt waar zij was opgehouden. Dit gevoel werd sterker nadat Madeleine Bunting, journaliste en vriendin van Emma, een bezoek had gebracht aan Leer. Ze werd er door de mensen ingehaald als de nieuwe vrouw voor Riek die Emma's familie hun had gestuurd. Toen ze zei dat ze niet met Riek zou trouwen, vroegen ze haar teleurgesteld om een jongere zus of een nichtje van Emma op te sporen die de vrouw van commandant Riek zou kunnen worden. Alles was bergafwaarts gegaan sinds Emma er niet meer was, zeiden ze. Een oude vrouw barstte spontaan uit in een loflied waarin ze God bedankte voor Emma's leven. Het dorp was vol mensen die de cadeautjes die zij hun had gegeven nog steeds koesterden: schoenen, een boek, een stuk stof. Toen ik dat allemaal hoorde, kwam het me zo onrechtvaardig voor dat zo'n jong en vindingrijk iemand als mijn dochter aan het leven was ontrukt.

In het nieuwe jaar dat volgde en waarin ik iedere dag van Waterloo Station naar mijn werk in St. Paul's Cathedral en terug liep, praatte ik daar, voortstappend over de kade aan de zuidelijke oever van de Theems, onophoudelijk in mezelf, meestal tegen Emma. Ik merkte dat ik gebeurtenissen uit het verleden met haar besprak, haar nieuwe plannen vertelde of haar in een stil gebed om raad vroeg. Dan wachtte ik even om te luisteren of er antwoord kwam. Soms hoorde ik inderdaad haar diepe, hese stem, waaraan je altijd kon horen dat ze glimlachte. 'Ja hoor mam,' zei ze. 'Je doet het goed. Ga maar zo door.'

Hoe meer ik met Emma praatte en over haar leven nadacht, hoe meer ik ernaar begon te verlangen me te verdiepen in de gebieden van haar leven waar ik niets van wist. En zo kwam het dat ik ten slotte in juli 1998 op reis ging naar Afrika, op zoek naar de sporen van Emma.

Toen ik op die zomerdag vroeg in de ochtend landde op Kenyatta Airport en die oude kameraad terugzag, de grote rode zon die boven de horizon stond te schitteren, was ik bijna ter plekke ingestort. Die zon is voor mij altijd het symbool geweest van geluk, hoop en vernieuwing. Wanneer ik tijdens de landing door het vliegtuigraampje keek en die zon zag, betekende dat altijd dat ik binnen een paar minuten mijn dochter in mijn armen zou sluiten. Deze keer zou er niemand zijn om te omarmen. Emma was er niet meer – ze was al bijna vijf jaar dood – en mij restten slechts de herinneringen aan al die keren dat we elkaar hier onder vreugdetranen hadden begroet.

In plaats daarvan werd ik nu afgehaald door Rieks voormalige adjudant Kwong Denhier. Emma's vriendin Catherine Bond was zo vriendelijk me tijdens mijn verblijf in Nairobi in haar huis onder te brengen. Ze had me destijds tijdens die afschuwelijke dagen fantastisch geholpen met het regelen van de rouwdienst, de begrafenis en de vluchten, en ik vond het fijn haar nu opnieuw te ontmoeten. We gingen in de nogal kwijnende Hurlingham Club lunchen en kletsten eindeloos over Emma, Soedan en Emma's leven. Ook deze keer had ik enorm veel steun aan Catherine bij het uitvoeren van mijn plannen.

Riek stond boven aan het lijstje van mensen die ik graag wilde spreken. Ik hoopte dat ik hem in Khartoem kon ontmoeten, een plaats waar het lang niet meer zo gevaarlijk voor hem was als een aantal jaren geleden. Maar ik wilde ook een heleboel anderen spreken, mensen met wie Emma was opgetrokken, voor wie ze veel had betekend en die de lacunes in mijn verhaal konden opvullen. Kwong, die inmiddels een van Rieks generaals was, en de man die ons op de dag van Emma's begrafenis in Leer had begeleid nadat we uit het vliegtuig waren gestapt, werd destijds door Jennie en Johnny 'tover-Kwong' genoemd omdat hij altijd als bij toverslag voor onze neus stond als we iets nodig hadden. Nu stond hij opnieuw voor me klaar, bereid om als tolk en gids op te treden gedurende de tijd dat ik in Kenia zou zijn. Ik besloot om te beginnen op bezoek te gaan bij de Indiase vrouw in wier tuin Emma na het ongeluk terecht was gekomen. Ik wist dat ze destijds de dienst in de kathedraal van Nairobi had bijgewoond en toen al met me had willen praten, maar ik was toen te zeer van streek geweest voor een gesprek, en toen ik later naar haar had gezocht, was ze al weg.

We reden naar de plek van het ongeluk aan de rand van de wijk Riverside en parkeerden de auto. Mijn hart klopte in mijn keel toen we in de namiddagzon haar tuinpad op liepen. Tot mijn grote teleurstelling bleek ze niet thuis te zijn. Toen haar tuinman Kwong, zijn vrouw Margaret en mij door het struikgewas voorging naar de plek waar Emma in haar laatste levensminuten had gelegen, had ik moeite mijn tranen te bedwingen. Vlak na het ongeluk vijf jaar geleden hadden Johnny en Jennie ter nagedachtenis aan Emma een witte kamperfoeliestruik in de tuin geplant, maar de tuinman vertelde ons nu dat die helaas was doodgegaan. Toen we echter naar de precieze plek werden gebracht waar Emma had gelegen, zagen we daar een vijgenboom staan die Willie en Sally een jaar later hadden geplant, en die deed het goed. En er zit nog steeds een gat in de haag, een dorre bruine plek, op de plaats waar Emma neerkwam. Volgens de tuinman wilde daar niets meer groeien.

Stil, stil, want zij kan niets horen,
Noch lier, noch sonnet.
Heel mijn leven ligt hier begraven,
Door aarde zij 't bedekt.

uit 'Requiescat' van Oscar Wilde

Het bleef niet bij de teleurstelling dat ik de Indiase vrouw niet had kunnen spreken. Bij mijn speurtocht in Nairobi naar mensen die een rol hadden gespeeld in Emma's leven kreeg ik de ene tegenslag na de andere te verwerken. Het kantoor van SKI was er niet meer, en de telefoon bezorgde me enorme frustraties; niet alleen werden er voortdurend gesprekken afgekapt, maar ook een heleboel nummers van oude kennissen van Emma klopten niet meer.

Ik bracht een bezoek aan Rieks nieuwe huis – hij woonde allang niet meer in Peace House – en ontdekte dat Angelina weer Rieks eerste vrouw was geworden. Ik informeerde naar het grote ijzeren bed dat Emma speciaal voor zichzelf en Riek had laten maken, en moest onwillekeurig glimlachen toen ik hoorde dat er nu maar liefst zes jonge knechtjes in sliepen. Dat zou Emma leuk gevonden hebben.

Ik kwam dus niet veel verder met alle bezoeken die ik in Nairobi aflegde; daarom boekte ik maar een vlucht naar Khartoem om Riek te ontmoeten. We hadden een vertraging van drie uur; ik zat naast Abdullah, een opgewekte Soedanees, die me vertelde dat hij een van de negenendertig mensen was die een ongeluk met eenzelfde soort toestel eerder dat jaar hadden overleefd. Toen ons toestel zondagmorgen in de vroege ochtenduren eindelijk in Soedan landde, was ik dan ook bijzonder opgelucht. Ik zocht verstrooid mijn spullen bij elkaar en verliet als een van de laatste passagiers het vliegtuig, omlaag kijkend om niet van de trap te vallen. Ik werd omspoeld door een golf warme nachtlucht, wat je altijd de opwindende sensatie geeft dat je echt in een ver en vreemd land bent. De palmbomen ruisten onder de sterrenhemel.

Toen ik opkeek, zag ik tot mijn verbazing Riek, geflankeerd door zijn lijfwachten, op de landingsbaan staan, klaar om mij te verwelkomen alsof ik een hoogwaardigheidsbekleder was. Hij was behoorlijk aangekomen sinds de vorige keer dat ik hem had gezien en ik vond hem er ook ouder uitzien, maar hij had nog dezelfde warme, diepe, sonore stem die ik zo vaak in mijn dromen had gehoord.

Er was veel gebeurd in de vijf jaar sinds Emma's dood; gecompliceerde politieke ontwikkelingen die zij onvoorstelbaar zou hebben gevonden en zeker had proberen te voorkomen als ze nog geleefd had. Riek had zijn beweging uit diepe onvrede over de voortdurende conflicten tussen de verschillende zuidelijke stammen omgedoopt tot Southern Sudan Independence Movement (SSIM) en vervolgens de uiterst merkwaardige en verrassende beslissing genomen zich in het hol van de leeuw te wagen.

In april 1997 tekende Riek Machar tot grote verontwaardiging van velen in Zuid-Soedan en Kenia, die hem van verraad betichtten, een vredesovereenkomst met de islamitische regering in Khartoem, waarmee hij zich in feite aansloot bij de voormalige vijand. Ter verdediging voerde (en voert) hij aan dat hij geen keus had. Hij was bijna al zijn macht in het zuiden kwijt, John Garang had het op zijn leven voorzien en de regering in Khartoem zou zijn eis om het zuiden als onafhankelijke staat te erkennen nooit serieus in overweging nemen tenzij hij de strijd tegen de regeringstroepen staakte.

Ik beschouwde hem, misschien wel omwille van Emma, het liefst op een romantische manier, als een soort moderne Gerry Adams of Yasser Arafat die zich voor de goede zaak had aangesloten bij de vijand. Wat zijn beweegredenen ook waren, zijn actie had in ieder geval het verbijsterende gevolg dat de Nuer-mannen die hem trouw waren gebleven nu zij aan zij met hun vroegere tegenstanders, de Arabische moslims, streden tegen een combinatie van Nuer- en Dinka-christenen onder leiding van de steeds machtiger wordende Garang, de man met wie Riek ooit, in 1984, een verbond had gesloten.

Nadat hij zijn bijdrage had geleverd aan een nieuwe grondwet voor het zuiden – een document dat door Garang en zijn bondgenoten niet wordt erkend – kreeg Riek twee hoge functies: adjunct-president van de republiek Soedan en voorzitter van de Coördinerende Raad voor Zuid-Soedan. Als schoonmoeder van een dergelijk hooggeplaatst iemand werd ik met alle egards ontvangen, inclusief een officiële receptie in de vip-lounge met pluchen stoelen en airconditioning en een eigen suite op de hoogste verdieping van het Hilton-hotel. Toen hij me die avond goedenacht kwam wensen, deelde Riek mij mee dat er de volgende ochtend om elf uur een auto zou komen om me op te halen. En zo was mijn speurtocht naar Emma begonnen. Ik was terug in Soedan en voelde me er op een merkwaardige manier thuis; het land had dezelfde aantrekkingskracht op mij die het twaalf jaar eerder op mijn dochter had gehad.

Ik werd vroeg wakker, haalde de rolgordijnen op en bestelde een ontbijt. Ik ontdekte dat ik uitkeek over de Nijl. Een paar kilometer stroomafwaarts bevond zich de plaats waar de Witte en de Blauwe Nijl samenvloeien, onder een boogbrug die in de Arabische poëzie 'de langste zoen in de geschiedenis' wordt genoemd. Ik keek gefascineerd naar alle activiteiten daar ver beneden me: herders die hun dieren hoedden, mensen die zaten te rusten onder een boom of in hun hutjes, anderen die baadden in de brede rivier, een paar tuinlieden die in de hoteltuin aan het wieden waren. Twee van hen zaten gehurkt op de harde, door de zon uitgedroogde aarde, bezig een paar oude, verlepte rozenstruiken weg te halen.

Plotseling schrok ik op uit mijn trance doordat de telefoon ging. Het was zeven uur plaatselijke tijd; ik vroeg me af wie dat kon zijn. Ik herkende de stem onmiddellijk en moest van verbazing op bed gaan zitten. Het was Emmanuel. Hij woonde tegenwoordig in Khartoem en wilde me graag direct ontmoeten. Hij was zo opgewonden en verbaasd geweest toen hij hoorde dat ik in de stad was dat hij geen moment langer wilde wachten. Ik moest praten als Brugman om onze ontmoeting uit te stellen tot vijf uur. Riek zat immers op me te wachten.

Ik ontbeet en dronk zoetgeurende kardemomkoffie en bereidde me onderwijl voor op de komende dag. Ik stalde alles op het bed uit wat ik wilde meenemen: camera, cassetterecorder, briefjes met aantekeningen en vragen, opschrijfboekjes en pennen. Ik had uit Engeland een paar cadeautjes voor Riek meegenomen: chocola, wat tijdschriften en een paar van de felgekleurde katoenen zakdoeken waar hij van hield. Om klokslag elf uur werd ik door de receptie gebeld dat mijn auto voor de deur stond.

Ik werd fluks naar Rieks kantoor in het presidentieel paleis gebracht, een imposant wit gebouw van drie verdiepingen in koloniale stijl aan de oever van de Nijl. Dit halvemaanvormige gebouw was ooit de woning van generaal Charles Gordon geweest, de voormalige Britse gouverneur van Soedan die in 1885 op de paleistrap was vermoord. Nu zijn de kantoren van de regering er gevestigd. Rieks airconditioned kantoor bevond zich in een apart gebouw in de ommuurde en goed onderhouden palmentuin. Dit was wel even wat anders dan die benauwde legerkampen met lemen hutten in de moerassen van Nasir. Ik vroeg me af welke prijs hij had betaald om zover te komen.

Toen ik zijn ruime kantoor werd binnengeleid, zag ik dat hij in bespreking was met een paar ambtenaren, maar hij stond onmiddellijk op om me te begroeten en stelde me vol trots voor aan zijn medewerkers. Hij vertrouwde me toe aan de zorg van Helen Ashiro, de vrouw die hij had benoemd tot Emma's opvolgster als coördinatrice van de Southern Sudan Women's Association en van de onderwijs- en welzijnsprogramma's voor de kinderen. Helen liet me foto's zien van lerende en spelende kinderen in de naar Emma genoemde middelbare school in Leer, die bestond uit vijf tukuls die eigenhandig waren gebouwd door mensen die mijn dochter goed hadden gekend, en die was gefinancierd door een liefdadigheidsinstelling in Nairobi. Geen van beiden brachten we ter sprake dat deze school – samen met vele andere gebouwen en huizen in het dorp – nog maar een paar dagen geleden was overvallen en totaal was verwoest door milities die Riek vijandig gezind waren; ze hadden op twee opeenvolgende dagen aanvallen uitgevoerd en veel mensen gedood. Het was nu zo gevaarlijk in dat gebied dat er geen sprake van was dat ik naar Leer zou kunnen gaan om een bezoek aan Emma's graf te brengen, zoals ik van plan was geweest.

Catherine Bond had me al BBC-filmmateriaal laten zien van het brandende Leer; ik had gezien dat er rookwolken opstegen uit het militaire kamp waar Emma begraven lag. Ik had niet durven vragen of haar graf was geschonden. Ik vermoedde bovendien dat ze me dat niet zouden vertellen, zelfs als ze het wisten. Ik vind het een vervelend idee, maar niet onverdraaglijk, want ik weet dat Emma's geest vrij boven Afrika rondzweeft. Dat hadden we met zoveel woorden gezegd in een gedicht dat op de herdenkingsdienst in Londen was voorgelezen:

Ween niet aan mijn graf, ween niet.
Ik ben niet hier. Ik sluimer niet.
Ik waai met duizend winden mee.
Ik ben de flonkering op sneeuw,
Het zonlicht op het rijpe koren,
Het ruisen van de regen in de voren...
Huil niet aan mijn graf, huil niet.
Ik ben niet hier. Gestorven ben ik niet.

uit 'Do not stand at my grave and weep', anoniem

Ik wist wel dat de mensen in Leer de moed niet gauw opgaven. Ze zouden hun huizen en de school weldra herbouwen. Ze hadden ook geen andere keus.

Riek stelde me ook voor aan een aardige vrouw die Allokiir heette; ze was groot en dik en ging gekleed in de meest schitterende traditioneel Afrikaanse gewaden. Allokiir, tegenwoordig minister in Rieks regering, was vroeger de Soedanese boezemvriendin van Emma geweest en haar collega bij de Women's Association in Nasir. We kletsten heel wat af en ze vertelde me lachend, maar met tranen in haar stem, dat ze Emma nog steeds erg miste. Ze had Emma een fantastische en humoristische vrouw gevonden, en bij het afscheid deed ze me een belofte. 'Ik beloof plechtig dat ik me volledig zal blijven inzetten voor de vrouwen en kinderen,' zei ze ernstig. 'Dat ben ik verplicht aan Emma en aan alles waar ze voor stond.' Nu was het mijn beurt om tranen weg te slikken.

Het was duidelijk dat Riek het vreselijk druk had; toen ik afscheid nam van Allokiir, was hij alweer aan een nieuwe bespreking begonnen. Hij stelde me aan nog meer medewerkers voor, en stuurde me toen terug naar mijn hotel om met Helen te lunchen. Later die middag bracht zijn chauffeur me naar het Nationale Museum in Khartoem, waar ik, slechts vergezeld door een oude, rimpelige gids, een paar uur in andere tijden en ruimten doorbracht, dwalend door stoffige, slechtverlichte gangen en kijkend naar de verbijsterende voorwerpen: oude scherven, potten en armbanden, etnische sieraden waar Emma dol op zou zijn geweest. Maar het meest was ik onder de indruk van de bleke kleuren van de fresco's op de stenen muren uit het Farasgebied, die hiernaartoe waren gebracht toen de Aswandam werd gebouwd. De afbeeldingen van de geschilderde personen leken allemaal op elkaar: figuren uit de koptische tijd met rijkversierde kleding en donkere oogschaduw. Die gezichten met die grote, bruine ogen deden me op de een of andere manier denken aan wat ik destijds in Leer had gezien: de opdringende mensenmenigte, de wapperende vlaggen met het rode Sint-Joriskruis, de armen en handen met de lange, magere vingers die werden uitgestrekt naar de kist van mijn dochter.

Toen het donker was geworden, werd ik in de plakkerige avondhitte fysiek en emotioneel uitgeput teruggebracht naar mijn hotel. Ik liet me in mijn koele kamer op het bed vallen en staarde naar het plafond. Ineens werd het wazig voor mijn ogen. Daar was ik dan, in Soedan, het epicentrum van het korte leven van mijn dochter en van alles waar ze voor stond, en ik kwam tot de ontdekking dat ik ook het epicentrum van mijn eigen emoties had bereikt. De afgelopen vijf jaar waren een lange ontdekkingsreis geweest, naar mijn eigen leven en dat van Emma.

Ik had nooit verwacht in deze situatie te zijn, van daar tot hier te komen, te moeten accepteren dat ík degene was die het had overleefd. Geen enkele moeder verwacht dat ze langer leeft dan haar kinderen, dat ze ze moet begraven en achterlaten in de aarde. En het kwam me voor dat Emma en ik allebei een vreselijk hoge prijs hadden betaald bij onze jacht op het geluk. We konden niet ontsnappen aan het verleden. Door de tragedies van lang geleden waren we geworden wie we waren en werden we voortgedreven. Ik was nu bijna aan het eind van mijn reis gekomen, bijna op het punt waarop ik alles zou moeten loslaten, en ik vroeg me af of ik dat zou kunnen.

De telefoon ging en ik schrok op. Het was Emmanuel; hij zei dat hij om vijf uur in het hotel was geweest, zoals afgesproken, maar dat ik er niet was. Ik schaamde me; ik was de afspraak glad vergeten. Hij vroeg opgewonden of we elkaar dan de volgende dag konden ontmoeten. Jawel, zei ik, kom maar om halfacht. Hij hing op. Ik nam een lange douche, at wat en ging uitgeput naar bed.

De volgende morgen vond ik het ineens heel spannend dat ik Emmanuel weer zou zien. Hij was iemand om wie Emma heel veel had gegeven, iemand die zich op haar had verlaten, en ik had behoefte aan dat contact met haar. Al kort na zevenen holde ik, tot mijn eigen stomme verbazing, telkens mijn hotelkamer in en uit om te zien of hij er nog niet aankwam. Toen hij verscheen, rende hij op me af en omhelsde me met de woorden: 'Dag oma.' Hij was inmiddels zestien en was duidelijk niet alleen groter geworden, maar ook volwassener. Hij torende boven me uit en ik was diep onder de indruk.

We ontbeten samen, kletsten geanimeerd en lieten ons de rest van de dag rondrijden door mijn chauffeur Hassa. We bekeken het prachtige, veelkleurige Khartoem en bezochten de *souks* (markten) van Omduram, waar ik exotische kralen kocht. Ik bedacht hoezeer Emma altijd gesteld was geweest op kralen en armbanden.

Terwijl we de hele dag samen optrokken, vertelde Emmanuel me hoe het hem was vergaan. Toen Emma was gestorven, was hij ontroostbaar geweest; zij was de eerste in zijn jonge leven geweest die hem had beschermd. Op de dag van haar begrafenis had hij rondgehangen in Peace House en steeds maar gevraagd: 'Wie zal er nu voor me zorgen?'

Toen Riek naar Khartoem verhuisde, nam hij Emmanuel en nog negen andere jongens mee en zorgde dat ze in Khartoem naar school konden en Arabisch leerden. De kinderen woonden allemaal bij Riek in zijn regeringsvilla en genoten zijn bescherming. Emmanuel vertelde dat hij graag economie en informatica wilde studeren en hoopte nog eens naar Engeland en Amerika te kunnen reizen. 'Dan zou ik bij jou kunnen komen logeren, oma,' zei hij opgewekt, en ik lachte.

Om zes uur 's avonds, toen ik nog steeds met de jongen zat te kletsen, verscheen Riek in het hotel, op zoek naar mij. Emmanuel maakte zich als de bliksem uit de voeten; het was duidelijk dat hij groot ontzag had voor Riek. Ik vond het jammer dat hij zo abrupt verdween zonder dat we echt afscheid hadden kunnen nemen, maar was ook blij mijn schoonzoon weer te zien. Ik wilde dolgraag met hem praten over zijn leven met Emma. We zaten tot diep in de nacht te praten; ik nam zijn zachte stem op op mijn bandjes. Hij werd vreselijk verdrietig toen hij over zijn jonge vrouw en hun eerste ontmoeting begon en vervolgens vertelde van de verschillende fasen van hun korte maar opmerkelijke relatie. Ik hing gefascineerd aan zijn lippen terwijl hij alle lacunes invulde die mijn verhaal nog had, tot ten slotte alle puzzelstukjes op hun plaats vielen en ik een volledig beeld had. Het was een helder en werkelijkheidsgetrouw beeld. Een beeld van twee hevig verliefde jonge mensen, gevangen in de meest bizarre omstandigheden, beiden voortgedreven door hun eigen ambities en overtuigingen en trachtend zowel hun eigen doelstellingen na te streven als hun gemeenschappelijke liefde levend te houden.

Afrikaanse vrienden hadden me in de jaren na Emma's dood op de hoogte gehouden van het wel en wee van Riek Machar. Een van hen schreef mij:

> *Zonder haar is hij zijn houvast kwijt. Hij is zowel mentaal als fysiek een ongeleid projectiel... Zijn toon tegen de mensen in zijn omgeving is radicaal veranderd, van communicatief in blaffend-bevelend; ook zijn politieke agenda en zijn liefde voor de waarheid zijn veranderd. Ineens wordt overal geknoeid. Emma was het geweten van de beweging.*

Emma schijnt kort voor haar dood tegen een paar goede vrienden te hebben gezegd: 'Mocht mij ooit iets overkomen, hou dan in de gaten wat er in Zuid-Soedan gebeurt en treed met harde hand tegen Riek op als hij de zaak verknoeit.' Maar volgens hen had de rebellenleider hun raad in de wind geslagen en was hij zijn eigen weg gegaan, misschien wel zijn ondergang tegemoet.

Terwijl Riek met mij zat te praten over de gelukkige tijd die hij met Emma had gehad, huilde hij niet. Het was niet zijn gewoonte om te huilen. Maar zijn grote bruine ogen werden vaak wazig, en de hele avond bewogen zijn grote handen met de lange, soepele vingers nerveus heen en weer terwijl hij zijn herinneringen aan Emma ophaalde.

Toen het heel laat was geworden en we allebei emotioneel uitgeput waren, drukte hij me de hand en bedankte me. 'Het zou te pijnlijk zijn geweest als we dit gesprek eerder hadden gevoerd, Maggie,' zei hij. Ik knikte, nauwelijks in staat me te beheersen. 'Maar ik ben blij dat we het nu hebben gedaan.'

Er restte me nog één dag in Khartoem, die ik op Rieks kantoor en in mijn hotel doorbracht en gebruikte om nog een paar laatste punten door te nemen en nog meer ministers de hand te schudden; ze waren allemaal even vastbesloten om er een vredesregeling voor Zuid-Soedan uit te slepen. Ik ontmoette ook Zesenveertig, Emma's boomlange lijfwacht die haar in Kongor eigenhandig uit een hinderlaag had gered; Rieks oom, een vriendelijke oude man die in die kosmopolitische omgeving nogal misplaatst leek; en een van Rieks ministers, een voormalige luipaardvelhoofdman die nu negentig procent van zijn tijd geanimeerd praatte door zijn mobiele telefoon.

De laatste avond dineerde ik alleen met Riek. We praatten door tot middernacht en vonden het allebei jammer het gesprek te moeten beëindigen.

'Je hebt er goed aan gedaan hiernaartoe te komen,' zei hij. 'Dat is goed voor mij en mijn volk. Ik ben blij dat je hebt gezien dat Emma's werk doorgaat en zal blijven doorgaan.'

Hij verliet mijn kamer ruim na middernacht en zei me dat ik wat moest proberen te slapen, want we zouden al voor dag en dauw vertrekken naar het vliegveld voor de terugreis naar Kenia.

Natuurlijk sliep ik niet. Ik was te vol van alles. Gedachten en herinneringen speelden door mijn hoofd en ik zag voortdurend Emma's gezicht voor me. Ik pakte mijn spullen en maakte me gereed om Soedan te verlaten. In de vip-lounge op het vliegveld nam ik afscheid van Riek. We zaten naast elkaar en zeiden nauwelijks een woord. Er was een stilzwijgende band tussen ons gegroeid, tussen twee totaal verschillende mensen uit volstrekt verschillende culturen, die elkaar alleen hadden ontmoet vanwege die vrouw die we allebei liefhadden. Ik gaf hem een arm toen we vanuit het gekoelde vertrek de zwoele nacht in stapten op weg naar de vliegtuigtrap. Ik bedankte hem dat hij zoveel tijd voor me had uitgetrokken en omdat hij mijn dochter gelukkig had gemaakt.

'Tot ziens Riek, ik ben blij dat ik ben gekomen,' zei ik, en ik kuste hem op zijn wang. Hij boog zich voorover om me te omhelzen en ik voelde dat hij me niet wilde laten gaan en dat hij pijn leed; zijn verdriet was voelbaar, en ik begreep dat hij nog een lange weg te gaan had. Ik wilde niet dat hij me zag huilen en draaide me haastig om, beklom de trap en ging het vliegtuig in.

Eenmaal in het gedempt verlichte interieur, waar ik veilig was voor nieuwsgierige blikken, liet ik mijn tranen de vrije loop. De zoveelste eenzame reis. Ik dacht aan alles wat Riek me had verteld, aan zijn gezicht dat oplichtte als hij over Emma vertelde. In zijn hart zou ze altijd blijven leven. Dit was niet alleen mijn verlies, het was een verlies voor mijn hele familie, voor Riek en voor het volk van Zuid-Soedan.

Vervolgens vroeg ik me af wat Emma er toch toe had bewogen zich met zoveel hartstocht en toewijding in te zetten voor Zuid-Soedan en zijn bewoners, met name de vrouwen en kinderen. Het was zeker voor een deel ingegeven door haar jonge leeftijd en naïviteit, en ook door haar warmte en spontaniteit, maar achteraf denk ik ook dat ze al vanaf haar vroegste jeugd vastbesloten was alles uit het leven te halen. Was er iets binnen in haar waardoor ze wist dat ze misschien niet veel tijd had, dat ze zoveel mogelijk levenservaring moest opdoen zolang het kon? Zou het kunnen zijn dat er op dat angstige moment dat we bijna samen verdronken in de Brahmaputra, een gevoel voor gevaar en avontuur, een verlangen naar verre einders, van mij in haar overvloeide in de baarmoeder?

Het is moeilijk om niet te geloven dat Emma een lotsbestemming had en dat al haar daden deel uitmaakten van een groter plan. Alles wat ze zag en bereikte, doorstond en overleefde, beminde en aanbad was bijzonder. In haar korte leven maakte ze een onuitwisbare indruk op een klein gedeelte van de wereld en op de mensen in Soedan, die haar hun onvoorwaardelijke liefde schonken. Ze was van plan haar leven in Afrika door te brengen, ergens in de buurt van Rieks geboorteplaats Leer een kleine farm te beginnen en er een rustig en eenvoudig leven te leiden, haar kinderen en kleinkinderen groot te brengen en op dat kleine stukje grond in dat verre land een nieuwe generatie McCune-Machars op de wereld te zetten. Ze had er haar bestemming gevonden, maar toen hield haar leven op. Ze werd een legendarische figuur en heeft na haar dood haast nog meer invloed gehad dan ervoor.

Toen ik in 1993 in Leer aan haar graf stond, heb ik plechtig beloofd haar nagedachtenis levend te houden. In de jaren die sindsdien zijn verstreken, heb ik begrepen dat de herinnering aan haar altijd levend zal blijven, in mijn hart, maar vooral ook in het land dat ze tot haar thuis had gemaakt. Ze heeft nog steeds veel invloed op mensen, onder andere op mij, haar eigen moeder, die na haar dood pas heeft ontdekt hoe groots ze was.

Vier maanden na haar dood schrok ik midden in de nacht wakker uit een diepe slaap en ik begon hardop te praten in de lege kamer. 'Vannacht wordt Emma's baby geboren,' zei ik, en in mijn hart wist ik heel zeker dat dat waar was.

De droom was heel precies en helder geweest. Het was 28 maart 1994. Emma was uitgerekend op 1 april, een paar dagen later. Sindsdien heb ik vaak aan mijn kleinzoon gedacht, de jaren geteld en gezegd: 'Nu zou hij vier zijn geweest,' of me voorgesteld dat ik met hem wandelde en zijn handje vasthield. Ik vroeg me af op wie hij het meest had geleken, op Emma of op Riek. Zou hij iets van haar gratie hebben gehad, of Bunny's glimlach? Of zou hij de edele en krachtige trekken van de Nuer hebben geërfd?

Op 4 januari 1998 kreeg mijn dochter Erica haar eerste kind. Het was een zondag, en de voorafgaande avond en nacht had er een storm gewoed waardoor de stroom was uitgevallen, zodat ik kaarsen had moeten aansteken. Hugh, die twee jaar daarvoor met Yo was getrouwd, belde me vanuit het ziekenhuis op om me het heugelijke nieuws te vertellen en me uit te nodigen mijn kleindochter te komen bekijken. Ik reed met gemengde gevoelens naar het Royal Surrey Hospital in het nabijgelegen Guildford, hopend dat ik op de goede manier zou reageren en dat mijn onvermijdelijke associatie met Emma en haar kind deze blijde dag voor Erica en Hugh niet zou bederven.

Toen ik me vooroverboog, het kleine kindje uit de wieg pakte en het voor het eerst in mijn armen hield, wist ik dat ik me voor niets zorgen had gemaakt. Het was een klein, levend bundeltje mens met een parmantig gezichtje. Natuurlijk speurde ik naar gelijkenissen tussen haar en Erica, Emma en de andere kinderen, maar ze was toch helemaal zichzelf, een nieuw mensje dat vandaag begon aan haar eigen levensavontuur. Ik voelde me geweldig trots.

'Hoe gaan jullie haar noemen?' vroeg ik Erica, die dolgelukkig rechtovereind zat in bed en keek hoe ik haar kindje vasthield.

'Alexandra Margot,' zei ze. 'Alexandra naar opa, en Margot naar onze lieve tante.' Ik knikte goedkeurend, met mijn ogen knipperend tegen de tranen. Wat een goede keus hadden ze gemaakt. Mijn vader was drie jaar eerder op vijfentachtigjarige leeftijd overleden. Ik miste hem nog steeds. Nu zou niemand me ooit nog 'konijntje' noemen.

Toen ik een paar weken later in een boek met voornamen de betekenis van de naam Alexandra opzocht, sloeg ik verstrooid de pagina op waar de namen met een E stonden. Ik keek bij de naam Emma, die ikzelf jaren geleden gekozen had, en ontdekte nu met een wrange glimlach wat hij betekent: 'Zij die het heelal geneest. Een vrouw die het heft in handen neemt.' Ik bladerde terug naar de A en keek bij Alexandra. Daar stond: 'Helpster van de mensheid.' Ik vroeg me af wat het leven haar zou brengen.

In de oneindige keten van uren, dagen, maanden en jaren raken we onszelf en anderen gemakkelijk kwijt in de mist van de tijd. Daarom moest ik teruggaan. Op mijn zoektocht naar Emma heb ik ook mezelf gevonden en iets begrepen van het raadsel hoe we van daar tot hier zijn gekomen. Nu ik aan het eind van mijn verhaal ben gekomen, voel ik een aanwezigheid naast me die me gadeslaat, me helpt en me voortdrijft. Ik voel een onzichtbare arm om mijn schouder. Men zegt dat geesten alleen in de duisternis kunnen wonen, maar ik begrijp nu dat ze ook in het licht kunnen leven.

'Ik zal er altijd zijn,' fluistert ze, 'maar nu moet ik terug, om weer in de zon te lopen.'

WOORD VAN DANK

Mijn bijzondere dank gaat uit naar Wendy Holden; zonder haar tomeloze inzet zou dit boek waarschijnlijk nooit zijn geschreven. Verder dank ik Ben Woolfenden voor zijn bijstand, en al diegenen die steeds zijn blijven geloven in mijn verhaal.

Dan dank ik mijn kinderen Erica, Jennie en Johnny. En natuurlijk mijn zus Sue, voor haar luisterend oor en het feit dat ze me aan mijn eigen leven herinnerde.

Dank ook aan de vele vrienden van Emma, die nu ook de mijne zijn: Sally Dudmesh, Bill Hall, Jo Mostyn, Willie Knocker, Liz Hodgkin, Roo Woods, Catherine Bond, Heather Stewart, Bob Koepp, Patta Scott-Villiers, Peter Moszynski en Rory Nugent. Ze hebben me stuk voor stuk geholpen de puzzelstukjes van Emma's leven bij elkaar te zoeken. En ook wil ik mijn vriendin Catherine Greig bedanken.

Dank aan de vele Soedanezen die Emma kenden en van haar hielden om wie ze was, en vooral aan Riek, haar man.

Op de dag dat ze stierf werkte Emma aan een project dat ze op touw had gezet om het lijden van de gevluchte vrouwen en kinderen in Zuid-Soedan te verlichten. Mocht iemand dit werk willen steunen, schrijf dan een cheque uit ten name van 'Christian Aid' en stuur die naar:

Emma Fund Horn of Africa Team
Christian Aid
PO Box 100
London
SE1 7RT
Verenigd Koninkrijk